KB036572

여자들의 무질서

THE DISORDER OF WOMEN (1st EDITION)
by Carole Pateman

First published 1989 by Polity Press

여자들의 무질서

Carole Pateman

THE DISORDER OF WOMEN

캐롤 페이트먼 지음
이평화·이성민 옮김

도서출판 b

| 차 례 |

감사의 말

나는 스웨덴 인문사회과학 연구위원회의 케르스틴 헤셀그렌 교수직 재임 기간 동안 서론을 썼고 이 책을 엮었다. 나는 영예스럽게도 의장석의 첫 점유자로 선정되었다. 케르스틴 헤셀그렌은 여성 인권의 대변자였으며 스웨덴 의회의 첫 여성 의원이었다. 나는 너그러운 도움을 준 위원회에 감사하며, 스웨덴 방문 초기 스톡홀름과 예테보리에 있는 그들의 학과들에서 베풀어준 환대로 인해 울로프 루인과 보 살비히에 감사하고, 나의 방문을 즐겁고 값진 것으로 만들어준 나의 스웨덴 친구들에 감사한다. 내 논문들을 모을 것을 고집한 데이비드 헬드와 그렇게 할 수 있도록 도움을 준 로이 또한 내가 감사해야 할 이들이다.

이 모음집에 담긴 논문들은 과거 다음 출간물에 실렸던 것들이며, 본 저자와 출판사는 그것들을 여기 실을 수 있도록 허락해 준 것에 대해 감사해 하고 있다.

1. '"The Disorder of Women": Women, Love, and the Sense of Justice.' In *Ethics*, 91 (1980), pp. 20-34.

2. 'The Fraternal Social Contract.' In J. Keane, ed., *Civil Society and the State: New European Perspectives*, London and New York: Verso, 1988.

3. 'Justifying Political Obligation.' In A. Kontos, ed., *Powers, Possessions and Freedom*, Ontario: University of Toronto Press, 1979.

4. 'Women and Consent.' In *Political Theory*, 8 (May 1980), pp. 149-68. Copyright © Sage Publications, Inc.

5. 'Sublimation and Reification: Locke, Wolin and the Liberal-Democratic Conception of the Political.' In *Politics and Society*, 6 (1975), pp. 441-67. Copyright © Butterworth Publishers.

6. 'Feminist Critiques of the Public/Private Dichotomy.' In S. Benn and G. Gaus, eds, *Public and Private in Social Life*, London and New York: Croom Helm, 1983.

7. '*The Civic Culture:* A Philosophic Critique.' In G. Almond and S. Verba; eds, *The Civic Culture Revisited*, Boston: Little Brown & Co., 1980.

8. 'The Patriarchal Welfare State.' In A. Gutmann, ed., *Democracy and the Welfare State*, Princeton: Princeton University Press, 1988.

9. 'Feminism and Democracy.' In G. Duncan, ed., *Democratic Theory and Practice*, Cambridge: Cambridge University Press, 1983.

서론

이 책에 담긴 논문들은 1975년과 1988년 사이에 처음 출간되었으며 원래의 형태로 여기에 실려 있다. 모든 논문들은 민주주의 이론의 측면들과 민주주의에 필요한 사회적 조건들을 다루고 있으며, 몇몇은 고전적 계약 이론가들, 특히 로크와 루소를 참조한다. 민주주의 이론에 대한 나의 관점과 텍스트에 대한 나의 독서는 이 몇 해 동안 몇 가지 근본적인 면에서 달라졌다. 이 이론적 발전의 추동력은 조직화된 여성주의 운동의 부활에서 왔는데, 이 운동은 민주주의와 정치적 삶에 대한 새롭고도 여러모로 극히 불온한 관점을 제공했다. 이론적 탐구는 동시대[I] 여성주의(feminism)의 중요한 부분이며, 새로운 여성주의 학문은 근대 정치 이론의 구성에 있어 성적 차이와 여자들의 종속이 중심적이라는 것을 드러내기 시작하고 있다.

주류 정치 이론 또한 번창해왔으며, 지난 5년여에 걸쳐 민주주의 이론에 대한, 특히 급진적 내지는 참여적 이론에 대한 관심이 부활했다.

I. [contemporary. 이 책에서 페이트먼은 '동시대'를 언제나 '지금 동시대'라는 뜻으로 사용한다.]

하지만 민주주의 이론은, 정치 이론이라는 보다 넓은 몸통과 마찬가지로, 대체로 여성주의적 논변에 의해 손이 닿지 않은 상태로 남아 있다. 여성주의 이론은 17세기부터 근대 정치 이론의 발전의 일부였다. 비록 여성주의 저술들이 '정치 이론'이라는 표제 아래 연구된 텍스트 정전(正典)으로부터는 배제되어 있지만 말이다.[2] 여성주의 논변의 현존은 그 자체로는 그리 주목할 만하지 않으며, 여성주의는 언제나 유명한 저자들의 이론과 비판적인 관계에 있었다. 그러나 앞선 시기에는 여자들이 대학에 있지 않았고, 정치 이론이 언제나 학계의 범위 안에서 수행되는 전문적인 분과였던 것도 아니다. 새로운 발전은 여성주의 학자들이 학계 정치 이론의 중심적 가정들과 전제들에 대해 전면적인 도전을 제기하고 있다는 점이다. 이 도전의 한 가지 추동력은 고전 텍스트에 대한 여성주의적 재해석에서 왔다. 정전으로 인정된 책들의 어떤 부분은 좀처럼 연구되지 않는다. 양성 관계를 다루고 성적 차이의 정치적 중요성을 다루는 절들과 장들은——이러한 문제들은 정치 이론의 진짜 업무에 비해 주변적인 것으로 일축되기에——보통 생략되거나 지나가면서 언급될 뿐이다.

정치 이론 내부의 현행 연구는 대부분 텍스트의 표준적 독서를 반복하며, 사회적 및 정치적 삶의 모든 영역에서 여자들의 위치와 관련해 여성주의 연구자들이 수집해 놓은 방대한 경험적 증거를 무시하며, 이성과 합리성에 대한 인식론적 물음과 분석에서부터 기표로서의 남근과 이성애 제도에 관한 논변까지 아우르는 여성주의 이론의 보다 광범위

2. '여성주의'와 '여성주의자'를 이렇게 사용하는 것은 엄밀히 말해 시대착오적이다. 이 용어들은 19세기 후반이 될 때까지는 사용되지 않았다. 캐런 오픈(K. Offen)의 'Defining Feminism: A Comparative Historical Approach', *Signs*, 14 (1988), pp. 119-57을 볼 것. 시대착오는 여기서 정당화된다. 오늘날 '여성주의적'이라 불리는 주된 문제들과 논변들 다수는 300년 전에 처음으로 제기되었다. 명명되지 않을 경우 그것들은 보다 손쉽게 계속 억압되고 무시될 수 있다.

한 몸통에 대해 아무 관심도 보이지 않는다. 조직화된 여성주의 운동의 부활이 정치 이론에 전혀 충격을 가하지 않았다는 것은 아니다. 이 운동은 정치 이론가들이 가령 권리나 정의나 노동에 관한 논의에서 이용할 수 있었던 여러 쟁점들(태아가 권리를 갖는가? 여자들에게 특히 영향을 끼치게 되는 부정의의 형태가 있는가? 가사노동과 자본주의는 관련이 있는가?)을 제기했다. 이러한 논의는 기존의 이론적 틀과 논변 양식이——그것이 자유주의적 권리 이론이든 롤즈적 정의 이론이든 맑스주의적 자본주의 이론이든——여성주의자들의 관심사를 다루기에 전적으로 적합하다는 관점에 입각하는 것이다. 여성주의가 논의를 위한 새로운 쟁점들을 생성할 수는 있겠으나, 기저에 놓인 가정은 '여성쟁점(women's issues)'으로서 제기된 물음들이 주류 이론 안으로 포용되고 통합될 수 있다는 것이다. 정치 이론가들이 보기에 여성주의는 여성주의 자체만의 그 어떤 변별적 문제도 제기하지 않으며, 친숙한 논변 용어들에 대한 그 어떤 근본적 도전도 제기하지 않는다.

'여성쟁점'을 논하는 것은 여성주의 이론에 관여하거나 기여하는 것과 같은 게 아니다. 여성주의 이론은 '여성쟁점'과 정치 이론의 주식(主食) 사이의 관계에 새로운 관점을 부과한다. 여성주의자들은 민주주의와 시민권에, 자유, 정의, 평등, 동의에 관심이 있다. 그들은 권력에, 그리고 어떻게 통치가 적법할 수 있는지의 문제에 지극히 관심을 갖는다. 그러나 여성주의자들이 '권력'과 '통치'로써 의미하는 바는 이 두 용어에 대한 정통 정치 이론의 이해와 아주 다르다. 여성주의 이론은 새로운 문제를 제기했기에 변별적이다. 혹은, 보다 정확히 말하자면, 여성주의 이론가들은 근대 정치 이론의 심장부에 억압된 문제——가부장적 권력 내지는 여자들에 대한 남자들의 통치 문제——가 놓여 있다고 주장한다. 정치 이론가들은 권력과 통치에 대하여 최소 이천 년 동안 숙고해왔다; 근대 시기에 그들은, 예컨대 노예와 시종에 대해 주인이, 가난한 자들에 대해 부유층이, 시민에 대해 정부가, 노동자에 대해 자본가가, 대중에 대해 엘리트층이, 프롤레타리아에 대해 전위정당이, 비전문가들에 대해 기술 관료와 과학자들이 갖는 권력의 적법성과 정당화에 대한 논쟁에 참여해 왔다. 유명 이론가들의 텍스트에는 또한 여자들에 대해 남자들이 갖는 권력에 대한 논의도 있다. 하지만 동시대 정치 이론은 이러한 형태의 관할을 **정치적** 권력으로 인정하지 않으며, 가부장적 통치의 적법성을 공격하는 여성주의 이론가들을 전혀 고려하지 않는다.

동시대 정치 이론가들은 여성주의적 물음과 비판의 타당성이나 중요성을 다만 아주 어렵게 인정할 수 있을 뿐이다. 그런 것들은 그들의 연구 대상의 근대적 가부장적 구성에 의해, 즉 '정치' 이론 그 자체에 의해 그들의 이론화에서 체계적으로 배제된다. 정치 이론가들은 자신들의 주제가 경제와 국가의 공적 세계에 놓여 있으며 가정 안의 가족적이고 성적인 관계들의 사적 영역이 자신들의 고유한 관심 바깥에 놓여 있다는 가정에 자신들의 탐구를 근거 짓는다. 정치 이론의 이러한 관점이 발전하는 데 있어서 고전적 사회계약 이론가들은 결정적으로 중요했다. 특히 성적 차이의 정치적 의미에 관한 그들의 논변은 두 개의 대립적인 사회적 삶의 영역으로 나뉘어 있는 근대 '시민'사회라는 관념의 출현에서 필수적인 부분이었기 때문에 말이다. 그러나 동시대 이론가들은 고전적 계약 이론가들이 공과 사의 두 범주를 어떻게 구성했는지 보기 위해 텍스트를 검토하지 않는다. 오히려 그들은 이제 텍스트 그 자체 안에 확립되어 있는 논변 구조에 비추어 텍스트를 읽는다. 사적인 무대와 공적인 무대로 분리되어 있는 사회적 질서가 갖는 정치적 함의는 비판적 탐구로부터 차단되어 있다.

주류 정치 이론에서 공적 영역은 단독으로 이해될 수 있는 것으로 가정된다. 마치 그것이 사적인 성적 관계들과 가정의 삶으로부터 독립해, 독자적으로(sui generis) 존재하는 것처럼 말이다. 양성 관계의 구조는 무시되고, 성적 관계는 사적이거나 비정치적인 모든 것들의 전형으로 내세워진다. 그러나 고전적 텍스트에 대한 주목이 보여주겠지만, '사'와 '공'의 의미는 상호의존적이다; 공적인 것은 홀로 이해될 수 없다. 공적 세계라는 개념과 거기에 참여하기 위해 필요한 역량(capacities)과 특성을 제대로 이해하기 위해서는, 공적인 것에서 배제된 것이 무엇인지 그리고 어째서 그러한 배제가 발생하는지 이해하는 것이 동시에 요구된다. '공'은 특수한 '사' 개념에 의존하며, 그 역도 마찬가지다. '공'을 따로 떼어놓고 분석할 경우 이론가들은 중요한 그 어떤 것도 혹은 그 누구도 배제되지 않는다고 가정할 수 있다. 혹은, 이를 다르게 주장하자면, 이론가들은 공적 세계와 그 세계를 이론적 논변 안에서 제시하는 범주들이 성적으로 중립적이거나 보편적이며, 모든 사람을 똑같이 포함한다는 가정 위에서 작업한다. 하지만 반대로, 정치 이론에서 그토록 중요한 '개인들'은 탈체화되는(disembodied) 한에서만 성적으로 무관하다.

다른 이론가들과 마찬가지로, 나는 수많은 민주주의 이론의 책장들을 가득 채우고 있는 개인의 추상적인 성격을 비판한 바 있다. 그러나 통상 이러한 비판은 '개인'이 남성적 형상으로 폭로되지 않으려면 신체로부터의 추상 또한 필수적이라는 사실을 보지 못해왔다. 나의 보다 최근 논문들을 관통하는 주요한 주제 가운데 하나는 여자들, 여자다움(womanhood), 그리고 여자들의 신체가 사적인 것을 대표한다는 것이다. 그것들은 공적 영역에서 배제된 모든 것들을 대표한다. 남성성과 여성성의 차이에 대한 가부장적 구성에서, 여자들은 정치적 삶에 필수적인 역량들이 결여되어 있다. '여자들의 무질서'는 그들이 정치적 질서에 위협을 제기하며, 따라서 공적인 세계에서 배제되어야 한다는 것을 의미한다. 남자들은 시민권이 요구하는 역량들을 소유한다. 특히 남자들은 자신들의 열정을 승화시키기 위해 이성을 사용할 수 있고, 정의감을 발달시킬 수 있고, 그로 인해 보편적 시민법을 떠받칠 수 있다. 계약 이론의 고전적 텍스트들이 알려주는바, 여자들은 자신들의 신체적 본성과 성적 열정을 초월할 수 없으며, 그러한 정치적 도덕성을 발달시킬 수 없다.

원초적 합의를 통한 시민사회의 창조 이야기에서 여자들은 시민사회의 한 부분이면서도 자유와 평등, 권리, 계약, 이익, 시민권의 공적 세계로부터 분리된 사적 영역의 거주자로서 새로운 사회적 질서 안으로 들여진다. 다시 말해서, 여자들은 남자들과 다르게 시민 질서 안으로 통합된다. 그러나 여자들을 사적인 영역에 포함시킨 것이 이야기의 전부가 아니다. 여자들은 공적 세계의 제도들에 참여하는 것에서 완전히 배제된 적이 없다—여자들은 남자들과는 다른 방식으로 공적인 삶에 통합되었다. 여자들의 신체는 정치적 질서에 대립되는 모든 것을 상징하지만, 여자들이 시민으로서 포함되는 장기간에 걸친 종종 격렬한 다툼이 있었던 과정은 남자들에 대한 여자들의 신체적(성적) 차이를 중심으로 구조화되었다. 여자들은 '여자들'로서 포함되었다. 즉 그 성적인 체화(embodiment)가 남자들과 동등한 정치적 입지를 누리지 못하도록 막는 존재로서 말이다. 여자들의 정치적 위치는, 우리가[3] 시민권을 얻기 전에도 후에도, 역설, 모순, 아이러니로 가득하다. 그러나 공적인 세계로부터의 여자들의 배제와 우리가 거기에 포함된 방식 양자 모두 정치 이론가들의 주목을 받지 못했다.

이 맹목의 한 가지 이유는 고전적 텍스트들에 대한 표준적 해석이다. 17세기에는 남자들(men) 혹은 '개인들'이 자유롭고 서로에게 평등하게 태어났다는, 혹은 자연적으로 자유롭고 평등하다는 생각이 널리 통용되기 시작했고, 그 관념은 이제 정치 이론에 근본적이게 되었다. 고전적 계약 이론가들은 생득적 권리로서 자유와 평등이라는 전제에 의존하는

3. [여기서 '우리'는, 다음 문장의 '우리'와 마찬가지로, 여자들을 가리킨다.]

사회적 및 정치적 삶의 일반 이론을 최초로 정식화했고, 그들의 텍스트는 20세기 후반에 정치 이론을 구성하는 데 여전히 영향을 주고 도움을 준다. 그러나 거세된(emasculated) 형태로 말이다. 그들의 텍스트에 들어 있는 '남자들'과 '개인들'이라는 용어는 이제 포괄적이거나 보편적인, 모든 사람을 포함하는 것으로서 읽힌다. 하지만 이는 오독이다. 고전적 사회계약 이론가들은 (한 명의 주목할 만한 예외가 있지만) 자연적 자유와 평등이 하나의 성이 가진 생득적 권리라고 주장한다. **남자들**만이 자유롭고 평등하게 태어났다. 계약 이론가들은 성적 차이를 **정치적** 차이──남자들의 자연적 자유와 여자들의 자연적 종속 사이의 차이──로서 구성했다.

계약 이론가들 중 홉스만이 예외적이다.[4] 홉스는 자연적 조건 안에서 여자들이 남자들과 평등하며, 동일한 자유를 누린다고 공언한다. 그러나 텍스트 주석가들은 이 근본적인 지점에 대한 홉스와 다른 이론가들 사이의 대립에 대해, 또는 남녀에 대한 견해에서의 이 놀라운 차이가 그들의 이론에서 갖는 중요성에 대해 아무런 언급이 없다. 자연적 자유와 평등의 관념이 정식화되자마자 거의 곧바로 여성주의 비평가들은, 메리 애스텔의 말을 빌자면, '모든 남자들(Men)이 자유롭게 태어났다면, 모든 여자들이 노예로 태어난 것은 어째서인가?'[5]라고 질문하기 시작했다. 신이 인류를 만들었고 인류에게 합리성과 여타의 역량들을 부여했다면, 혹은 자유와 평등이 인간의 자연적 속성이라면, 어떻게 양성의 구분을

4. 나는 홉스의 전제와 시민사회에서의 남자들의 가부장적 권리에 대한 그의 표명을 논의한 바 있다. '"God Hath Ordained to Man a Helper": Hobbes, Patriarchy and Conjugal Right', *Feminist Interpretations and Political Theory*, ed. M. Shanley and C. Pateman (Polity Press, Cambridge, forthcoming); *British Journal of Political Science* (October 1989).

5. M. Astell, *Some Reflections Upon Marriage* (Source Book Press, New York, 1970), p. 107.

정당화할 수 있을까? 정치 이론가들은 아직 이러한 여성주의적 질문들의 존재나 관련성을 인정하지 않고 있다.

물론 앞선 단락들은 내가 이것들과 그 관련 질문들에 대해 10년 이상에 걸쳐 작업한 결과 얻은 사후적 통찰의 도움을 받아 작성한 것이다. 이 책에 재출간된 초기의 논문들은 정치 이론 텍스트, 경험적 자료, 동시대 논변 등에서 드러나는 여자들에 관한 어떤 문제에 대한 다양한 참조들을 포함하지만, 당시에 나는 그 문제가 얼마나 근본적이고 광범위한 것인지 이해하지 못했다. 나의 논의들은 정치 이론의 성격과 범위에 대한 만연한 가정들의 틀 안에 머물고 있다. 가령 민주주의에 대한 자유주의적 견해의 옹호자들과 그들에 대한 (가령 나 자신과 같은) 급진적 비판가들 간의 오래된 논쟁에서 양측의 논변들 모두 격렬했으며 여전히 그러하다. 그러나 오늘날 나는 어떤 다른 유리한 관점에서, 그 적대자들을 분리시키는 가정과 전제만큼이나 강력하게 그들을 결합시키는 가정과 전제가 있다는 것을 의식하고 있다. 경제와 직장이 사적인지 공적인지, 직장 내 민주주의가 실행 가능하거나 바람직한지에 관한 논변을 생각해 보자. 이 논쟁의 어느 편도 내가 (「공과 사의 이분법에 대한 여성주의적 비판들」에서) '공'과 '사'의 부류 개념(class conception)이라고 부르는 것에 대한 배타적 집중에 질문을 제기하지 않는다.[6] '공'(경제/국가)과 '사'(가정의, 부부의 친밀한 생활)의 가부장적 대립——민주주의 이론가들에 의해 전제되는 동시에 억압되는 대립——에서는 민주주의를 위해 중요한 그 어떤 것도 보지 않는다. 참여민주주의 이론에 대한 현재의

6. [이 책의 6장 「공과 사의 이분법에 대한 여성주의적 비판들」에서 페이트먼은 '부류 개념'이라는 용어를 따로 사용하고 있지는 않다. 다만 페이트먼은 '공과 사의 자유주의적인 대비는 두 종류의 사회적 활동의 구별 이상의 것이다.'라고 말하고 있는데(190쪽), 부류 개념은 이 두 종류의 사회적 활동의 구별로서의 공과 사 개념을 말하는 것 같다.]

관심 부활은 아직까지는 이것을 바꾸는 데 아주 조금 나아갔을 뿐이다.[7]

지금 내가 나의 그 논변들이 전적으로 오도된 것이라고 생각했더라면, 초기 논문들을 여기에 포함시키지 않았을 것이다. 나는 여전히 그것들이 동시대 정치 이론과 정치적 삶의 어떤 중요한 차원들과 문제들을 포착하고 있다고 생각한다. 그러나 나는 또한 여성주의적 관점이 정치 이론 안에 만들어내는 차이의 구체적인 예증을 제공하기 위해 그것들을 포함시켰다. 가령, 나는 공과 사의 부류 개념과 가부장적 개념의 구별을 부분적으로는 로크의 이론에 대한 (재)독서로부터 이끌어냈다. 여기 출간된 가장 초기작인 「승화와 물화」에서도 나는 로크의 사적인 것과 공적인 것에 관심을 가졌다. 그 논문은 자유민주주의 이론에서의 '정치적'인 것의 성격규정 문제를 검토하며, 오직 자유민주주의적인 정치 질서만이 (때때로 주장되는 바처럼) 적절히 '정치적'이라고 불릴 수 있는가 하는 것을 검토한다. 나는 로크의 이론에 대한 한 가지 해석에 의존해, 비록 자유주의 이론은 개인들이 자연적인 정치적 권리를 갖는다는 것을 상정하지만, 그 권리가 양도되어야 한다는 것이 언제나 가정되고 있다고 주장한다. 그렇다면 국가에 의해 대표되는 '정치적'인 것은 피통치자들 위에 있는 것인바, 그들은 탈정치화된 사적 영역 안에서 교류한다. 시민권은 일상생활로부터 단절되고, 맑스가 '정치적 사자모피'라고 부른 어떤 것이 된다.[8] 그저 가끔 그리고 다소 달갑지 않게 입는 어떤 것. 그러나 계약 이론가들과 시민권의 발전에 대한 나의 후기 분석들이

7. 최근의 저서들 가운데 오직 P. 그린(Green)의 *Retrieving Democracy: In Search of Civic Equality* (Rowman & Allenheld, Totowa, NJ, 1985)와 D. 헬드(Held)의 *Models of Democracy* (Polity Press, Cambridge, 1987)[국역본: 『민주주의의 모델들』, 박찬표 옮김, 후마니타스, 2010]만이 여성주의가 민주주의 이론에 대해 뭔가 중요하게 할 말이 있음을 인정한다.

8. [5장 150쪽에 관련 인용문이 있다. 칼 마르크스, 「유태인 문제에 대하여」, 『마르크스의 초기 저작: 비판과 언론』, 전태국 옮김, 열음사, 1996, 344쪽.]

보여주듯, 정치적 사자모피는 커다란 갈기가 있으며 수컷 사자의 것이었다. 그것은 남자들을 위한 의상이다. 여자들이 마침내 그 사자모피를 입을 권리를 쟁취했을 때, 그것은 전혀 맞지 않았으며 따라서 어울리지도 않았다.

같은 논문에서 나는 루소의 이론이 로크의 논변들에 대한 명확한 대안을 제공한다고 주장했다(그리고 나는 『참여와 민주주의 이론』에서 루소를 참여민주주의 이론가의 표본으로 사용했다). 그의 논변들에 대한 표준적인 설명을 따라, 나는 정치 질서가 시민권으로부터의 여자들의 배제에 의존한다는 루소의 선언 사실을 간과했다. 루소의 '민주주의'는 남자들만이 자기-통치의 정치적 권리를 행사하는 남성 전유물이다. 또한 그의 이론은 단순히 여자들을 포함하도록 수정될 수도 없다. 루소의 이론에서 '정치적인 것'과 '민주주의'의 의미는 그가 남자다움과 여자다움에 부여하는 의미에 달려 있다. 자기 자신의 주인인 능동적 시민이 된다는 것의 의미를 완전하게 이해하기 위해서는, 시민권 바깥에 놓인 영역, 여자들이 남자들에 의해 지배당하는 영역이 제공하는 거울이 필요하다. 루소나 다른 계약 이론가들의 이론에서 성적 차이의 정치적 의미에 대한 논변들을 무관하거나 단지 주변적인 것으로 일축하는 것은 근대적 시민권 세계를 창조한 것으로 이야기되는 원초적 계약의 근본적인 특징을 무시하는 것이다. 여자들의 정치적 무질서는 그들이 원초적 합의에서 배제되어야 한다는 것을 뜻한다.[9] 원초적 계약은 남성적 내지는 형제애적 협약이다.

「형제애적 사회계약」의 분석에서, 나는 경제와 계약 실행에 참여하는 '개인들'을 통합하는 일체의 공통적 유대의 결여에 관한 초기 논변을

9. 자세한 논의는 C. Pateman, *The Sexual Contract* (Polity Press Cambridge, 1988; Stanford University Press, Stanford, CA, 1988)를 볼 것. [국역본: 『남과 여 은폐된 성적 계약』, 이충훈 외 옮김, 이후, 2001.]

수정했다. 그들은 실로 그러한 유대를 갖고 있다. 원초적 계약을 통해 공고해지는 유대. 그들은 여자들에 대한 관할권에서 남자로서 공유하는 이익, 국가의 법과 정책에 의해 보호받는 이익으로 통합된다. 정치 이론가들이 주장하기를, 원초적 계약 이야기는 우리의 정치적 제도들을 정확히 만인의 자유가 보장되는 제도로서 해석할 수 있게 해주기 때문에 여전히 중요하다. 그 이야기가 남자들의 자유뿐 아니라 여자들의 종속을 말한다는 것을 인정하는 것은 정치 연구의 항들의 일대 변환을 요구한다. 따라서 정치학 연구자들이 그 종속에 대항하는 여자들의——가령 혼인법을 개혁하려는, 여자들과 소녀들의 공적 및 사적 안전을 확보하려는, 금주를 성취하려는, 고등 교육 과정에 들어가려는, 다양한 직업군에 진입하려는, 자신들의 노동 환경을 개선하려는, 혹은 어머니와 아이의 건강과 복지를 개선하려는——투쟁들을 '정치' 내부에 있는 것으로서 여기는 데 엄청난 어려움이 있었다는 사실은 그리 놀랍지 않다. 심지어 여성참정권 운동조차도 무시된다.

최근까지, 정치학자들은 빈번히 여자들을 비정치적인 것으로 묘사했고, 민주주의 이론가들은 여자들이 남자들에 비해 정치적으로 유능하다고 느끼거나 능동적 시민이 될 가능성이 낮다는 것을 발견한 『시민 문화』 같은 경험적 연구들에 거의 의문을 제기하지 않았다. 대부분의 경험적 연구들은 여자들이 주변적 위치를 차지해온 관례적 선거 정치에 초점을 맞추었으며, 따라서 그러한 발견은 예상될 수 있는 것이다. 남자들과 마찬가지로 여자들은 참여의 혜택이 잘사는 사람들에게로 가는 경향이 있음을 경험적 연구가 보여주는 정치 체계의 작동을 합리적으로 평가할 역량이 있다. 『시민 문화』를 비판하는 7장에서 내가 주장하듯이, 정치 역량 측정에서 높은 점수를 받는 시민의 수가 큰 것과 참여하는——대체로 중간계급에서 나오는——사람의 수가 적은 것의 격차는 노동계급 시민들이 능동적 활동을 그럴 가치가 없는 일로 추론한다는 사실로 설명될 수 있다. 이와 유사하게 여자들은 참여가 자신들보다는 남자들을 돕는다고 지각할 수 있으며, 따라서 정치적 활동을 삼가는 것이 그들에게는 합리적이다.

시민 문화는 계급뿐 아니라 성적인 구분선을 따라서도 분리되어 있다. 비록 이것이, 내가 7장에서 어느 정도 상세히 논의하고 있듯, 그 연구 자체에서 자료가 제시되는 방식은 아닐지라도 말이다. 경험적 민주주의 이론의 주요 약점 중 하나는, 아이러니하게도, 그것의 지지자들이 그토록 강조했던 경험적 발견들의 해석이었다——이런 이론화 유형이 갖는, 이상하게도 그것의 비판가들 다수가 무시하는, 한 측면. 경험적 이론가들은 정치 문화를 개별 특성들의 집적으로 환원했기 때문에, 자신들의 자료에서 드러나는 참여의 사회적 패턴들을 설명할 수 없었다. 그들은 다만 정치적 능동성과 비능동성의 사회적인 분포를 주어진 것 내지는 자연적인 것으로 받아들였다. '비공민적' 시민들, 즉 시민 문화를 구성하는 무관심과 참여 사이의 멋진 균형에서 무관심 편에 있는 시민들이 하층 사회경제적 지위(SES)[10] 집단들과 여자들로부터 불균형적으로 도출되는 일이 다만 그냥 발생했다는 것이다.

노동계급 시민들의 낮은 능동성에 대해서 내가 『참여와 민주주의 이론』에 있는 나의 논변에 의지해 제공하는 또 다른 설명은 그들이 정치 교육을 체계적으로 박탈당했다는 것이다. 그들에게는 참여 방법을 배울 수 있는 중간계급 시민과 동일한 기회가 없다. 가장 중요하게는, 『시민 문화』가 확인하듯이, 그들은 직장 내 참여 기회를 가질 가능성이 더 낮다. 직장 참여와 더 폭넓은 정치적 활동 사이의 연관성에 대한 나의 가설은 이제 어느 정도 경험적 지지를 받았다(비록 이 물음에 대해 착수된 연구가 생각보다 적지만 말이다).[11] 산업 민주주의의 부재가

10. [socio-economic status.]

11. 다음을 볼 것. J. M. Elden, 'Political Efficacy at Work: The Connection between

남자 노동자들의 낮은 정치적 능동성에 대해 합리적인 설명을 제공해 준다면, 그것은 또한 시민 문화의 성적인 구분도 설명하는가? 한 가지 의미에서 그렇다. 내가 9장 「여성주의와 민주주의」에서 언급하고 있듯, 유급 고용 여성들은 낮은 정치 참여와 연관되는 낮은 지위, 낮은 숙련도의 직무에 있기 마련이다. 전문적 직업에서조차 여자들은 직업적 위계의 말단에 집중되어 있다. 또 다른 의미에서, 그 논변은 실패한다. 『시민 문화』에서처럼, '사회적 사실'——이 경우, 공적 분업이 성적으로 분리되었다는 사실——이 탐구를 요청하는 하나의 문제로 취급되지 않고 당연한 것으로 여겨지고 있다.

통상 남자들과 여자들은 같이 일하지 않는다. 유급으로 고용된 대부분의 여자들은 소수의 직업에서 다 같이 집중되어 있다(전형적으로 그들은 또한 남자들에게 감독 받고, 남자들이 그들의 조합 지도자이자 대표이게 마련이다). 노동 인구의 성적인 분리는 금세기 동안 현저하게 지속되었다. 왜 그러한가의 질문은 직장 민주주의에 대한 논의에서 좀처럼 제기되지 않는데, 왜냐하면 노동하는 삶의 이러한 측면에 관해서는 변함없이 침묵이 유지되기 때문이다. 직장 민주주의의 연구자들은 특정 직업에서의 여성 배제와 (새로운 '첨단 기술' 산업에서도 볼 수 있는) 남자 일과 여자 일의 계속되는 분리에 관해 말할 것이 거의 없다. 여자들은 자본주의적 공장의 초기 발전 때부터 유급으로 고용되어왔지만, 그렇다고 여자들

More Autonomous Forms of Workplace Organization and a More Participatory Politics', *American Political Science Review*, 75 (1981), pp. 43-58; E. S. Greenburg, *Workplace Democracy: The Political Effects of Participation* (Cornell University Press, Ithaca and London, 1986), 특히 5장; E. S. Greenburg, 'Industrial Self-Management and Political Attitudes', *American Political Science Review*, 75 (1981), pp. 29-42; E. S. Greenburg, 'Industrial Democracy and the Democratic Citizen', *Journal of Politics*, 43 (1981), pp. 965-81; R. M. Mason, *Participatory and Workplace Democracy* (Southern Illinois University Press, Carbondale, 1982).

이 남자들과 동일한 방식으로 노동 인구에 병합되었다는 것이 따라 나오지는 않는다. 남성 노동자—혹은 '노동자'—를 중심으로 한 노동과 시민권에 대한 논변과 설명은, 으레 가정되듯이, 단순히 여자들에게로 확대될 수는 없다. 여자들과 남자들은 직장에서 맡는 일에 대해 상이한 관계에 있다. 여자들은 노동자로서 남자들과 동일한 지위를 갖지 않는다.

산업 민주주의에 대한 논의에서 '노동'이라는 범주에 대한 질문은 거의 제기되지 않는다. 다시금, 암묵적 가정은 공적 세계(직장)에 대한 이론적 논변은 공적인 것과 사적인 것의 연관성에 대한 그 어떤 고찰과도 독립적으로 진행될 수 있다는 것이다. 존 스튜어트 밀(비록 그의 여성주의적 글들이 표준적인 논의에서 드물게 참조되기는 해도, 정치 이론의 정전으로 받아들여진 여성주의 이론가인 저 드문 존재)이 여기서 교훈적인 사례를 제공한다. 「여성주의와 민주주의」에서 나는 밀이 공적인 직장에서의 민주주의적 협력에 대한 자신의 지지를 남편들의 사적인 전제(tyranny)에 대한 자신의 공격과 결합하는 데 실패한 것이 어떻게 여자들의 시민권에 대한 그의 논변의 효력을 약화시키고 있는지 논의한다. 공과 사—혹은 노동과 가사노동, 노동자와 그의 아내, 남자들과 여자들—의 상호의존은 '임금'에 대한 비판적 주목을 통해 충분히 명확해진다. 임금은 단순히 (성적으로 중립적인) 노동자의 노동에 대한 보수가 아니라 '가족 임금', 즉 남자가 경제적으로 의존적인(종속적인) 아내와 미성년 아이들을 부양할 수 있게 해주는 보수인 것이다. 공적인 '노동'에 대해 받는 임금은 여자들과 무급 노동의 사적인 세계를 전제한다. 최근 여성주의 학자들의 경험적 연구 또한 '노동자'가 남자라는 것과 직장이 남성적인 영토라는 것을 보여준다. 여자 노동자들은, 남자와 여자 어느 쪽에 의해서도, 남자들과 같은 의미에서 '노동자'로 여겨지지 않는다.[12] '일하러 가는 것'은 남자가 되는 것이 의미하는 바의 일부다. 직장에서 여자인 것은, 지금은 성희롱이라고 불리는 것의 일반적인 관행이 지시하고 있듯, 꽤 다른 의미를 갖는다.

민주주의 이론가들은 남자들의 직장 내 참여와 그들의 더 넓은 정치 참여의 연관에 집중해왔다. 그들은 남편이나 생계부양자로서의 남자들의 위치에 대해, 그리고 그것이 어떻게 그들의 시민권——또는, 여자들의 시민권——과 관련이 있는지에 대해 아무런 말도 없었다. 형제애적 협약의 조건들과 공적 세계에 참여하기 위한 가부장적 규준은 직장의 구조와 국가의 구조 안에 구현되어왔다. 여자들은 이제 시민이지만, 우리의 시민권의 계속되는 불확실성과 역설은 복지국가에 대한 여성주의 학자들의 대규모의 경험적 및 이론적 연구 안에서 예증되어 있다. 정치 이론가들은 여전히 여자들, '가난의 여성화', 또는 여성주의 논변들을 전혀 고려하지 않은 채 복지국가 안에서의 민주주의적 시민권의 '규범적인 정당화'에 대해 저술해내고 있다.[13] 그들은 남자들(노동자들)의 피부양자라고 하는 복지국가 시민으로서의 여자들의 간접적 구성에 대해서, 그리고 여자들이 남자들과 동등하게 복지국가에 '기여'할 것을 요구받지 않고 있다는 사실에 대해서 여전히 침묵하고 있다.

남자들의 '기여'는 자유롭고 평등한 '개인'으로서의 남자들의 구성에서 유래한다. '개인'으로서 모든 남자들은 그들 모두가 오직 자신들만이 관할권을 갖는 인신과 역량에서 소유권을 가졌다는 점에서 소유주다. 그들은 자기통치한다. 노동과 시민권은 소유권이라는 규준을 중심으로

12. 다음을 볼 것. M. Porter, *Home, Work and Class Consciousness* (Manchester University Press, Manchester, 1983); C. Cockburn, *Brothers: Male Dominance and Technological Change* (Pluto Press, London, 1983); J. Wajcman, *Women in Control: Dilemmas of a Worker's Cooperative* (St Martin's Press, New York, 1983); A. Pollert, *Girls, Wives and Factory Lives* (Macmillan, London, 1981); S. Walby, *Patriarchy at Work* (Polity Press, Cambridge, 1986).

13. 가장 최근에 접한 사례는 다음과 같다. D. S. King and J. Waldron, 'Citizenship, Social Citizenship and the Defence of Welfare Provision', *British Journal of Political Science*, 18 (1988), pp. 415-43.

합쳐진다. '노동자'는 그의 인신에서의 소유물의 특정한 한 조각—다시 말해, 그의 노동력—을 양도하기로 계약한 남자이며, 소유주로서 모든 남자들은 복지국가의 시민으로서 동등한 자격으로 병합될 수 있다. 복지국가를 옹호하여 민주주의 이론가들이 내놓은 주요한 논변들 중 하나는 모든 '개인들'(노동자들)이 더 이상 노동시장에 참여할 수 없을 때를 대비하여 '보험'을 들어주는 '기여'를 한다는 것이다. 따라서 복지국가는 모든 남자들이 가령 실업을 통해 물질적 상황이 궁핍해지더라도 (원칙적으로) 시민권을 누릴 수 있게 해주는 자원들을 제공한다. 따라서 모든 남자들은 자신들의 시민권의 평등한 가치나 평등한 향유를 유지시켜주는 자원들에 대한 자격을 시민이라는 권리를 통해 부여받는다.

공적인 자원 제공에 대한 지난 십여 년 동안의 우파로부터의 공격은 복지국가에서 시민권을 정당화하는 논변들에 대한 관심을 정치 이론에서 재생시켰다. 그러나 이러한 논의들이나 급진 민주주의 이론 모두 여자들과 자기소유권의 문제 및 복지국가에 대한 여자들의 '기여'에 관심을 기울이지 않는다. 국가가 여자들에게 요구하는 '기여'는 성적 차이에 주어진 정치적 의미를 반영했다. 내가 「가부장적 복지국가」에서 주장하듯이, 복지국가의 경우에 아이러니는 여자들이 복지에 기여하라고 요구받는다는 것이다. 문제가 되는 복지는 여자들이 가정에서 아이, 노인, 병약자에게, 그리고 남편에게 제공하는 사적인 무급의 '복지'다. 더 일반적으로 말해, 국가가 여자들에게 한 요구들은 고유한 사적 책무를 갖는다고 간주되며 따라서 시민으로서의 지위가 애매하고 모순적인 자들에게 적합한 형식을 항상 취해왔다. 여자들의 '기여'는 그들 시민권의 일부로 혹은 시민권과 유관한 것으로 간주되지 않고, 그들의 성에 고유한 사적 책무의 필수적 부분으로 간주된다. 여자들에게 부과된 요구들과 여자들의 공적 지위를 둘러싼 역설들이 갖는 복잡한 문제가 정치 이론의 중심에 있는 문제—시민들이 국가에, 만약 있다면, 어떤 정치적 의무를 빚지고 있는가라는 쟁점——에 상당히 중요함에도 불구하고, 정치 이론가들은 이런 사정에 대해 숙고하지 않았다.

민주주의 국가에서의 정치적 의무에 대한 문헌은 많지만, 가부장적 권력에 의해 구조화된 정치 질서 안에서 여자들의 의무라는 질문은 그것의 부재로 인해 두드러진다. 이는 논의에서 생략된 유일한 것이 아니다. 정확히 왜 정치적 의무에 관한 여하한 일반적 문제가 존재하는 것인지 명시적으로 밝혀진 적은 거의 없다. 표준적인 논의들이 국가의 권력과 시민의 복종을 정당화하는 데 관심을 갖지만 말이다. 국가가 시민들에게 무엇을 정당하게 요구할 수 있는 것인가와 관련해 아무런 문제도 없다면, 정당화를 정식화하기 위해 쏟은 노력들은 무의미할 것이다. 내가 3장 「정치적 의무의 정당화」에서 주장하듯이, 그 문제는 남자들이 자유롭고 평등하게 태어난다거나 자기통치한다는 전제 때문에 생겨난다. 모든 남자들이 이런 위치에 있다면, 그들 사이에는 그 어떤 자연적인 우월성과 예속의 관계도 없다는 결론이 나올 것이며, 따라서 한 사람(집단)의 다른 사람(집단)에 의한 통치는 모두 남자들 자신에 의해 만들어진 관례적인 것이어야만 한다. 자연적 자유와 평등의 공준을 따르면 통치에 대한 유일하게 받아들일 수 있는 정당화는 남자들이 지배받는 것에 합의한다는 것이다. 그들은 가령 통치의 계약을 하거나 통치 받는 것에 다양한 방식으로 동의함으로써 합의를 표시한다. 남자들은 다른 남자들에 의해 통치 받는 것에 동의해야만 한다——하지만 여자들은 남자들에게 자연에 의해 종속된다. 자연적 성적 지배는 정치 이론에서 연구되는 관례적 관계들로부터 배제된다. 가부장적 통치는 아무런 정당화도 요구하지 않는다.

정치 이론가들이 동의하는바, 남자들의 정치적 의무의 궁극적 시험은 그들이, 필요하다면, 국가를 방어하기 위해 생명을 버릴 준비가 되어 있을 것인가 하는 것이다. 여자들은 무기를 들 수도 없고 들려고 하지도 않는다고 널리 믿어져 왔다. 이 논변은 여자들의 참정권에 대한 격렬한 반대의 중심에 있었으며, 또한 군에서 여자들을 전투 분과에 배치하는 것에 대한 동시대의 반대에서 여전히 그 반향을 발견한다. 여자들은 남자들의 궁극적 의무를 공유하지 않는다. 동시대 정치 이론가들은 여자들에게 이에 상응하는 의무가 무엇인가 하는 물음을 제기하지 않으며, 나도 이 책에서 그에 대해 질문하지 않고 있지만, 답을 찾는 것이 그리 어렵지는 않다. 여자들의 의무는 그들의 성에 어울리는 것이어야만 한다. 국가를 위해 죽는 남자들의 의무에 필적할 것은 국가를 위해 출산하는 여자들의 의무다.[14]

2장 「형제애적 사회계약」에서 나는 출산이 여자들이 정치적 삶에서 배제되어야만 하는 이유를 상징하지만, 또한 여자들의 자연적 역량은 여자들이 정치적 질서 안으로 포함되는 주된 기제 중 하나이기도 했다는 것을 주장한다. 근대 국가는 인구의 양과 질에 대해 엄청난 관심을 가지며 크게 염려한다. 어머니와 잠재적 어머니로서의 여자들은 이 관심의 대상이다. '남성성'과 '여성성'처럼 '모성'은 근대 정치적 삶 안에서 가부장적인 정치적 의미를 갖는다. 여자들이 정치적 세계와 맺고 있는 관계의 역설과 아이러니를 구현하며 말이다. 국가를 위해 출산하는 의무의 특이한 점은, 여자들의 복지 '기여'와 같이 여자들이 시민이든 시민이 아니든 수행될 수 있는 정치적 의무라는 점이다. 적어도 1790년대 이래로, 여자들은 자신들의 의무 수행이 시민권의 일부가 되어야 함을 요구해왔다(비록 정치 이론가들의 귀에 들릴 정도로 충분히

14. 나는 시민으로서 여자들의 위치가 갖는 특이한 점들을 몇 가지 묘사하기 위해 여기에서 이것을 언급하는 것이다. 나는 이 의무에 대해 나의 가장 최근에 발표한 'Women's Citizenship: Equality, Difference, Subordination'에서 조금 더 서술한 바 있다(Conference of Equality and Difference: Gender Dimensions in Political Thought, Justice and Morality, European University Institute, Florence, December 1988).

큰 소리로 요구된 적은 분명 결코 없었지만 말이다). 여자의 의무 수행은 국가의 안녕을 위해 필수적이지만, 그 의무는 시민권 바깥에 놓여 있다. 모성은 실로 남자와 시민의 의무의 반정립(antithesis)으로 여겨진다.

이러한 반성들은 남자들이 정치적 의무를 갖는다는 것을 가정하지만, 통치 받는 것에 대한 필수적 합의가 정확히 어떻게, 언제, 어떤 형태로 이루어졌는지에 대한 당황스러운 질문이 언제나 남는다. 이 질문에 대한 만족스러운 답변은 결코 제공된 적이 없으며, 나는 「정치적 의무의 정당화」에서 그 어떤 주요한 이론적 및 정치적 변화들 없이는 답을 찾을 수 없을 것이라고 주장한다. 그러나 남자들의 정치적 의무와 관련해 다루기 어려운 문제가 있다면, 여자들의 의무 문제는 훨씬 더 복잡하고 어렵다. 여자들의 정치적 의무는 어떤 근거에서 정당화될 수 있는가? 여자들이 시민으로서 받아들여질 때 남자들과 같은 방식으로 되지 않았다. 여자들의 '기여'는 시민권과는 아무 관련 없는 사적인 것으로 여겨진다. 복지국가의 혜택들은 통상 시민으로서의 정당한 권리에서가 아니라 남자들의 피부양자로서, 사적인 존재로서 여자들에게 분배된다. 여자들이 어떻게 통치 받는 것에 대해 합의하거나 동의하는지 하는 질문이 제기되면 문제는 훨씬 더 어려워진다. 민주주의 이론에서 논의되는 '동의'는 명시적 내지는 암묵적으로 주어지는 동의의 다양한 (공적인) 지표──가령 투표, 국가로부터의 혜택 수령, 공정한 제도 내 참여──를 통해서 합의가 주어(진다고 여겨)지는 방식에 관한 것이다. 민주주의 이론가들은 동의가 또한 양성 관계를 구성하는 것으로 여겨진다는 사실에는 전혀 주의를 기울이지 않는다.

여자들에게 동의는 사적인 삶에서──공적인 삶에서보다 훨씬 더 중요하지는 않더라도──적어도 공적인 삶에서만큼 중요한 어떤 것이다. 내가 「여자와 동의」에서 다루고 있는 문제는 남자가 되는 것과 여자가 되는 것이 의미하는 바의 가부장적 구성과 양성 관계의 현 구조를 전제했을 때, '동의'가 사적 내지는 공적 삶 속에서 그 어떤 진정한 의미를 가질 수 있는가 하는 것이다. 동의의 거절이 가능하지 않다면, 동의를 말하는 것은 무의미하다. 이 장에서 나는 여자들과 동의에 대해 (이론과 실천에서) 취해지는 갈등하는 일군의 견해들로 관심을 이끌고 간다. 성적인 문제에서의 여자들의 동의는 필수적인 동시에 무관하다. '개인'이나 인신에서의 재산 소유자라는 범주로부터 여자들을 배제하여 발생하는 모순. 여자들의 소유권 결여는 관습법의 은신녀(coverture)[15] 원칙에 의해 매우 분명하게 예증되었다. 19세기 중반에는 여자가 결혼하면 독립적인 실존을 더 이상 갖지 않게 되었다. 그녀는 남편의 '덮개(cover)' 아래로, 혹은 남편의 소유권 안으로 들어가서 사법적이고 시민적인 시야로부터 사라졌다. 남편은 '부부의 권리'—즉, 그녀가 원하든 원치 않든 그녀의 신체에 대해 접근할 권리—를 얻게 되었다. 결혼한 여자들은 이제 시민적 존재로서 다시 출현했지만, 결혼 안에서 은신녀 법은 계속되고 있다. 가령 호주와 미국의 여러 주에서 최근의 법 개정은 부부 강간을 형사상 범죄로 만들었지만, 특히 영국과 같은 다른 사법관할권 안에서는 아내가 될 것을 동의하는 것은 부부 관계의 동의를 거절할 권리를 포기하는 것이다.

보다 일반적으로 성적 관계에서, 여자의 동의의 거절—'아니'라는 말이나 다른 명확한 거절 표시의 발언—은 체계적으로 무효화된다. 그녀의 거절은 '응'으로 재해석된다. 성관계에 대한 여자들의 동의 거절은 절대 액면가로 받아들이지 말아야 한다는 견해는 아직까지도 널리 퍼져 있다. 여자들이 '아니'라고 말할 때 실제로 의미하는 것은 '응'이라는 것을 우리 모두 알고 있다—그렇지 않은가? 이 점에 대한 의심이 생겨날 경우, 가령 수백만 달러의 성 산업이나 법정에서의 강간 사건에

15. [관습법에 따라 결혼한 여자는 은신녀의 지위를 갖게 되었는데, 은신녀는 독립적인 소유권을 가질 수 없었으며 남편의 보호를 받도록 되어 있었다.]

대한 평결이 전달하는 메시지를 들은 뒤에도 의심이 살아남으려면 단단히 그 의심을 움켜쥐고 있어야 한다. 내가 「여자와 동의」를 저술한 이후에 이용 가능해진 증거는 강제된 복종이 계속해서 동의로 해석된다는 것을 보여준다.[16] 법정 송사들 역시 남성성의 근대적 가부장적 구성에 관해 상당히 많은 것을 드러내고 있다. 영국의 최근 사건에서 열두 살 나이의 정신박약 양녀를 성폭행한 남자가 단지 집행유예만을 선고받았는데, 판사에 따르면 아내의 임신이 '부인에게 성욕의 결여를, 그리고 건강하고 젊은 남편에게 상당한 문제를'[17] 초래했기 때문이다. 그 판사는 여자들에 대한 남자들의 통치가, 그리고 '남자'가 된다는 것이 의미하는 바가, 여자들의 신체에 성적으로 접근할 수 있는 권리——여자들의 거절을 배제하는 권리——를 포함하고 있음을 이보다 더 솔직하게 표현할 수는 없었을 것이다. 그렇다면 동의의 실천이라는 것이 어떻게 그 어떤 진정한 의미에서 존재할 수 있겠는가?

동의에 관한 문제는 사적 영역의 관계들에만 한정되어 있지 않다. 나는 성희롱과 남자들의 성적 접근의 권리가 매춘과 여타 성 산업 부문을 통해 자본주의 시장에서 유지되고 있다고 이미 언급한 바 있다.[18] 여자들

16. 그 예로 다음을 볼 것. S. Estrich, *Real Rape* (Harvard University Press, Cambridge, MA, 1987); L. Kelly, *Surviving Sexual Violence* (Polity Press, Cambridge, 1988); D. Russell and N . Howell, 'The Prevalance of Rape in the United States Revisited', *Signs*, 8 (1983), pp. 688-95. 증거의 사용과 여자들의 신뢰성에 관해서는 다음을 볼 것. L. Bienen, 'Question of Credibility: John Henry Wigmore's Use of Scientific Authority in Section 924a of *The Treatise on Evidence', Californian Western Law Review*, 19 (1983), pp. 235-86.
17. 1988년 12월 1일 *The Guardian*의 보고.
18. 여자들이 지불에 대한 대가로 매춘 등등에 자발적으로 들어서고, 자유롭게 자기 신체에 대한 접근을 승인하거나 자기 신체를 전시하는 것이기 때문에 성 산업에서 동의가 문제되지 않는다는 주장이 빈번하다. 맥키넌(MacKinnon)이 논평하듯 '성에서의 동의가 (…) 제공되는 서비스의 보상이 아닌 표현되는 욕망의 자유를 의미한다는 것은 개의치 않는다'. C. A. MacKinnon, *Feminism*

의 동의의 문제는 시민권에 대한 민주주의 이론가들의 논변에서도 또한 직접적인 중요성을 갖는다. 토론, 발언, 숙고는 민주주의에서 중심적인 것으로 여겨진다. 예를 들어, 마이클 왈저는 '중요한 것은 시민들 사이에서의 논변이다. 민주주의는 말(…)에 후한 점수를 매긴다. 시민들은 토론 광장에 오직 자신의 논변만을 갖고 나온다'라고 말한다.[19] 또한, 벤자민 바버에 따르면, '공과 사에서 모든 시민의 자아와 삶을 정의하기 위해 공동체가 이용하는 핵심 용어에 대해 공동체가 어떤 의미를 부여할 것인지를 놓고 각 시민에게 어느 정도 통제권을 부여하라. 그러면 다른 형태의 평등이 뒤따를 것'이다.[20] 그러나 두 이론가 중 누구도 여자들의 동의 거절에 대한 남자들의 재해석과 관련해서는 아무 말이 없다. 여자들의 말이 무의미하다면 시민들 사이의 논쟁에 어떻게 여자들이 합류할 수 있겠는가? 동의가 한쪽 성별만의 특권이라면 참여민주주의가 어떻게 존재할 수 있겠는가?

본 저서는 정치 이론에서 여성주의 논변이, 상당한 정도로, 주류 논의에 대해 병렬적으로 발전하고 있는 이유를 설명하는 데 도움을 줄 수 있을 것이다. 정치 이론은(그리고 정치학은) 아마도 '정치적' 탐구의 주제에 대한 정통적 이해의 성격 때문에 몇몇 다른 분과들보다 여성주의 논변에 더 저항적일 것이다. 여자들에 대한 남자들의 권력은 정치 이론가들이 사용하는 범주들의 가부장적 구성에 의해서 면밀한 검토로부터

Unmodified: Discourses on Life and Law (Harvard University Press, Cambridge, MA, 1987) p. 11.

19. Michael Walzer, *Spheres of Justice: A Defence of Pluralism and Equality* (Basic Books, New York, 1983), p. 304. [국역본: 『정의와 다원적 평등』, 정원섭 외 옮김, 철학과현실사, 1999, 462쪽.]

20. B. Barber, *Strong Democracy: Participatory Politics for a New Age* (University of California Press, Berkeley and Los Angeles, 1984), p. 193. [국역본: 벤자민 바버, 『강한 민주주의』, 박재주 옮김, 인간사랑, 1992, 288쪽.]

제외되고, 정치적 삶과 민주주의에 무관한 것으로 여겨진다. 놀랍지 않게도, 여성주의자들과 정치 이론가들은 종종 서로 다른 이야기를 한다. 여성주의는, 종종 가정되듯이, 단순히 기존의 이론이나 논변 양태에 무언가를 덧붙이는 게 아니다. 오히려 여성주의는 근대 정치 이론의 가부장적 구성에 도전한다. 정치 이론가들은 여성주의적 비판들과 관여하기 위해서는 자신들의 논변의 근본적인 전제들에 관해 다시 한 번 생각해볼 의지가 있어야만 한다. 모든 시민들의 능동적인 참여를 주장하지만, 시민권이 남성의 형상으로 만들어진 정치적 질서 안에서 여자들의 지위라는 문제를 겨우 인정하기 시작한 급진적 민주주의 이론의 경우에 여성주의적 도전은 특히 긴급하다.

민주주의 이론가들은 아직까지 시민권의 가부장적 구성의 함축들을 대면하지 않았으며, 따라서 그들은 여자들이 마주하는 복잡한 딜레마를 설명하거나 해결하는 데 거의 혹은 아무런 도움을 제공하지 못한다. (내가 「가부장적 복지국가」에서 명명한바) 울스턴크래프트의 딜레마의 두 뿔은 다음과 같다. 첫째, 동시대 가부장적 질서 안에서 그리고 민주주의 이론의 표면적으로는 보편적인 범주들의 한계 안에서 여자들이 능동적이고 완전한 시민이 되기 위해서는 남자들(같)이 되어야 한다는 것이 당연시된다. 둘째, 비록 여자들이 이백 년 동안 여자들의 변별적 자질들과 책무들이 시민권의 일부가 되어야 한다고——즉, 여자들이 여자들로서 시민이 되어야 한다고——요구했음에도 불구하고, 바로 이 여성성의 표지들이야말로 여자들을 시민권에 대해 대립적인 위치에 놓거나 기껏해야 역설적이고 모순적인 관계에 위치시키는 것일 때, 그들의 요구는 충족될 수 없다. 여자들은 갈기를 포함해 사자모피를 입거나, 아니면 급진적 민주주의 이론이 상정하는 새로운 남자들 사이에서, 그리고 그들과 구별되지 않게, 자리를 취할 것이 기대된다. 여자인 시민을 위한 아무런 가용한 의복도 없으며, 정치 이론 안에 새로운 민주주의적 여성에 대한 아무런 가용한 시각도 없다. 여자들은 항상 '여자'로서, 종속자나 덜떨어진 남자로서 시민 질서에 병합되었으며, 민주주의 이론가들은 아직까지 그 어떤 대안도 정식화한 바 없다. 딜레마는 남아 있다. 유일하게 명확한 것은 여자들이 여자로서, 자율적이고 평등하지만 남자들과는 성적으로 다른 존재로서 시민이 되려면, 민주주의 이론과 실천은 급진적인 변화를 겪어야 한다는 것이다.

20세기 말은 그 어느 때보다도 그런 변화의 가능성이 열려 있다. 가부장적 제도들은 한때 그러했던 것에 비해 덜 견고하며, 친숙한 정치적 논변들은 현재의 경제적, 정치적 변화들에 직면하여 점점 더 부적절해 보이고, 여성주의자들은 공과 사의 가부장적 분리를 정치적인 문제로 바꿔놓았다. 그러나 반-민주주의적 경향들도 있으며, 여성주의자들이 원하는 결과가 나올 것이라는 그 어떤 자신감이나 확실성도 없다. 여성주의자들은 자신들이 추구하는 변환은 '남성성'과 '여성성'의 의미 안으로, 체화된 여자들과 남자들로서의 우리의 바로 그 정체성 안으로까지 이른다는 추가적 어려움에 직면한다. 급진적 민주주의 이론가들이 지금까지 추구해 온 변화들은 달성하기 매우 어렵다는 것이 입증되었다. 양성간의 개인적이고 공적인 관계들을 진정으로 동의적이고 상호적인 상호작용으로 변환하는 것은 훨씬 더 막대한 과업이다. 그럼에도 불구하고 '민주주의'가 남자들의 전유물로 남아 있지 않기 위해서는 이 과업이 시도되어야만 한다. 여성주의 이론은 중요한 역할을 맡고 있지만, 새롭고 진정으로 민주주의적인 이론이 주류 정치 이론 안에서 발전될 수 있을지는 지켜보아야 한다.

1

"여자들의 무질서"

: 여자들, 사랑, 그리고 정의감

『정치와 예술』이라는 글에서 루소는 '한 민족이 지나친 음주로 멸망한 적은 없다. 모든 민족은 여자들의 무질서 때문에 멸망한다'라고 공언한다. 루소는 술에 빠지는 것이, 다른 점에서라면 강직하고 품위 있는 남자들의 통상 유일한 결함이라고, 부도덕한 자만이 술이 증진시키게 될 무분별함을 두려워한다고 말한다. 술에 취하는 것은 남자들을 악하게 만드는 것이 아니라 멍청하게 만들기 때문에 최악의 악덕은 아니다. 또한, 술은 남자들을 다른 악덕으로부터 멀어지게 하므로 정체(政體)에 대해 그 어떤 위험도 제기하지 않는다. 반면에 '여자들의 무질서'는 모든 악덕을 낳고, 국가를 파멸로 이끌 수 있다.[1]

루소는 여자들을 정치적 질서 안에 있는 영구적으로 전복적인 힘으로

1. J.-J. Rousseau, *Politics and the Arts: A Letter to M. d'Alembert on the Theatre*, tr. A. Bloom (Cornell University Press, Ithaca, NY, 1968), p. 109. 루소는 또한 술이 나이 든 남자를 유혹하는 것은 청년이 다른 욕망을 갖기 때문이라고 언급하고 있다. 청년의 전복성에 대한 믿음들은 이 논문이 다루는 범위 바깥에 있다.

간주한 유일한 사회 내지는 정치 이론가가 아니다. 프로이트는――나는 그의 논변들도 참조할 것인데――『문명 속의 불만』 4장에서 여자들이 문명에 대해 '적대적'이고 '대립'한다고 주장한다.[2] 유사한 논지에서 헤겔은 공동체가 '여성'을 '내면의 적으로 삼는'다고 쓰고 있다. 여자들은 '공동세계의 영원한 아이러니'이며, '여성이 정치의 선봉에 서게 되면 국가는 위기에 빠진다'.[3] 이러한 논변들은 역사적 관심사에 불과한 것이 결코 아니다. 여자들은 이제 자유민주주의 국가들 안에서 시민권을 부여받게 되었지만, 여자들이 정치적 삶에 적합하지 않으며 국가가 그들의 손에 있다면 위험해질 것이라는 믿음이 여전히 만연하다. 이 믿음은 굉장히 복합적이다. 이 믿음의 중심적 차원 중 하나는, 이 논문에서 내가 탐색하기 시작할 것인데, 여자들이 정의감을 결여하고 있으며 발달시킬 수 없다는 확신이다.

여자들의 본질적 전복성에 대한 믿음[4]은 굉장히 오래된 기원을 갖고 있으며, 우리의 신화적 및 종교적 유산에 깊이 박혀 있다. 그러나 '여자들

2. [프로이트, 『문명 속의 불만』, 김석희 옮김, 열린책들, 2003, 280쪽.]

3. G. W. F. Hegel, *The Phenomenology of Mind*, tr. J. B. Bailie (Allen & Unwin, London, 1949), p. 496; *Philosophy of Right*, tr. T. M. Knox (Oxford University Press, Oxford, 1952), addition to par. 166. [국역본: 『정신현상학 2』, 임석진 옮김, 한길사, 2005, 54쪽; 『법철학』, 임석진 옮김, 한길사, 2008, 334쪽.] N. O. 코헤인(Keohane)은 「여성 시민권: "여자들의 극악무도한 통치"」('Female Citizenship: "The Monstrous Regiment of Women"')――정치사상연구학회(the Conference for the Study of Political Thought) 연례 모임에서 발표된 논문(New York, 6-8 April, 1979)――에서 고대 그리스와 보댕의 이론을 특별히 참조하며 여자들이 정치적인 영역에 들어서면 안 된다는 믿음이 갖는 다양한 측면들을 논의한다.

4. 고대부터 여자들은 도덕성과 질서의 수호자로 여겨져 오기도 했다. 이 모순적 관점은 이하에서 간략하게 논의되고 있지만, 여자들에 대한 두 생각들이 서로 직접적으로 대립하는 것은 아니라는 점을 언급할 필요가 있다. 여자들이 표상하는 '도덕성'과 '질서'는 정치적 영역의 '질서'와 같은 것이 아니다.

의 무질서'는 오직 근대 세계에서만 일반적인 사회적 및 정치적 문제를 구성한다. 특히, 자유주의적 개인주의의 발전과 그것에 대한 민주주의적이고 사회주의적인 비판가들의 논변들과 더불어서만, 여자들에 대한 믿음들은 사회 및 정치 이론과 실천에서——항상 인정되지는 않더라도——예리한 문제가 된다. 세계에 대한 전근대적 개념에서, 동물과 인간의 삶은 신성하게 또는 '자연적으로' 질서 지어진 창조의 위계의 일부로 여겨졌다. 개인들이 지배와 종속의 자연적 질서 안으로 태어난 것이라고 생각되었다. 자연과 문화는 사회적 삶의 위계가 나이, 성, 힘 같은 자연적인 차이들에 근거하는 어떤 전체의 일부였다. 지배자들은 '자연적' 특성들이 그 책무에 적합한 자들이었다. 17세기 무렵부터 사회적 삶에 대한 새롭고 혁명적인 개념이 발전했는데, 그 안에서 '자연'과 '사회', 여자와 사회의 관계는 내재적으로 문제적인 것이 되었다.

개인들은 자유롭고 서로에게 평등하게 태어난 이성적 존재로——혹은 자연적으로 자유롭고 평등하다고——간주되기 시작했으며, 자신들의 사회적 관계들과 제도들을 스스로 창조하는 개인들로 간주되기 시작했다. 특히 정치적 제도들은 관례——계약, 동의, 합의——에 기초하는 것으로 간주되기 시작했다. 관례에 근거하는 사회정치적 질서라는 개념은 그것과 자연의 관계와 관련해——3세기가 지나서도 여전히 해결되지 않고 있는——복잡한 문제들을 가져왔다. 관례적 내지는 '시민적' 연합들을 창조하고 그 안에서 자신의 자리를 취하는 개인들의 본성이 이러한 문제들 중 하나다. 요구되는 자연본성 혹은 자연적 역량을 모든 개인들이 갖고 있는가? 혹은, 시민적 삶에 참여하는 데 필요한 역량들을 결여하거나 개발할 수 없는 자들이 있는가? 만약 이런 개인들이 존재한다면, 그들의 본성은 사회적 삶에 대한 위협으로 보일 것이다. 그리고 여자들은 바로 이러한 이유에서 위험하다는 넓은 합의가 있어왔다. 여자들은, 그들의 본성 때문에, 국가 안에서의 무질서의 원천이다.

'무질서(disorder)'는 두 가지 기본적 의미 중 어느 하나로 사용될 수 있다. 첫째, '시민적 무질서'라는 사회정치적 의미가 있다. 난폭한 시위, 떠들썩한 집회, 폭동, 법과 질서의 와해에서처럼. 둘째, '무질서'는 또한 개인의 내적인 기능장애를 지칭하는 데 사용된다. 우리가 무질서한 상상력이나 위 혹은 내장의 무질서[5]를 이야기할 때처럼. 따라서 이 용어는 개인과 국가 양자 모두의 체질에 적용된다. 더불어, 그것의 도덕적 내용은 또한 품위나 예절을 내던지는 '매음굴(disorderly house)'을 묘사하기 위해 사용될 때 명시화될 수 있다. 여자들은 그들의 존재 혹은 자연본성이 필연적으로 그들로 하여금 사회적 · 정치적 삶에 파괴적인 영향을 행사하게끔 이끌기 때문에 무질서의 원천으로 여겨진다. 여자들은 그들의 중심에——그들의 도덕성에——국가의 파괴를 초래할 수 있는 무질서를 갖고 있다. 따라서 여자들은 자연과 사회가 서로 대립하고 있는 방식 가운데 한 가지를 예시한다. 게다가 여자들이 제기하는 위협은 그들의 자연본성상 그들에게 적합한 장소 혹은 사회적 영역——가족——때문에 심화된다. 사회적 삶에 대한 개인주의적, 관례주의적 개념이 초래하는 또 다른 문제는 모든 사회적 관계들이 성격상 관례적인가 하는 것이다. 가족은 겉보기에 모든 인간 연합들 가운데 가장 자연적이며 따라서 특별히 여자들에게 적합한데, 왜냐하면 여자들은 시민적인 삶의 형태가 요구하는 방식으로 자신들의 자연본성을 초월할 수 없기 때문이다. 그러나 가족이 자연적이라면, 그것은 (관례적인) 사회적 · 정치적 삶과 대립하고 어쩌면 갈등하는 연합 형태다. 여자들의 무질서 문제의 이 두 가지 측면은 사회계약 이론가들의 글에서 그리고 특히 루소의 이론에서 드러난다.

사회계약 이론가들은 특별히 명료하게 사회적 삶에 대한 개인주의적

5. [즉, 위나 내장의 장애.]

이고 관습주의적인 개념을 제시한다. 그들의 논변은 자연과 '관례' 간의 이율배반에 내재한 모든 애매성과 복잡성에 의존하고 있으며, 따라서 그 애매성과 복잡성을 예증하고 있다. 여성에 관한 동시대의 대중적인 믿음들은, 17세기의 가부장적 주장들 못지않게, 자연에 대한 호소에 의존하고 있으며, 또한 자연적이거나 '자연에 따라 질서 지어진' 것이 선하고(good) 바람직한 것으로 널리 믿어진다는 사실에 의존하고 있다.[6] 계약 이론가들은 개인들의 자연본성이라는 생각과 자연적 개인들이 거주하고 있는 자연 상태, 양자 모두에 호소했다. 그러나 정확하게 어떤 형태로 그들이 거기에 거주했는지, 그리고 어떤 유형의 관계들이 그들 간에 존재했는지는 계약 이야기에서 핵심적인 질문들 중 하나다.

계약 이론의 루소 판본은 예리한 형태로 그 문제들을 부각시키고 있다. 루소는 그 학설 안에 내재한 혁명적인 함축들을 추구하고자 한 유일한 계약 이론가였다. 그러나 그는 또한 여자들이 정치적 질서에 영구적인 위협을 제기한다고 믿었다. 루소의 이론은 몇 가지 심오한

6. 그러나 니체를 비교해보라: '그대들은 자연에 따라 **살기** 원하는가? 오 그대 고상한 스토아 철학자들이여, 이것은 말의 기만이 아닌가! 그대들은 자연이란 존재를 생각해보라. 그것은 한없이 낭비하고, 한없이 냉담하며, 의도와 배려가 없으며, 자비와 공정함도 없고, 풍요로운가 하면 동시에 황량하고 불확실하다. 그대들은 무관심 자체를 힘이라고 생각해보라. 그대들은 어떻게 이 무관심에 따라 살 수 **있을 것인가**?' (F. Nietzsche, *The Complete Works*, ed. O. Levy [London: Foulis, 1911], vol. 12, *Beyond Good and Evil*, trans. H. Zimmer, ch. 1, par. 9). [국역본: 『선악의 저편, 도덕의 계보』, 김정현 옮김, 책세상, 2002, 23쪽.] 여자들에 대한 우리의 지각에서 나타나는 동일한 애매성과 모순이 '자연' 또한 둘러싸고 있다. 가령 사회적인 삶은 자연 안의 조화 또는 '자연의 질서'를 고유하게 반영한 것으로 여겨질 수 있다. 그게 아니라면, 자연은 사회적 삶 속에서 초월되어야만 하는 제어되지 않았고 자의적이며 변덕스럽고 무관심한 것의 영역으로 간주될 수 있다. 여자들과 관련해서 '자연적'이라는 단어가 부여받게 되는 다양한 의미들에 관한 논의는 C. Pierce, 'Natural Law Language and Women', *Women in Sexist Society*, ed. V. Gornick and B. K. Moran (Basic Books, New York, 1971)에서 볼 수 있다.

사회학적 통찰들을 포함하는데, 이는 정확히 그가 사회적 삶의 상이한 차원들 간의 상호관계와 인간 의식의 변화에 관심이 있었기 때문이다. 『인간 불평등 기원론』에서 그는 인류에게만 독특한, 친숙하지만 자연적인 조건을 상정한 자유주의 계약 이론가들의 추상적 개인주의를 공격한다. 루소가 주장하기를, 엄밀히 말해 자연 상태는 비사회적인바, 다양한 종류의 동물들만 거주하고 있는데, 그중 한 종은 인간 개체들로 발달할 잠재력을 가졌다. 다시 말해서, 루소는 고립된 개인들, 즉 집단적으로가 아니라 개별적으로 간주된 개인들의 자연적 특성들에 대한 주장들로부터 정치적인 결론들을 이끌어낼 수 있다는 것을 부인한다. 그의 기본적인 전제는 인간의 삶은 사회적 삶이라는 것, 혹은 사회성은 인간에게 자연적이라는 것이다. 루소에 따르면——그리고 이 지점에서 그는 로크에게 동의하고 있는데——사회적 자연 상태는 (고립된) 개인들이 아니라 가족들이 거주하고 있다. 그는 '모든 사회 가운데 가장 오래되고 또 유일하게 자연적인 것은 가족 사회'라고 쓰고 있다.[7] 이는 가족이 더 넓은 사회제도들 내지는 '시민사회'에 선행하거나 그것의 부재 속에서 실존할 수 있다고, 즉 그것이 자연적 조건 안에서 실존한다고 말하는 또 다른 방법이다. 가족은 또한 사랑과 애정(affection)이라는 자연적인 유대에 근거한다(이것들은——가령 나는 것이 인간에게 자연적이지 않듯——인간의 역량 안에 있기 때문에 자연적이다). 그리고 그것은 생식이라는 생물학적 과정에, 양성의 자연적인 차이에 그 기원을 두고 있다. 루소는 가족이 자연의 질서를 따르는 사회제도의 주된 사례를 제공한다고 주장한다. 가족 안에서는 연장자가 연소자보다 자연적으로 우선하고, 남성이 여성보다 자연적으로 권위를 갖기 때문에 그렇다는 것이다. 루소에게 가족은

7. J.-J. Rousseau, *The Social Contract*, tr. M. Cranston (Penguin Books, Harmondsworth, Middlesex, 1968), bk 1, p. 50. [국역본: 『사회계약론』, 김중현 옮김, 펭귄클래식코리아, 2010, 35쪽.]

필연적으로 가부장적이다.

자연 상태는 시민사회와 대조를 이루지만, 가족은 그 두 가지 실존형태 모두에 대해 공통적이다. 가족은 자연에 근거하는 조건과 시민적 삶의 관례적 유대들 간의 분할을 가로지른다. 홉스라는 주목할 만한 예외를 제외하면 가족을 관례적 연합으로서 제시하고자 한 사회·정치 이론가는 거의 없다.[8] 『법철학』에서 헤겔은 실로 결혼과 가족을 단순한 계약적 연합으로 간주하는 것이 '수치스럽[다]'라고 주장한다.[9] 가족은 시민적 삶의 자연적 근거로 널리 간주되고 있다. 가족적 내지는 집안의 관계들은, 생물학적이고 정서적인 자연적 유대에 근거한다. 그리고 가족은 유기적 통일성의 특수주의적(particularistic) 유대들로 구성된다. 그러나 시민사회의 기반으로서 가족의 지위라는 것은 '자연 상태'와 '시민사회'에서의 상이한 사회적 삶의 형태들 간의 대조가 시민적인 삶 그 자체 안으로 옮겨졌음을 뜻한다. 연합의 사적 영역과 공적 영역, 특수주의적 영역과 보편적 영역 간의 구별과 분리는 사회적 삶에 대한 근대 자유주의적 개념의 근본적인 구조적 원리다. 자연적이고 특수주의적인 가족은 사적인 영역의 중심에 자리 잡고 있다. 그리고 그것은 공적인 삶의 비개인적, 보편적, '관례적' 유대들을 부각시키며 그것들에 대립해 있다.

최근에 롤즈는, '정의는 사회제도의 제1덕목'이라고 진술했다.[10] 이와 유사하게, 프로이트는 '문명의 첫 번째 필수 조건은 정의다. 다시 말해서, 일단 만들어진 법률은(…) 특정한 개인에게 유리하도록 바뀌거나 효력이 정지되지 않는다는 보장'이라고 주장한다.[11] 그러나 정의가 모든 사회제

8. 가족에 대한 홉스의 관점은 다음에서 논의되고 있다. T. Brennan and C. Pateman, '"Mere Auxiliaries to the Commonwealth": Women and the Origins of Liberalism', *Political Studies 27* (1979), pp. 180-200.

9. [국역본: 『법철학』 §75 주해, 181쪽.]

10. J. Rawls, *A Theory of Justice* (Oxford University Press, Oxford, 1971), p. 3. [국역본: 『정의론』, 황경식 옮김, 이학사, 2003, 36쪽.]

도의 덕목인 것은 아니다. 앞선 논의가 제시하고 있듯, 그리고 프로이트(와 헤겔)가 우리에게 말하고 있듯, 가족의 제1덕목은 정의가 아니라 사랑이다. 가족은 관례적인 사회제도가 아니라 자연적인 사회제도이다. 그러나 정의는 공적 혹은 관례적 덕목이다. 가족 안에서 개인들은 유일무이하고 비동등한 인성들로서, 그리고 정서에 근거한 구별적 통일체의 구성원들로서 나타난다. 시민적 삶에서 개인들은 그들을 사적 영역에서 구별시켜주는 특수하고 귀속적인 특성들을 초월하거나 뒤에 남겨두며, 관계없는 동등자들로서 나타난다. 그들은 권리들(자유들)의 담지자로서, 재산의 소유자로서, 시민으로서—보편주의이기도 한—개인주의의 영역으로 들어선다. 시민적 연합에서는 모두에게 공평하게 적용되는 일반적 혹은 보편적 규칙들과 법칙들에 의해서만 개인들이 묶이게 되고 그들의 행동들이 규제된다. 규칙들과 법칙들은—모든 개인들이 규칙들을 지지하기 위해, 다시 말해, 정의를 유지하기 위해 자신의 몫을 다하는 한에서—모든 개인들의 권리와 재산을 보호한다. 개인들의 특수하거나 사적인 이익들은 공적인 이익에, 혹은 정의의 덕목에 종속되어야만 한다.

개인들이 정의감이나 질서의 도덕성을 발달시킨다면, 시민적 연합의 규칙들을 더 기꺼이 지지할 수 있을 것이다. 개인들은 사회정치적 질서의 보편적인 규칙들을 '내면화'해야만 하고, 그 규칙들이 준수되어야만 한다는 것을 이해해야만 하고, 그에 따라 행동하기를 원해야만 한다. 정의감은 공적 질서를 유지하는 데에 근본적이다. 그러나—루소와 프로이트에 따르면—여자들과 같이 자연적으로 정의감을 발달시키는 역량이 없는 개인들이 있다면, 시민적 연합의 기초는 위협을 받게 된다.

11. S. Freud, 'Civilization and Its Discontents', *The Standard Edition of the Complete Psychological Works*, tr. J. Strachey (Hogarth Press, London, 1961), vol. 21, p. 95. [국역본: 271쪽.]

그것은 자신 안에 무질서의 영구적인 원천을 내포한다. 여자들의 자연적 도덕성 혹은 여자들의 도덕 역량에서의 결함은 그들을 가정적 삶의 '자연적 사회'에만 적합하게 하기 때문에 위협은 더욱 크다. 그러나 가족 그 자체가 시민적 삶에 대한 위협이다. 사랑과 정의는 적대적인 덕목이다. 사랑의 요구와 가족 유대의 요구는 특수주의적이며, 따라서 사적인 이익이 공적인(보편적인) 선에 종속되기를 요구하는 정의와 직접적으로 갈등한다. 따라서 가족은 국가의 기반인 동시에 국가에 적대적이다. 더 나아가, 정의감이 없는——그리고 자신들의 자연본성 때문에 가정의 영역을 떠날 수 없는——여자들의 가족 내 현존은 시민적 삶에서 정의를 지지해야 하는 남성 친족의 정의감과 대립적으로 작동하며 그 정의감을 약화시킨다. 헤겔에 따르면 '여성(…)은 (…) 국가의 공유 재산을 가족의 소유물이나 장식품이 되게' 한다.[12]

루소와 프로이트는 여자들이 정의감을 발달시킬 수 없는 이유에 관해 놀랍도록 유사한 진단을 제공한다. 둘 다 해부학이 여자들에게는 운명이라는 것에 동의한다. 양성 사이의 생물학적(자연적) 차이들은 양성 각각의 도덕적 성품에 영향을 끼치며 반영된다. 루소는 여자들의 무질서의 근원이 그들의 끝없는 성적 열정에 놓여 있다고 주장한다. 프로이트를 선취하면서 그가 주장하기를, 여자들은 성적인 욕망을 남자들과 동일한 방식으로 또는 동일한 정도로 억제하고 승화시키지 못한다. 남자들은 능동적이며 공격적인 성이고, '자연본성에 의해 제어'된다. 수동적이고 방어적인 여자들은 겸양의 제어만을 갖는다. 따라서 성행위에 대한 이중적 기준이 있어야만 한다. 만약 양성 모두가 그들의 열정에 동일한 통제력을 준다면 '남자는 (…) 마침내 [여자의] 희생자가 될 것이며, 그들은 모두 죽음으로 질질 끌려가지만 결코 그 죽음으로부터

12. Hegel, *The Phenomenology of Mind*, p. 496. [국역본: 54쪽.]

자신들을 방어하지 못할 것'이다.[13] 겸양은 여자들에게 자연적이지만, 그것은 그들의 성적인 욕망을 약하고 불확실하게 제어한다. 더 나아가, 루소가 『정치와 예술』에서 주장하듯 '순결함이라는 특별한 정서가 여자들에게 자연적이라는 것을 부인할 수 있다고 해도, 그렇다고 해서 사회에서 (…) 그들이 그것에 적합한 원리들 속에서 길러져야 한다는 것이 덜 참인 것이 될까? 그들에게 적절한(proper) 부끄럼, 순결함, 겸양이 사회적인 발명품이라면, 여자들이 그러한 자질들을 습득하는 것은 사회의 이익을 도모하기 위함'이다.[14] 그러나 겸양을 기르도록 특별히 고안된 교육조차도 여자들의 무질서에 대비한 충분한 보증이 되지 않는다. 루소는 『신 엘로이즈』에서 생생한 방식으로 이 교훈에 대해 상세히 설명한다. 쥘리는 다만 덕스럽기를 원하고 아내와 어머니로서 모범적인 삶을 살기를 원한다. 그녀는 볼마르가 그녀에게 준비한 시험들을 통과하기 위해 전력을 다하고 일견 성공하지만 그럼에도 불구하고 생 프뢰를 향한 자신의 열정을 극복하지 못한다. 클라랑의 선한 질서가 치명적으로 파괴되지 않으려면 쥘리는 그녀에게 남은 단 하나의 길을 가야만 한다. 여자들의 무질서라는 문제에 대한 유일한 해결책은 '사고로 인한' 죽음이다.[15]

루소와 프로이트는 양성 사이의 이 근본적인 차이가 사회적 삶이 처음 시작될 때부터 있어왔으며 그것을 실로 구조화해 왔다고 주장한다. 그 둘 모두 시민사회의 창조 혹은 '문명화'가 남자들의 일이라고 주장한다. 루소에게 양성은 참된(무사회적인) 자연적 조건 속의 동물들 가운데

13. J.-J. Rousseau, *Emile*, tr. B. Foxley (Dent, London 1911), p. 322. [국역본: 『에밀』, 김중현 옮김, 한길사, 2003, 647쪽.]

14. Rousseau, *Politics and the Arts*, p. 87.

15. [『신 엘로이즈』는 물에 빠진 아들을 구하기 위해 물로 뛰어들었던 쥘리가 기력을 회복하지 못하고 사망하는 것으로 끝난다.]

서 서로 분리되어 있을 때만 평등하다. 사회적 삶이 가족의 삶으로서 발달한다. 그런데 그것의 출현을 기록하던 루소는 갑자기 '양성의 삶의 방식에 최초의 차이가 생겨났으며, (…) 여성은 (…) 오두막집과 아이들을 돌보는 일에 익숙해졌다'라고 선언한다.[16] 그런 뒤 시민사회의 발달과 인간의 자연본성의 변형에 대한 그의 추측의 역사는 남성의 활동과 남성의 자연본성의 역사로서 계속된다. 프로이트 역시 「문명 속의 불만」에서 시민사회의 발달(문명화)에 대한 추측의 역사를 제시한다. 그는 '성욕이 과객처럼——즉, 불쑥 찾아왔다가 떠나면 오랫동안 소식이 없는 손님처럼——나타나지 않'게 되자,[17] 남성들은 여성들을 가까운 곳에 둘 이유가 생겼으며, 이제 여성들은 그들의 무력한 아이들을 보호하기 위해 순응할 수밖에 없었다고 주장한다. 가족이 확립되고 나자 문명의 발달은 남자들만의 일이었는데, 왜냐하면 그것은 '여자들이 거의 할 수 없는 본능의 승화'를 요구하기 때문이다.[18] 남자들만이 자신들의 열정을 승화할 역량이 있으며 그에 따라 시민적 삶이 요구하는 정의에 대한 역량이 있다. 더 나아가, 공적인 삶에 대한 남자들의 개입과 그것을 뒤따르는 다른 남자들에 대한 의존은 아내와 가족을 위한 기운이 그들에게 거의 남아 있지 않다는 것을 의미한다. '따라서 여성은 문명의 요구

16. J.-J. Rousseau, 'Discourse on the Origin and Foundations of Inequality', *The First and Second Discourses*, trans. R. D. Masters (New York: St. Martin's Press, 1964), p. 147. [국역본: 『인간 불평등 기원론』, 김중현 옮김, 펭귄클래식코리아, 2010, 98쪽.] '자연 상태'와 '사회의 기원'에 대한 고전 이론가들의 사변은 동물의 삶을 연구하는 과학자들의 사변과 비교되어야 한다. 다음의 D. 해러웨이(Haraway)의 매혹적인 논의를 참고할 것. 'Animal Sociology and a Natural Economy of the Body Politic, Part II: The Past Is the Contested Zone: Human Nature and Theories of Production and Reproduction in Primate Behavior Studies', *Signs* 4 (1978): pp. 37-60.
17. Freud, 'Civilization and Its Discontents', p. 99. [국역본: 275쪽.]
18. [국역본: 『문명 속의 불만』, 280쪽.]

때문에 자신이 뒷전으로 밀려난 것을 깨닫고, 문명에 대해 적대적인 태도를 취하게 된'다.[19]

프로이트가 그의 정신분석 이론을 정식화할 때까지는 왜 여자들이 남자들에 비해 열정을 승화시키는 데 무능력한지 혹은 어떻게 '사회적 존재로서 여성의 성격에 특별한 성향'[20]이 생겨나는지에 대한 아무런 설명도 구할 수 없었다. 루소는 남자들과 여자들이 이러한 측면에서 다르다고 말할 수 있을 뿐이다——그리고 그는 여자아이의 무질서한 자연본성과 정의에 대한 무관심을 보강해줄 교육을 처방한다. 여자들은 '자연의 법칙에 따르면 (…) 남편의 처분에 내맡겨져' 있으며 '그의 부당함에 대해서까지 참도록' 되어 있다.[21] (헤겔은 여자들을 그들의 자연 상태에 남겨놓는 것에 만족했다는 것에 주목해볼 수도 있겠다. 그가 체념하며 말하기를, '여성에게서 교양은 어떤 이유에서건 생각 내키는 대로의 분위기에 따라서 (…) 오히려 생활을 통해서 형성된다'라고 말한다.[22]) 프로이트는 여자들의 정의감 결여나 결핍이 오이디푸스 콤플렉스에 대한 양성의 상이한 통과와 그에 따른 초자아의 발달에서의 차이로 설명된다고 주장한다. 초자아는 '모든 도덕적 제약의 대표자'[23]이며, 특히 정의가 요구하는 제약들의 대표다.

문명화는 가장 심오한 의미에서 남자들의 일이다. 왜냐하면 남자들만

19. 같은 책. pp. 103-4. [국역본: 280쪽.]
20. S. Freud, 'Female Sexuality', *On Sexuality*, ed. A. Richards, (Penguin Freud Library, Harmondsworth, Middlesex, 1977), vol. 7, p. 377. [국역본: 「여성의 성욕」, 『성욕에 관한 세 편의 에세이』, 김정일 옮김, 열린책들, 2004, 344쪽.]
21. Rousseau, *Emile*, pp. 328, 359. [국역본: 658쪽, 716쪽.]
22. Hegel, *Philosophy of Right*, addition to par. 166. [국역본: 334쪽.]
23. S. Freud, 'The Dissection of the Psychical Personality', *New Introductory Lectures on Psychoanalysis*, ed. J. Strachey (Penguin Freud Library, Harmondsworth, Middlesex, 1973), vol. 2, p. 98. [국역본: 「심리적 인격의 해부」, 『새로운 정신분석 강의』, 임홍빈 · 홍혜경 옮김, 열린책들, 2004, 92쪽.]

이 완전히 발달된 초자아를 소유하기 때문이다. 초자아의 출현은 가족으로부터 보다 넓은 공동체적 삶으로의 '기원적인' 중대한 이동(의 추측의 역사)과 밀접한 관련이 있다. 프로이트는 '최초의' 아들들이 그들이 사랑하는 동시에 증오했던 '최초의' 아버지를 '기원적으로' 살해했다고 주장한다. 증오의 끔찍한 행위로부터 사랑으로 인한 회한과 죄책감이 자라났으며, 그 후의 죽은 아버지와의 동일시가 초자아의 출현을 야기했다. 형제들은 그들의 끔찍한 행위가 반복되는 것을 막기 위해서는 필수적인 상호 제약을 서로에게 부과했다. 이에 정의라는 공적 덕목이, 혹은 시민적 삶에 필수적인 '최초의 "권리" 또는 "법"'이──남자들에 의해──확립되었다.[24] 여자들은 이 발달에서 아무 몫도 없었다. 우리 자신의 시대에도, 남자아이와 여자아이가 오이디푸스 콤플렉스를 통과하는 그 상이한 방식은 정의, 정치적 권리, 초자아의 순수하게 남성적인 '기원'을 들먹인다.

어린 남자아이들은 오이디푸스 콤플렉스를 극적으로 통과한다. 남자아이가 '거세된' 여성 생식기를 볼 때 그 힘이 확인되는 거세의 위협은 그 아이로 하여금 아버지와 동일시하도록 압박하고, 그에 따라 오이디푸스 콤플렉스는 '문자 그대로 산산조각 난다'.[25] 그런 뒤 오이디푸스 콤플렉스의 '상속인'인 초자아가 발달하기 시작한다. 남자아이는 아버지의 자아를 자신의 자아에 '동화'시키며, 그렇게 함으로써 부성적 작인 안에 구현된 모든 제약들을 내면화한다. 그리하여 남아는 초자아의 생성이 그를 '문화 공동체 속에 자신을 자리 잡게 만드는 일련의 과정' 안으로

24. Freud, 'Civilization and Its Discontents', pp. 101, 131-2. [국역본: 277쪽.]

25. Freud, 'Some Psychical Consequences of the Anatomical Distinction between the Sexes', Richards, ed., vol. 7, p. 341. [국역본: 「성의 해부학적 차이에 따른 심리적 결과」, 『성욕에 관한 세 편의 에세이』, 김정일 옮김, 열린책들, 2004, 313쪽.]

입문시키기에 도덕적 개인이 되며, 때가 되면 '남자/인간(man)'이 된다.[26] 그러나 여성의 경우 그 과정은 상당히 다르다. 여성들은 이미 '거세되어' 있고, 남자아이와 비교함으로써 이 끔찍한 발견을 할 때 오이디푸스 콤플렉스는 일소되는 대신 생성된다. 그것은 어린 여자아이가 아버지를 자신의 대상으로 취하게 되는 길고도 어려운 여정이다——사실상 여자아이는 오이디푸스 콤플렉스를 결코 극복하지 못할 수도 있다. 그 결과는 여자들이 초자아를 결여하거나 기껏해야 남자들보다 훨씬 더 허약한 초자아를 갖는다는 것이다. 프로이트는 '여성의 정상적인 윤리 기준이 남성의 기준과는 다르다. (…) 여성의 초자아는 우리가 남성에게서 요구하는 것만큼 요지부동한 것도, 객관적인 것도, 또 감정과 무관한 것도 아니다. 모든 시대의 비평가들이 지적하는 여성의 특성은 남성에 비해 정의감이 약하고, 인생의 큰 위기에 처해 순발력이 떨어지며, 사랑이나 증오와 같은 감정적 판단의 영향을 더 자주 받는다.'라고 말한다.[27]

프로이트는 오이디푸스 콤플렉스의 생성과 해소가 인간 실존의 보편적 특징이라고 주장한다. 따라서 양성 간의 도덕 역량의 차이가 인정되어야만 하는 것이다. 루소의 용어로 그것은 자연 질서의 사회적 반영이다. 프로이트는 문명을 창조하는 비용을 강조한다.[28] 하지만 그는 여자들의 무질서함을 방지하기 위한 아무런 제안도 하지 않는다. 그러나 루소는 국가가 여자들의 영향으로부터 보호될 수 있는 유일한 방법은 양성

26. Freud, 'Female Sexuality', p. 375. [국역본: 342쪽.]

27. Freud, 'Some Psychical Consequences of the Anatomical Distinction between the Sexes', vol. 7, p. 342. [국역본: 314쪽.]

28. Cf.: '우리에게 영구적이며 값비싼 희생을 치를 것을 요구하지 않고서는 사회가 형성되거나 유지될 수 없다. 사회는 우리를 넘어서 있기 때문에 우리로 하여금 우리 자신을 넘어설 것을 요구하며, 존재가 스스로를 넘어서기 위해서는 어느 정도 그 본성을 떠나야만 한다.' (E. Durkheim, 'The Dualism of Human Nature and Its Social Conditions', *Essays on Sociology and Philosophy*, ed. K. H. Wolff [New York: Harper & Row, 1964], p. 338).

을——클라랑에서처럼 가정적 삶에서까지——그들의 활동에 있어 엄격하게 분리하는 것이라고 결론을 내린다. 심지어는 정숙한(좋은) 여자들조차도 남자들에게 타락적인 영향이기 때문에 성적 분리는 필수적이다. 여자들의 무질서는 여자들로 하여금 항상 남자들을 시민적 덕목으로부터 멀어지게 하며 정의를 비웃게 한다. 그러나 분리는 다만 예방책일 뿐이다. 그것은 여자들의 무질서를 치료하는 데 아무것도 하지 않는다.

이는 양성의 분리가 논리적인 한계에 달할 때——즉 하렘에서——보여진다. 후궁은 안전하게 '악덕으로부터 피신하기 좋은 은신처'처럼 보이며, 여자가 '자신 있는 생활을 누리며 어떤 위험도 두려워하지 않아도' 되는 유일한 장소다.[29] 그러나 우스벡이 발견하듯 후궁에서조차 무질서가 발발할 수 있다. 『신 엘로이즈』에서 고도로 발달된 정의감을 가진 현인의 자질들을 전형적으로 보여주는 볼마르의 현존으로는 클라랑을 보호하기에 불충분하다. 쥘리는 볼마르가 절대 '부부간의 진중함'을 어기는 일이 없으며, 그녀에 대한 그의 열정조차 '사랑하고 싶은 만큼만 사랑하며 이성이 허락하는 만큼만 사랑하고 싶어' 하는 그런 종류의 것이라고 진술한다.[30] 그러나 쥘리의 열정은 볼마르의 정의를 이긴다. 허약한 초자아와 승화 역량의 자연적 결여에 대해서 후궁도 클라랑도 진정한 피난처나 대안을 제공하지 못한다. 어떤 사회적 맥락에서도 '좋은 여자의 일생이란 자기 자신과의 끝없는 투쟁의 연속'이다.[31] 쥘리가 죽음에 임해 '저는 감히 과거를 자랑스럽게 여겨요. 하지만 누가 제게

29. Montesquieu, *Persian Letters*, trans. C. J. Betts (Harmondsworth, Middlesex: Penguin Books, 1973), letter 20, p. 68 [국역본: 71쪽.]; letter 26, p. 76. [국역본: 87쪽.]

30. J.-J. Rousseau, *La Nouvelle Heloise*, tr. J. H. McDowell (Pennsylvania State University Press, University Park, 1968), pt 3, letter 20, p. 260. [국역본: 『신 엘로이즈 1』, 506-507쪽.]

31. Rousseau, *Emile*, p. 332. [국역본: 666쪽.]

미래를 보증해줄 수 있었을까요? 하루만 더 지나도 아마 저는 죄를 지을 거예요!'라고 쓴 것은 모든 것을 말해준다.[32]

루소는 여자들의 무질서라는 문제에 대해 많은 통찰을 제시한다. 그러나 매우 놀랍게도 루소는 가족이 제기하는 문제는 훨씬 덜 인지하고 있다. 루소의 정치론은 부분적 연합들의 사적인 이익과 정치 질서를 통치하는 일반의지(또는 정의의 원리들) 사이의 갈등을 강조한다.[33] 그러나 그는 가족 또한 정의를 위협하는 부분적 연합임을 보는 데 실패한다. 루소는 가족——아버지를 수장으로 하는 작은 코먼웰스(commonwealth)——을 국가의 기반으로서 제시한다. '관례적 관계들을 형성하는 데에 자연적인 발판이 없어도 된다는 듯이, 가까운 사람들에 대한 사랑이 국가에 바쳐야 하는 사랑의 근본이 되지 않기라도 하는 듯이, 인간의 마음은 가정이라는 일종의 작은 조국을 통해서만 크나큰 조국에도 애착을 갖게 되는 것이 아니라는 듯이, 바로 훌륭한 아들, 좋은 남편, 선량한 아버지가 훌륭한 시민이 되는 것이 아니라는 듯이….'[34] 어쩌면 그럴 것이다——아버지의 정의감이 자신의 가족에 대한 사랑, 가족의 이익을 보호하려는 욕망, 아내의 해로운 영향을 무시할 수 있을 정도로 강하다면 말이다. 프로이트는 (관능적인 사랑이든 '목적이 억제된' 사랑이든) 사랑과 공적인 삶 사이의 갈등은 피할 수 없다고 주장한다. '사랑이 문명의 이익과 대립하게 되고, (…) 문명이 상당한 제약으로 사랑을 위협'한다.[35]

32. Rousseau, *La Nouvelle Heloise*, pt 4, letter 12, p. 405. [국역본: 『신 엘로이즈 2』, 469-470쪽.]

33. [루소, 『사회계약론』, 2부 3장을 볼 것.]

34. Rousseau, *Emile*, p. 326. [국역본: 655쪽.] 나는 루소에 대한 다음의 탁월한 논의를 통해 이런 주장에 눈을 뜨게 되었다. S. Okin, *Women in Political Thought* (Princeton University Press, Princeton, NJ, 1980). [여기서 인용되는 루소의 구절은 가족을 해체하고 남여 아이를 동등한 방식으로 국가가 교육하자는 플라톤의 제안을 비판하고 있는 구절이다.]

35. [국역본: 「문명 속의 불만」, 279쪽.]

가족 구성원들의 상호 애착이 긴밀할수록 그들이 공적인 삶에 들어서는 것은 더 어렵다.[36] 프로이트는 남편들과 아버지들이 가족의 이익을 위해 더 부지런히 일할수록, 정의의 요구들보다 가족의 이익을 우선하는 경향이 커질 것이라고 덧붙였을 수도 있다. 사랑과 정의의 덕목들이 쉽게 화해될 수는 없다.

역설적으로, 가족은 사회의 '생식의 원천(procreative origin)'[37]의 지점이라는 의미에서 사회적 삶의 '근간(foundation)'이기 때문에, 그리고 가족은 곧바로 자연과의 경계에 놓여 있기 때문에, 여자들은 질서와 도덕성의 수호자로 여겨지면서도 본래부터 전복적인 것으로 여겨진다. 재생산하고 다음 세대를 교육시키는 주된 책임을 갖는 것은 여자들이다; 무사회적이고 양성애적인 아기들을 어린 '소년들'과 '소녀들'로 바꿔놓는 것은 어머니다. 루소는 어머니로서의 여자들의 책무를 찬미한다. 루소는 모유 수유가 갖는 도덕적 함축들을 강조했던 최초의 저자들 중 한 사람이었고, 예를 들어 쥘리가 자연의 안식처(natural garden retreat)를 만들 때 그 일이 어머니로서 자신의 의무들을 방해하는 것을 허용하지 않는다는 점을 루소는 주의 깊게 강조한다.[38] (그러나 어머니로서의 책무가 초기에 완료된다는 점에 주목해야 한다; 남성 가정교사가 그녀에게서 이어받는다.) 질서의 수호자라는 여자들의 위치는 모성 너머로 나아간다. 여자들은 가정적 삶이라는 은신처 안에 질서를, 사회적 양식을 부여하고, 그리하여 가정적 삶에 필수적인 탄생과 죽음과 여타 물리적

36. Freud, 'Civilization and Its Discontents', pp. 102-3. [국역본: 279쪽.]
37. 나는 그 구절에 대해 A. 이트맨(Yeatman)의 미간행 논문에 빚지고 있다. 'Gender Ascription and the Conditions of Its Breakdown: The Rationalization of the "Domestic Sphere" and the Nineteenth-Century "Cult of Domesticity"'.
38. [『신 엘로이즈』에서 쥘리는 클라랑의 오래된 과수원을 아름다운 정원으로 가꾸고 그것을 '엘리시온'이라고 부른다. 국역본: 『신 엘로이즈 2』, 108-132쪽 참고.]

과정들의 자연 세계, 흙과 원재료들의 자연 세계에 의미를 제공한다. 여자들은 자연과 사회 사이의 직접적 매개자들이다. 그러나 여자들이 자연을 직접적으로 대면하기 때문에, 그리고 출산과 여타 신체적 기능들에서 자연의 일부로서 나타나기 때문에, 여자들은 자연적인 것과 사회적인 것 양자 모두로서의 가족의 애매한 지위를 예시한다.[39] 여자들은 질서를 부여하고 도덕성을 조성한다. 하지만 여자들은 또한 흙과 매일 접촉하고 부분적으로만 우리의 제어 아래 있는 자연적 과정들과 매일 접촉한다. 그들은 이 접촉에 의해 더럽혀지는 것을 피할 수도, 자신들의 존재의 자연성을 완전히 초월할 수도 없다. 이런 이유로 그들은 질서와 무질서, 도덕성과 끝없는 열정 양자 모두를 표상한다.

여자들(과 여자들의 남성 친족과 보호자들)이 자연과의 이러한 접촉을, 그들의 고유한 자연적 기능들을, 그리고 그에 따른 여자들의 무질서에 대한 잠재력을 은폐하려는 한 가지 방식이──순결로서 제시되는──청결이라는 점은 언급할 만하다. 『페르시아인의 편지』에서 내시장은 우스벡에게, 자신은 하렘의 여자들이 '완벽하게 청결을' 유지하도록 할 것과 '말로 다하지 못할 정도로 주의'[40]할 것을 훈련해왔다고 강조한다. 루소는 '지저분한 여자보다 더 혐오감을 주는 것은 세상에 없으며, 그런 여자를 싫어하는 남편은 결코 잘못이 없다'라고 공언한다.[41] 에밀이 소피에게서

---

39. 이 주장들에 관하여서는 다음을 볼 것. M. Douglas, *Purity and Danger* (Penguin Books, Harmondsworth, Middlesex, 1970); S. B. Ortner, 'Is Female to Male as Nature Is to Culture?', *Women, Culture and Society*, ed. M. Rosaldo and L. Lamphere (Stanford University Press, Stanford, CA, 1974); L. Davidoff, 'The Rationalization of Housework', *Dependence and Exploitation in Work and Marriage*, ed. D. L. Barker and S. Allen (Longmans, London, 1976). (순수성에 관해서는 오트너의 도발적인 개요 또한 볼 것. Ortner, 'The Virgin and the State', *Feminist Studies*, 8 (1978), pp. 19-36.)
40. Montesquieu, letter 64, p. 131. [국역본: 『페르시아인의 편지』, 이수지 옮김, 다른세상, 2002, 187쪽.]

이러한 결함을 발견하는 일은 결코 없을 것이다. '소피는 그 일들이 충분히 깨끗하다고 생각하는 일은 결코 없다. (…) 야채밭을 돌아보려 한 적도 결코 없다. 농지는 그녀에게 더럽게 보인다. (…) 절대적 청결함[은] (…) 버릇이 되어 (…) 그녀의 시간의 꽤 많은 부분을 차지할뿐더러 나머지 시간까지도 지배할 정도다. 그래서 자기가 하는 일을 제대로 하는 것은 뒷전이고 언제나 그것을 깨끗이 하는 일이 우선되는 것이다. (…) 소피는 깨끗하다는 정도를 훨씬 넘어서 순결한 것이다.'[42]

루소와 프로이트 같은 위상을 가진 사상가들의 작업에서 발견할 수 있는 개인들과 그들의 사회적인 관계들 사이의, 가족과 시민사회 사이의 변증법 안의 모순과 적대에 대한 심오한 통찰들은 정의라는 주제에 대한 대부분의 동시대 작업들 안에서 그리고 많은 여성주의적 저작 안에서 슬프게도 무시된다(또는 인지조차 되지 않는다). 부분적으로 이것은 자유주의 이론이 정치적 영역과 사적인 영역의 분리를 중심으로 한 자유주의적 자본주의 국가의 이데올로기로서 지난 3세기에 걸쳐 강화된 것을 반영한다. 사회계약 이론가들과 그들 비판가들의 논변 안에 있는 자유주의 이론의 기원에서 명시적으로 나타나는 문제들이 이제는 무시되거나 문제가 아니라고 여겨진다. 특히 자연과 관습 사이의, 혹은 사랑과 정의 사이의 긴장은 지속적으로 얼버무려지거나 억압된다.

예를 들어 메리 울스턴크래프트나 존 스튜어트 밀과 같은——여자들이 정의감을 결여하고 있다는 데 동의하는——초기 자유주의적 여성주의 저자들은 이 문제에 대해서 루소보다도 훨씬 더 피상적인 진단을 내린다(그들의 성취를 과소평가하려는 것은 아니지만 말이다). 그들은 그것을 일차적으로 자유, 평등, 합리성의 자유주의적 원리들을 교육과정을 통해 여자들에게까지 확장시키는 문제로 보았다. 『여권의 옹호』에서 울스턴

41. [국역본: 『에밀 또는 교육론 2』, 이용철 · 문경자 옮김, 한길사, 365쪽.]
42. Rousseau, *Emile*, pp. 357-8. [국역본: 『에밀 2』, 364-365쪽.]

크래프트는 '남자들과 시민들의 권리'가 양성 모두에 확장되어야 함을 호소하고 있다; 이성은 성별을 갖지 않는다. 여자들을 '인공적' 피조물로 바꿔놓았기 때문에 덕목들이 성적으로 구별되는 것처럼 보인다. 그들의 교육(혹은, 더 정확하게는, 교육의 부재)은 여자들로 하여금 남자들에게 의존하도록 강제하며 여자들을 심술궂고 이기적이게 만든다. 여자들이 정의감을 발달시키지 못하도록 더 넓은 공동체를 배제시키는 쪽으로 그들의 관심 영역을 좁히며 말이다. 이와 유사하게 밀은 『여자들의 종속』에서 여자들이 종속에 대해서만 '자연적으로' 적합하다고 말할 수는 없다고 주장한다. 이제는 나머지 사회적 제도들을 지배하고 있는 자유와 평등의 원리들이 성적인 관계들에까지 확장된다면 그것들이 어떻게 될 것인지 우리가 알지 못하기 때문이라는 것이다. 밀은 개인들이 최대한 많은 공적 제도들에 참여함으로써 정의감을 발달시킨다고 주장한다; 가족에 제한되면——법은 가족이 '전제(專制)의 학교'가 되도록 허용하기에——여자들은 공익을 이기적인 성향에 대립시켜 따져보는 것을 배울 수 없을 것이다.

밀과 울스턴크래프트 둘 다 여자들을 위한 적합한 교육과 여자들이 남자들로부터 경제적으로 독립할 수 있게 해줄 기회의 확대를 옹호하고 있음에도 불구하고, 그들이 또한 그 기회들이 대부분의 여자들에게 대체로 무관할 것이라고 가정하고 있다는 것이 그들의 논변의 분명한 문제이다. 양육이 여자들의 주요한 책임으로 남아 있을 것이기에 대부분의 여자들은 집 안에서 일하는 것을 계속할 것이다. 그러나 이것이 의미하는 바는 법적 및 교육적 개혁에도 불구하고 남자들의 도덕적 이해가 여자들의 그것보다 훨씬 발달된 상태가 계속되리라는 것이다. 여자들은 그들의 정의감을 길러주고 그들로 하여금 안전하게 정치적 삶에 참여하도록 해줄 폭넓은 사회적 경험과 실천적 교육을 가족 안에서 얻지 못할 것이다. 여자들의 무질서라는 문제는 교육에 의해 완화되기는 하겠지만 미해결 상태로 남아 있을 것이다. 이러한 여성주의적 논변들은 가족이 그 위에 자유주의 국가를 세울 수 있는 반석이 될 수 있을 것이라고 가정하지만, 그 논변들은 사랑과 정의가 갈등할 수 있다는 암시도 포함한다. 밀은 여기서도 교육이 해결책이라는 것을 시사한다. 양성 모두의 교육 받은 사람들은 자신들의 '저급한' 열정들을 제어하고 억제할 수 있을 것이다.[43] 울스턴크래프트는 사랑, 즉 성적인 열정을 평등한 자들 사이의 우정과 상호 존중에 대비시키며, 후자가 결혼과 가족적 삶의 유일하게 참된 기초라고 주장한다. 루소 또한 성적 열정을 가정적 삶의 기초로 여기는 것을 '오류'로 생각했다(그는 쥘리의 연인인 생 프뢰가 좋은 남편이 되지 못했을 것이라는 점을 명백히 한다). 루소는 '결혼이란 오직 서로만을 생각하기 위해서 하는 것이 아니라, 시민 생활의 의무를 함께 이행하고 가정을 조심스럽게 다스리고 자식을 잘 기르기 위해서 하는 것이[다]. 연인들은 자신들밖에 보지 않[는다]. 그리하여 자신들에게만 신경을 [쓴다]. 그들이 할 줄 아는 것이라고는 서로 사랑하는 것밖에 없[다]'라고 주장한다.[44]

그러나 여자들의 본성에 대한 루소의 생각과 여자들의 교육에 대한 그의 계획을 고려할 때, 결혼이 이 발판 위에 놓인다는 것은——볼마르의 덕목과 쥘리의 사랑에 대한 그의 이야기 안에서 충분히 명백하게 보여주고 있듯——불가능하다. 여자들이 그들의 성적 열정에 의해 전적으로 지배받는다고 믿는 이상 성적인 매력이 결혼의 적합한 기반이 아니라고 주장하는 것은 아무것도 해결하지 않는다. 보다 일반적으로는, 양성의

43. 여자들의 성감(性感) 결여에 관한 빅토리아 시대의 논쟁들은 비록 억압적이기는 해도 여자들에게 유리하게 이용될 수 있었다. 이 분야에 대한 탁월한 논의로는 다음을 볼 것. N. F. Cott, 'Passionlessness: An Interpretation of Victorian Sexual Ideology, 1790-1850', *Signs*, 4 (1978), pp. 219-36.

44. Rousseau, *La Nouvelle Heloise*, pt 3, letter 20, pp. 261-2. [국역본: 『신 엘로이즈 1』, 510-511쪽.]

관계가 기초적인 자유주의적 원리들과 자신들의 사회개혁 제안들에 모순된다고 하는 자유주의 여성주의자들의 인식은 여자들의 무질서라는 문제의 핵심에 도달하는 데 실패한다. 그들의 주장은 시민적 삶으로부터의 가정적 삶의——성적인 분리이기도 한——분리를 받아들임으로써 약화된다; 여자들과 사랑은 돌이킬 수 없을 정도로 정의와 대립적으로 놓여 있다. 자유주의 이론은 자연본성과 관례 사이의 대립을 가정하지만 그 대립은 받아들여질 수 없고 그것의 함축들은 추구될 수 없다. 롤즈의 극히 영향력 있는 『정의론』에서 제시된 정의감의 발달에 대한 설명은 자유주의 이론가들이 그들의 논변에서 주된 문제 중 하나를 어떻게 일관되게 흐려놓는지를 보여준다.

롤즈는 자신이 루소와 프로이트 둘 다 차용하고 있다고 진술하지만, 성적 관계에 대한 그들의 통찰들이 정의의 질문과 갖는 관련성을 자신이 이해하고 있다는 언급은 전혀 없다. 롤즈는 '우리의 도덕적인 이해력은 일생 동안 일련의 지위들을 거쳐감에 따라 증대된다'라고 주장하며 겉보기에는 성적으로 구별하지 않는 설명을 제시한다.[45] 정의감은 세 가지 단계로 발달한다; 최초로, 아이는 부모로부터 '명령의 도덕'을 배운다.[46] 그런 뒤, 개인이 여러 가지 제도들 안에서 다양한 역할을 맡게 되면서 '연합의 도덕'——정의와 공정의 협동적 덕목으로 특징지어지는 도덕성——이 발달한다.[47] 최종적으로, '원리의 도덕' 단계에 도달한다.[48] 거기에서 우리는 사회적 질서 안에서 정의의 근본적인 역할을 이해하게 되고, 우리는 그것을 지키고자 하게 된다; 정의감이 획득된

45. Rawls, p. 468. 여기에서의 논의는 70절-72절에 일반적으로 의존하고 있다. [국역본: 602쪽.]
46. [롤즈가 '권위의 도덕(morality of authority)'이라고 부른 것을 페이트먼은 '명령의 도덕(morality of order)'이라고 부르고 있다. 국역본: 595-601쪽.]
47. [국역본: 601-607쪽.]
48. [국역본: 607-615쪽.]

것이다. 물론 이 설명은 자유주의적 여성주의 논변들과 동일하게 명백한 결함을 갖고 있다. 남자들과 여자들이 '일련의 지위들을 거쳐'갈 수 있어야만 양성이 정의감을 발달시키는 것이다. 놀랍지 않게도 롤즈는 '가족의 폐지'에 대한 요청들을 거부한다. 그러나 그는 노동의 성적인 분업이나 가정적 삶이 여자들 고유의 영역이라는 신념에 대해서는 할 말이 전혀 없다. 그와 반대로, 그는 만약 공적으로 인정받은 정의의 개념이 사회적 삶을 규제한다면 그것은 '자연적 질서의 성향(…)에 적응시켜 줄' 것이라고 말한다.[49] 양성 사이의 사회적 삶과 그 덕목들의 분리(관례적인 정치적 삶과 정의가 남자들에게 속하고, 가정적 삶과 사랑이 여자들에게 속한다)보다도 더 자연스러운 것이, 혹은 자연의 질서에 더 부합하는 것이 무엇이겠는가?

이 장에서 개괄한 문제들에 대한 여성주의 운동의 한 가지 반응은 자연의 마지막 흔적까지도 일소되어야 한다는 요청이었다. 『성의 변증법』에서 파이어스톤은 (성인들과 어린이들 사이의 관계를 포함한) 모든 관계들이 관례에 기초하거나 자유롭게 선택되도록 허용하는 인공적 재생산을 통해 여자들과 자연의 문제가 해결될 수 있다고 주장한다. 그러나 이는 철학적으로 그리고 사회학적으로 비일관적인 추상적, 소유적 개인주의의 이미지로 사회적 삶 전체를 만들어낼 수 있다고 주장하는 것이다. 이는 자연과 사회의 관계를 재창조하려는 시도라기보다 자연과 사회의 지속적인 대립에 기초한 '해결책'이다. 여자들의 무질서에 대한 또 다른 여성주의적 반응은, '정의'는 남자들의 일이고 여자 지배의 한 양상이기 때문에, 여자들은 그것을 완전히 거부해야 하며 사랑, 정서, 인간적 관계에 기초해 자신들의 삶을 새로이 만들어야 한다는 주장이었다. 그러나 이것은 자연에 대한 전쟁 선포만큼이나 문제를 해결해주지

49. 같은 책, p. 512. [국역본: 655쪽.]

않는다. 두 입장 모두 자유주의적인 생각과 단절하지 않으며, 개인적인 삶과 사회적인 삶 사이의, 특수한 것 또는 개인적인 것과 보편적인 것 또는 정치적인 것 사이의 변증법을 고려하지 못한다. 자연을 기술적으로 추방하려는 시도나 정의가 여하한 적실성을 갖는다는 것의 부인은 인간의 삶의 근본적인 차원들이 없어지기를 바라는 노력이다. 오히려 자연과 관례의 관계에 대한 자유주의적이고 가부장적인 개념에 대한——민주적이고 성적으로 평등주의적인 실천의 이론을 위한 기반을 제공할——비판을 발전시키는 유별나게 어렵고 복잡한 과제에 착수해야만 한다.

이 장에서 논의된 이론가들의 통찰들과 결함들은 그 비판을 위한 하나의 출발점을 제공한다. 나는 '사랑', 즉, 성적인 열정에 집중했다. 그러나 가장 긴급한 과업 중 한 가지는 정의에 대한 자유주의적 관점에 대한 대안을 제공하는 것인데, 이 관점은 모든 개인들이 사회제도들을 순조롭게 통과함으로써 발달되는 '어떤' 정의감이 현재 있다고 가정한다. 이 주장은 자유주의 자본주의 제도들의 구조가 남자와 여자, 노동계급과 중산계급 양쪽 모두를 같은 방식으로 발달하게 해준다는 무비판적 수용에 기초한다. 그것은 여자들의 종속과 '전제적인 생산 조직'이 자연스러운 것으로 간주되는 제도들의 현실을 무시한다.[50] 추상적 개인주의와 자유주의 국가 이론에 대한 루소의 비판은 비판적 이론을 건설하는 데 조력할 수 있을 것이다. 성적인 삶과 정치적인 삶의 관계에 대한 그의 수많은 통찰들이, 그의 부권주의와 분리시킬 경우, 사랑과 정의의

50. 이 구절은 다음으로부터 가져온 것이다. B. Clark and H. Gintis, 'Rawlsian Justice an Economic Systems', *Philosophy and Public Affairs*, 4 (1978), pp. 302-25. 이 논문은 지금껏 예속의 (계급적인 차원과 대비되는) 성적인 차원과 그것이 정의와 맺는 관련을 광범위하게 무시해왔던 롤즈에 대한 '좌파적' 비판의 일부를 이루고 있다.

관계에 대한 비판적 이론에 필수적인 것처럼 말이다. 이와 유사하게, 프로이트의 정신분석 이론은 필수불가결한 것이지만, 프로이트가 제시하는 것과 같이 '개인'과 '문명'에 대한 추상적 이론으로서 사용되지 않고, 시민사회의 역사적 발전에 대한——특정 형태의 가정적 연합과 '남성적' 및 '여성적' 성을 포함하는——설명의 일부로 조심스럽게 사용되어야만 한다.[51] 이 기획은 벅차게 들릴 수 있고, 심지어는 완전히 압도적인 것처럼 들릴 수도 있다. 그러나 여자들의 무질서라는 문제가, 자연 속에서 우리가 대면하는 사실로서가 아니라, 사회적 삶의 질문으로 일단 여겨지기 시작하면, 우리의 개인적 및 정치적 삶의 구조의 현실이 자유주의적 및 가부장적 이데올로기에 제시된 외양 속에서 드러나기 시작하며, 과업은 이미 시작된 것이다.

51. M. Poster, *Critical Theory of the Family* (Pluto Press, London, 1978), 1장(비록 여자들이 각주의 수준으로 격하되어 있기는 하지만)과 'Freud's Concept of the Family', *Telos* 30 (1976), pp. 93-115를 참고할 것.

2
형제애적 사회계약

> 아들들은 전제자를 타도하기 위해 음모를 꾸미고, 결국 만인에게 평등한 권리를 제공하는 사회계약으로 대체한다. (…) 자유는 형제들(아들들) 간의 평등을 뜻한다. (…) 로크는 형제애가 출생이 아닌 선거, 계약에 의해 형성된다고 주장한다. (…) 루소는 그것이 의지에 기초하고 있다고 말할 것이다.
>
> —노먼 O. 브라운, 『사랑의 신체』

17세기와 18세기의 고전적 사회계약론에서 발견되는 시민사회의 기원에 대한 이야기들은 여러 번 반복되어왔다. 보다 최근에 존 롤즈와 그의 추종자들은 정치적 권리를 생성하는 계약 이야기에 새로운 생명을 선사한 바 있다. 그러나 그 모든 이야기 말하기 속에서, 그리고 사회계약설에 관한 모든 논의와 논변 속에서, 우리가 듣게 되는 것은 이야기의 절반뿐이다. 정치 이론가들은 (적어도 잠재적으로는) 모든 사람들을 포함하는 보편적 영역으로서의 시민사회의 창조에 관한 익숙한 설명을 제공하며, 또한 자유주의 국가 또는 루소의 참여적 정체에서의 정부의 권위라는 의미에서 정치적 권리의 기원에 대한 익숙한 설명을 제공한다. 그러나 이것은 '기원적인' 정치적 권리가 아니다. 사회계약이 시민사회를 가부장적 내지는 남성적인 질서로 구성하는 형제애적 협약임을 드러내주는 이야기 부분에 관해서는 침묵이 흐른다. 후자를 폭로하기 위해서는 가부장적 정치적 권리의 발생에 관한 억압된 이야기를 말하는 것을 시작할 필요가 있다.

계약 이론에 관한 대부분의 논의는 그 이야기들이 국가의 권위가 어째서 적법한지를 성공적으로 보여준다는 주장을 무비판적으로(uncritically) 받아들인다; 그러나 사회계약을 형제애적 협약으로 인식하는 데 대한 결정적(critical) 실패는 다른 종류의 것이다. 고전적 텍스트에 대한 주석들이나 동시대의 롤즈적 논변 속에는 이야기의 절반만이 나타난다. 왜냐하면 근대 정치 이론은 매우 철저하게 가부장적이어서 그것의 기원들 중 한 가지 측면이 대부분의 이론가들의 분석범위 바깥에 놓여 있기 때문이다. 정치 이론가들은 개인에 관해 논하며, 자신들의 주제가 공적 세계와 관계한다는 것을 당연하게 여긴다. '개인', '시민사회', '공적인 것'이 어떻게 여성적인 자연본성과 '사적인' 영역에 대립하여 가부장적인 범주로 구성되었는지 탐구하지 않은 채 말이다. 형제애적 사회계약을 통해 창조된 시민적 정치체(body politic)는 인류의 두 신체 중 단 하나만을 따라 만들어진다.

시민사회의 가부장적 특성은 고전적 텍스트에서 상당히 명시적이다——여성주의적인 관점에서 독서했을 때 말이다. 이 장에서 나는 그러한 독서의 다만 몇 가지 함축들과 계약 이론에 대한 표준적인 논의에서 발생하는 가장 명백한 몇 가지 누락들로 관심을 끌고 갈 것이다.[1] 이를테면

1. 계약 이야기와 그것이 결혼 계약과 다른——매춘여성과 고객 사이의 계약과 같은——계약들에 대해 갖는 중요성에 관한 보다 광범위하고 세밀한 여성주의적 독서는 나의 다음의 저서에 제시되어 있다. *The Sexual Contract* (Polity

시민사회는 공적인 사회이지만, 시민사회에 관한 논의에서 전형적으로 발견되는 것과는 다른 '공'과 '사'의 분리의 의미를 여성주의적 논변들이 참조하고 있다는 사실은 통상 받아들여지지 않는다.

계약 이야기들에서, 그리고 내가 여기에서 사용하고 있는 바로서 '시민사회'의 의미는 근대적이고 공적인——시민적——세계와 근대적이고 사적인 내지는 부부와 가족의 영역 사이의 '기원적' 분리와 대립을 통해서 구성된다. 즉, 계약을 통해 창조된 새로운 사회적 세계에서 가정의 (사적) 영역 너머에 놓여 있는 모든 것은 공적 내지는 '시민적' 사회인 것이다. 여성주의자들은 이 분리에 관심이 있는 것이다. 그와 대조적으로, 시민사회에 관한 대부분의 논의와 '공적' 규제 대 '사적' 사업과 같은 정식화는, 사회계약 이야기에서 구성된 것과 같은 '시민사회' 안에서 공과 사 간에 정치적으로 유관한 분리선이 그어진다고 가정한다. 다시 말해, '시민사회'는 사회계약 이론가들의 가장 큰 비판가인 헤겔이 의미한 것과 더 가까운 것으로 쓰이게 되었다는 것이다. 그는 보편적이고 공적인 국가를 사적인 시민사회의 시장, 계급, 기업들과 대립시킨다.

물론 헤겔은 가족, 시민사회, 국가 사이의 삼자적 분리를 제시한다——그러나 가족과 나머지 사회적 삶 사이의 분리는 예외 없이 시민사회에 관한 논변들 속에서 '잊혀' 있다. '시민', '공', '사'의 의미의 변화는 주목받지 못하는데, 이는 사회계약을 통한 시민사회의 '기원적' 창조가 성들 간의 분리이기도 한 가부장적 구성이기 때문이다. 정치 이론가들은 이야기의 이 부분을 자신들의 이론적 의식에서 억압했다. 비록 시민적 삶이 자연적 기반을 필요로 한다는 가정 안에 그것이 함축되어 있기는 하지만 말이다. 따라서 자유주의자들과 (비-여성주의적) 급진주의자들 모두 시민사회에 대한 자유주의적인 이해만을 다루는데, 그러한 이해

Press, Cambridge, 1988: Stanford University Press, Stanford, 1988). [국역본: 『남과 여, 은폐된 성적 계약』, 이충훈 · 유영근 옮김, 이후.]

속에서 '시민적' 삶은 공적 국가와 대조적으로 사적인 것이 된다.

계약 이야기에 대한 설명들의 가장 두드러지는 특징은 아마도 자유와 평등이 그토록 많이 논의되는 반면 형제애에 대한 관심은 결여되어 있다는 것이다. 이 소홀함의 한 이유는 대부분의 논의들이 계약 이야기의 프로이트의 판본들 안에서 발견되는 형제애에 대한 통찰들을 무시한다는 것에 있다. 형제애는 사회주의에서 중심적이며, 최근의 연구가 보여주고 있듯 19세기와 20세기 자유주의는 개인과 공동체를 통합하는 중요한 유대로서 형제애에 매우 의존하고 있다. 그러나 형제애에 관한 논의는 공과 사의 가부장적 분리를 통한 '개인'의 구성도, 어떻게 (남성) '개인' 안의 분리가 형제애와 이성 사이의 대립을 포함하고 있는지도 다루지 않는다. 형제애는 고전적 자유주의 계약 이론에서 발견되는 개인에 대한 추상적인 개념보다 더 사회학적으로 적합한 설명을 정식화하려는 자유주의자들의 시도 안에서 전면으로 나온다. 그러나 여성주의자들이 보기에 형제애적 유대에 대한 자유주의적 및 사회주의적인 명시적 의존은 겉보기에는 보편적인 범주들의 가부장적 성격을 단순히 폭로할 뿐이며, 그것은 여자들이 가부장적인 시민 세계에 완전하게 통합될 수 있는지 여부 및 어떻게 그럴 수 있는지의 근본적인 문제에 관심을 불러낼 뿐이다.

계약 이야기에 대한 여성주의적 독서는 또 다른 이유에서 중요하다. 동시대 여성주의 운동은 가부장제라는 관념을 대중적이고 학문적인 유행으로 만들었지만, 그것의 의미와 함축에 관한 혼란이 넘쳐난다. 최근 어떤 여성주의자들은 그 용어를 피하는 것이 상책이라고 주장하기도 했다. 내가 알기로 '가부장제'는 여자들의 종속과 압제의 특수성들을 포착하고, 이를 다른 지배형태들과 구별해주는 유일한 용어이다. 우리가 가부장제라는 개념을 포기하면 여자들의 종속과 성적 지배의 문제는 개인주의 이론과 계급 이론 내부에서 또다시 시야로부터 사라지게 될 것이다. 따라서 중요한 물음은 우리 사회가 가부장적이라고 말할 때 그것이 어떤 의미에서 그러한가 하는 것이다.

가부장제에 대한 두 개의 대중적인 여성주의 주장들이 혼란을 가중시킨다. 아버지들에 의한 통치라는 '가부장제'의 문자 그대로의 의미가 여전히 유의미하다는 것이 그 첫 번째이다. 가부장제가 아버지의 통치 그 이상이 아니라고 고집하는 것은 그 자체 가부장적 해석이다. 고전 텍스트 검토가 드러내고 있듯 말이다. 두 번째 주장은 가부장제가 무시간적인 인간 보편자라는 주장인데 이는 여자들에 대한 남자들의 지배가 상이한 역사적 시기와 문화들 안에서 상이한 형태를 취할 가능성을 명백히 배제시킨다. 보다 정확하게는, 가부장제에 관한 두 주장들 모두 전통적인 세계에서 근대 세계로의 우리 자신의 중대한—계약 이야기들이 이론적으로 요약하고 있는—이행이 전통적인(아버지적인) 형태의 가부장제에서 새로운 특별히 근대적(혹은 형제애적) 형태로의 변화를 포함한다는 것을 인정하지 못한다. 즉, 가부장적 시민사회 말이다.

가부장제에 대한 최근의 여성주의적 논의의 참여자들 가운데서 고전적 의미의 가부장적 정치 이론—즉, 로버트 필머 경과 다른 덜 알려진 3세기 전의 작가들의 부권주의—이 갖는 중요성을 인지하는 것처럼 보이는 이는 거의 없다. 그들은 부권주의자들과 사회계약 이론가들 사이에서 벌어진 전투의 이론적 및 실천적 중요성을 고려하지도 않았다. 질라 아이젠스타인(Zillah Eisenstein)은 그렇게 했지만, 다른 한편으로 가부장제 이론에 대한 진 엘쉬타인(Jean Elshtain)의 참조는 부권주의가 17세기 말에 치명적인 패배를 겪었다고 하는 정치 이론의 표준적 관점을 단순히 반복할 뿐이다.[2] 이는 사실과 거리가 멀며, 계약 이론가들이

2. Z. Eisenstein, *The Radical Future of Liberal Feminism* (Longman, New York, 1981), 3장. 그러나 아이젠스타인은 나와는 다른 방향에서 자신의 주장을 개진한다. J. Elshtain, *Public Man, Private Woman: Women in Social and Political Thought* (Princeton University Press, Princeton, 1981), 3장. 보다

부권주의자들에 대해 승리를 거두었다고 할 때 그것의 정확한 의미와 한계를 이해하는 것은 특별히 근대적인 형태의 가부장제가 어떻게 생겨났는지를 이해하는 데에 중심적이다.

가부장적 정치 이론은 가족을 사회적 질서의 일반적인 모형으로서 취하고, 가족으로부터 혹은 많은 가족들의 합류로부터 정치적인 사회가 출현했다고 주장한 고대의 부권주의 전통과는 공통점이 거의 없었다. 『정치사상에서의 부권주의』에서 스코쳇(Schochet)은 가부장제 이론이 정치적 권위와 정치적 복종에 대한 정당화로서 명시적으로 정식화되었으며, 가부장제 이론은——그는 이것 역시 강조하고 있는데——그와 동시에 발전하고 있었으며 부권주의자들의 가장 근본적인 가정들(의 절반)에 도전하고 있었던 사회계약 이론에 대립해 체계화되었다는 것을 강조하고 있다.[3] 부권주의는 특수한 역사적 및 이론적 맥락 속에서 발전했고, 또한 '패퇴'했다.

부권주의자들과 계약 이론가들 사이의 갈등에 대한 표준적 해석은 그 갈등을 부성적 통치를 둘러싼 투쟁으로 취급하며, 아버지들의 정치적 권리와 아들들의 자연본성적 자유에 관한 두 교의(敎義) 간의 화해 불가능한 차이들에 집중한다. 부권주의자들은 이렇게 주장했다: 왕들과 아버지들은 정확히 동일한 방식으로 통치한다(왕들이 아버지들이었으며, 그 역도 마찬가지이다); 가족과 정체(政體)는 상동적이다; 아들들은 그들의 아버지들에게 자연적으로 종속되도록 태어난다; 정치적 권위와 복종과

최근의 것으로는 L. Nicholson, *Gender and History: The Limits of Social Theory in the Age of the Family* (Columbia University Press, New York, 1986)를 볼 것.

3. G. Schochet, *Patriarchalism in Political Thought: The Authoritarian Family and Political Speculation and Attitudes Especially in Seventeenth Century England* (Basil Blackwell, Oxford, 1975).

불평등의 위계는 자연적이다. 계약 이론가들은 이 모든 주장들을 거부하며 이렇게 주장했다: 부성적 통치와 정치적 통치는 구별된다; 가족과 정체는 두 가지 상이하고 분리된 형태의 연합이다; 아들들은 자유롭고 평등하게 태어나며, 그들에 앞서 아버지들이 그러했듯 성인으로서의 아들들은 자유롭다; 정치적 권위와 의무는 관습적이며 정치적 주체들은 평등한 시민들(civil equals)이다.[4] 이러한 개별적인 논쟁 속에서 부권주의자들이 패배했다는 것은 사실이다. 계약 이론가들의 이론적인 가정들은 전통적 질서와 아버지-왕의 세계가 자본주의 사회, 자유주의적 대의정부, 그리고 근대적 가족으로의 변형에서 본질적인 부분이었다.

그런데 아들들이 자신들의 자연본성적 자유를 얻고, 계약을 체결하며, 자유주의적 시민사회 혹은 루소의 참여적 시민 질서를 창조해내는 이야기의 이러한 익숙한 판본은 이야기의 절반일 뿐이다. 그것은 그 텍스트들에 대한——가부장제와 부성적 통치를 동일시하는——가부장적 독서이며, 따라서 정치적 권리의 진짜 기원을 누락한다. 부권주의에는 두 가지 차원이 있다: 부성적인 것(아버지/아들)과 남성적인 것(남편/아내). 정치 이론가들이 이론적인 투쟁의 결과를 계약론자들의 승리로 표상할 수 있는 것은, 그들이 가부장제의 성적 내지는 부부적 측면에 대해서 침묵하기 때문이다——그것들은 비정치적이거나 자연적인 것처럼 보이고, 따라서 이론적 중요성이 없는 것처럼 보인다. 그러나 그 텍스트들에 대한 여성주의적 독서는 부권주의가 결코 패퇴하지 않았음을 보여준다. 계약 이론가들은 부권을 거부하였지만, 부부간의 남성적 가부장권은 흡수하였고 동시에 변형시켰다.

4. 이 간결한 요약은 주인공들 사이 갈등의 본질적인 지점들을 강조하며, 따라서 양측의 이론가들 사이 차이점은 얼버무리고 넘어간다. 가령 홉스는 아버지의 통치와 정치적 통치를 상동적인 것으로 여겼지만, 부성에 대한 가부장적 주장들은 거부했다.

이것이 어떻게 발생했는지 보기 위해서——그리고 근대적 가부장제의 몇 가지 특징들을 밝혀내기 위해 꼭 필요한 첫 걸음을 떼기 위해서——로버트 필머 경의 글들이 예시하고 있는 군주적인 부성(fatherhood)의 가부장적 이야기에서 시작할 필요가 있다. 필머의 아버지는 사회계약 이야기 속에서 타도되지만, 그의 아들들은 역설적이게도 부권설에 의해 오히려 모호해지는 어떤 필수적 유산을 물려받는다.

필머의 목표는 남자들이 자연적으로 자유롭고 평등하다는 계약 이론가들의 주장이 갖는 끔찍한 오류를 보여주는 것이었다. 그는 그 주장을 '대중적 선동의 주된 토대'로 여겼다.[5] 필머는 모든 법이 필연적으로 한 남자의 의지의 산물이라고 주장했다. 통치할 모든 자격은 최초의 아버지인 아담에 대한 신의 기원적 왕권 수여로부터 이양된 것이다. '아담의 자연적이고 사적인 지배[가] 모든 통치와 소유의 원천'이라는 게 인정되자마자 인류의 자연본성적 자유라는 교의를 주창한 이들의 발밑 토대가 즉각 사라졌다.[6] 필머는 '[통치할] 자격이 부성으로부터 나온다'라고,[7] 아담의 아들들이, 그리고 그에 따라 모든 뒤따르는 아들 세대들이, 아담의 '부권'——그의 '부성적인 권력' 혹은 '부성의 권력'——에 의해 정치적 종속 안에서 태어난다라고 쓰고 있다.[8]

최초의 아들이 태어나자 아담은 최초의 군주가 되었고 그의 정치적 권리는 그 뒤를 잇는 모든 아버지들과 왕들에게 전수되었다. 필머가 보기에 아버지들과 왕들은 부성을 통해 통치했으며, 모든 아버지들은 자신들의 가족 안에서 군주였다. '한 가족의 아버지는 그 어떤 법도

5. Sir R. Filmer, *Patriarcha and Other Political Works*, ed. P. Laslett (Basil Blackwell, Oxford, 1949), p. 54.
6. 같은 책, p. 71.
7. 같은 책, p. 188.
8. 같은 책, pp. 71, 57, 194.

아닌 자신의 의지에 따라 지배한다.'[9] 필머는 왕의 의지가 곧 법이기 때문에 어떤 통치도 폭정이 될 수 없다는 것을 논증했다. 이와 유사하게 아버지의 의지는──로마법하에 자식들의 삶과 죽음에 대한 권력을 가졌던──파트리아 포테스타스[patria potestas, 가부장]의 절대적이고 자의적인 의지였다. 라슬렛(Laslett)은 필머가 '자신들의 아버지로부터 자식들에게 내려지는 극형을 채택하지는 않았지만, 보뎅(Bodin)에 동의하면서 그로부터 사례들을 인용했다'라고 평한다.[10]

따라서 정치적 권리의 기원에 대한 필머의 관점은 오해의 여지가 없어 보인다: 그것은 부성으로부터 유래한다. 그러나 가부장제는, 그 고전적 정식화에서조차도, [가부장제라는] 문자 그대로의 의미가 암시하는 것 이상으로 복잡하다. 필머 자신이 드러내고 있듯, 아버지의 권력은 가부장제의 다만 한 가지 차원에 불과하다. 겉보기에 단도직입적인 필머의 진술들은 가부장적 권리의 토대를 흐려놓는다. 부성적(paternal) 권력은 정치적 권리의 기원이 아니다. 정치적 권력의 발생은 아담의 부성이 아니라 그의 부부적 내지는 성적 권리에 있다. 아담의 정치적 자격은 그가 아버지가 되기 이전에 수여 받은 것이다. 필머가 홉스에게 신랄히 상기시킨 것처럼 아들들은 버섯처럼 솟아나는 것이 아니다. 아담이 아버지가 되려면 이브는 어머니가 되어야만 했고, 이브가 어머니가 되기 위해서는 아담이 그녀의 몸에 대해 성적으로 접근할 수 있어야만 한다. 다시 말해, 성적 내지는 부부적 권리가 부성의 권리에 필연적으로 선행해야만 한다.

필머는 아담의 정치적 권리가 이브에 대한 남편으로서의 권리 안에서

9. 같은 책, p. 96.

10. Laslett, 'Introduction', *Patriarcha,* p. 28. 필머는 다음과 같이 말한다: '오직 아버지와 아들들만이 있는 곳에서는, 그 어떤 아들도 자신의 형제의 죽음에 관해서 아버지를 심문할 수 없다'(p. 256).

기원적으로 확립된다고 분명하게 말한다. '신은 아담에게 (…) 여자를 지배할 권리를 주었'고 '신이 아담에게 아내를 통치할 것을 명령하였고, 그녀의 욕망은 남편의 욕망에 종속될 것이었'다.[11] 그러나 그러자마자 필머의 글에서 성적 내지는 부부적 권리가 시야에서 사라진다. 아담의 최초의 지배 혹은 정치적 권리는 다른 남자가—아들이—아닌 여자에 대한 것임을 공언한 뒤, 필머는 부부적 권리를 부성의 권력 아래로 포섭한다. 이브와 그녀의 욕망들은 아담에게 종속되어 있지만 '바로 여기에서 우리는 통치의 기원적인 수여와 전-인류의 아버지 안에 위치하고 있는 모든 권력의 근원을 발견할 수 있다'라고 필머는 계속해서 말한다. 창세기의 성경 이야기에서 아담과 동물들이 땅 위에 자리 잡은 이후에 비로소 이브가 창조된다는 것을 상기하라. 더 나아가, 그녀는 처음부터(ab initio) 창조된 것이 아니라 아담으로부터(from) 창조되었다—따라서 아담은 어떤 의미에서 그녀의 부모이다. 필머는 모든 정치적 권리를 아버지의 권리로서 취급할 수 있게 되었는데, 왜냐하면 가부장적 아버지가 어머니와 아버지 모두의 창조적 능력을 가졌기 때문이다. 그는 두 부모 중 어느 하나에 지나지 않는 것이 아니다. 그가 곧 부모인 것이다.

정치적 아버지들의 가부장적 이미지는 (여기에서는 로크의 용어로) '공공복지를 자상하게 보살피는 아버지'의 이미지이다.[12] 가부장적 이야기는 그 자체로 완전한 아버지의 출산 능력에 관한 것이다. 그의 출산 능력은 육체적 삶을 제공하고 양육하는 동시에 정치적 권리를 창조하고 유지한다. 필머는 이브에 대한 아담의 능력을 너무나도 쉽게 해소할 수 있게 되는데, 그 이야기 속에서 여자들은 출산이라는 측면과 정치적

11. Filmer, *Patriarcha*, pp. 241, 283.

12. J. Locke, *Two Treatises of Government*, ed. P. Laslett, 2nd ed., (Cambridge University Press, Cambridge, 1967) II, §110. [국역본: 107쪽.]

측면에서 무능하기 때문이다. 필머에 따르면——여기서 필머는 굉장히 고대적인 관념을 따르고 있는데——아담이 '여자'를 지배할 수 있는 이유는 '남성이 생식(generation)에 있어서 보다 고상하고 중요한 행위자이기 때문'이다.[13] 여자들은 아버지가 성적 및 출산 능력을 행사하기 위한 순전히 비어 있는 그릇일 뿐이다. 신이 아담에게 제공한 기원적 정치적 권리란, 말하자면, 빈 그릇을 채울 권리인 것이다.

따라서 여자들의 자연본성적 자유와 관련해 물어야 할 질문도, 교정되어야 할 오류도 없다. 필머는 단순히 아들들의 자연본성적 자유라는 교의가 지닌 어리석음을 강조하기 위해 여자들을 들먹이고 있을 뿐이다. 자연본성적 자유에 관한 계약 이론가들의 논변은 '보다 우월한 권력은 존재할 수 없다'라는 것을 수반한다. 필머가 보기에 저 결론의 따름정리인 '여자들——특히 처녀들——은 태생적으로 그 어떤 다른 이들만큼 자연본성적 자유를 갖[게 될 것이]고, 따라서 자신들의 동의 없이 자유를 잃지 않아야만 할 것이다'라는 데서 그것의 완전한 부조리함(absurdity)이 드러난다.[14]

필머가 여자들의 자연본성적 자유를 계약 논변의 귀류법[reductio ad absurdum]으로 제시할 수 있었던 것은 부권주의자들과 계약 이론가들이 여자들의 종속에 관하여서는 논쟁하지 않았기 때문이다. 계약 이론가들의 목표는 이론적 부친을 살해하는 것이었지, 남자들과 남편들의 성적 권리를 기각시키는 것이 아니었다. 양측 모두 첫째, 여자들(아내들)은——아들들과는 달리——남자들(남편들)에 종속적으로 태어나고 그렇게 남아 있다는 점과, 두 번째로는, 여자들에 대한 남자들의 권리가 정치적이지 않다는 점에 동의했다. 한 예로 로크는 아내의 종속이 '자연 안에 토대'를 갖는다고 한 필머의 관점에 동의했다. 남편은 자연적으로

13. Filmer, *Patriarcha*, p. 245.
14. 같은 책, p. 287.

'좀 더 유능하고 힘이 [세]'며, 따라서 그는 자신의 아내를 지배해야 한다.[15] 불평등과 지배의 부패한 시민사회를 출현시키는 엉터리 자유주의적 사회계약을 격렬하게 비판했던 루소는 여자들이 '한 남자에게 아니면 남성의 판단에 복종해야 하기에, 그 판단을 무시하는 것이 허락되지 않'는다는 점을 역시 고집한다. 여자들이 아내가 되면, 그녀는 자신의 남편을 '평생을 위한 주인'으로 인정하는 것이다.[16]

계약 이론가들의 '승리'는 정치적 권력으로부터 가부장 권력을 분리시키는 것에 달려 있었기 때문에, 그들은 성적 통치를——필머와 같이——아버지의, 다시 말해, 정치적인 통치 아래 포함시킬 수 없었다. 그 대신 사회계약 이야기는 성적 내지는 부부적 권리를 자연적인 것으로 선언함으로써 기원적인 정치적 권리를 은폐시킨다. 양성 각각의 자연본성으로부터 여자들에 대한 남자들의 지배가 따라 나오는 것으로 여겨지며, 루소는 이 주장을『에밀』5권에서 자세하게 기술하고 있다. 로크는 성적인 가부장적 권리의 타당성(legitimacy)에 관하여서 필머와 논쟁하지 않는다. 오히려 그는 그것이 정치적이지 않다고 주장한다. 이브의 종속은

> 모든 아내들이 자신의 남편들에 대해 갖는 종속 외의 어떤 것이 아니다. (…) 아담[의 권력은] (…) 정치적인 것이 아닌, 부부적 권력일 뿐이다. 상품과 토지의 소유주로서 모든 남편들이 가족 안에서 사적으로 일들을 질서 짓는 권력, 그리고 모든 공동의 일들 안에서 자신의 의지가 아내의 그것보다 먼저 오도록 하는 권력 말이다.[17]

15. Locke, *Two Treatises*, I, §47; II, §82. [국역본: 80쪽.]
16. J.-J. Rousseau, *Emile, or On Education*, tr. A. Bloom (Basic Books, New York, 1979), pp. 370, 404. [국역본: 320/668쪽, 380쪽.]
17. Locke, *Two Treatises*, I, §48.

동시대 정치 이론가들과는 달리 17세기 논쟁의 양측 모두 자연본성적 자유와 평등의 새로운 교설이 모든 권력과 종속의 관계들에 대한 전복적인 함의를 갖고 있다는 점을 잘 알고 있었다. 부권주의자들은 그 교설이 너무나도 부조리해서 그것이 제기하는——가령, 아내에 대한 남편의 권력의——정당화 문제들이 계약 이론가들의 무질서한 상상력의 산물로서 즉각 드러난다고 주장했다. 그러나 계약 이론가들이 부부적 가부장제에 만족했던 반면, 가부장권을 공격하는 데 사용된 그들의 개인주의적 언어는 그들이 (로버트 필머 경이 주장했던 것처럼) 여성주의를 포함한 수많은 혁명적인 쐐기들을 박을 수 있도록 틈을 열어놓았음을 뜻했다. 여자들은 여자들이 종속 안으로 태어나며 그들의 종속이 자연적이며 정치적으로 무관하다고 주장하는 '개인주의'와 '보편주의'의 모순을 거의 단번에 포착했다. 예를 들어, 17세기 말 메리 애스텔(Mary Astell)은 '모든 남자들이 자유롭게 태어났다면, 모든 여자들이 노예로 태어난 것은 어째서인가?'라고 질문했다.[18]

계약 이론가들의 곤란은 자신들의 전제가 주어진 이상 그 질문에 답변하는 것이 불가능하다는 점이었다. 논리상 자유롭고 평등한 여성 개인이 결혼을 통해 또 다른 자유롭고 평등한 (남성) 개인에게 항상 스스로를 종속시킬 (것을 계약할) 이유가 없다. 그러나 그 어려움은 쉽게 극복되었다. 정치 이론가들은——자유주의자이든 사회주의자이든——그들의 이론 안으로 남성적 권리를 흡수했고, 가부장적 권력의 기원에 관한 이야기를 '망각했다.' 부권이라는 측면에서 자연적 종속이

18. M. Astell, *Some Reflections Upon Marriage* (Source Book Press, New York, 1970), p. 107 (1730년 판본. 초판은 1700년.). 결혼 계약과 사회 계약, 그리고 남편들과 왕들의 권력 사이의 유비에 관해서는 M. Shanley의 'Marriage Contract and Social Contract in Seventeenth Century English Political Thought'를 볼 것. (*Western Political Quarterly*, 32(1), 1979, pp. 79-91)

고려되었으며, 여성주의 비평의 3세기는——그 이름이 정치 이론 교과서에는 결코 나타나지 않는 여자들이 저술한 것이든, 협동조합주의 또는 유토피아적 사회주의자들이 저술한 것이든, 혹은 그것을 제외하고는 잘 받아들여진 철학자 존 스튜어트 밀이 저술한 것이든 간에——억압되었고 무시되었다.

사회계약 이론의 발흥과 시민사회의 발전이 부권주의의 패배이기도 하다는 표준적 관점은 시민적 정치체의 구성에 관한 몇 가지 중요한 물음들이 한번도 질문된 적 없다는 것을 의미했다. 어느 정도 관심을 받은 사회계약의 한 가지 문제는 정확하게 누가 합의하는 것인가 하는 질문이다. 많은 주석가들은 '개인들'이 협약을 맺는 것에 대해 무비판적으로 말하지만, 가령 스코쳇은 17세기에는 가족의 아버지들이 사회계약에 들어서는 것이 당연하게 여겨졌다는 점을 지적하고 있다.

내가 처음 여성주의적 관점에서 이러한 문제들에 대해 생각하기 시작했을 때, 나는 사회계약이 가부장적인 계약일 것이라고 추정했다. 그 계약이 아버지들——그들이 동의함으로써 가족이 묶여지는 것이라고 여겨지는——에 의해 맺어진 것이기 때문이다. 물론 그 범주가 아무나와 누구나를 뜻하는 보편적인 의미에서의 '개인들'은 사회계약을 맺지 않는다. 거기에 여자들의 몫은 없다: 자연적 주체들로서 여자들은 [계약에서] 요구되는 수용력과 능력을 결여한 것이다. 이 이야기들에서의 '개인들'이란 남자들이지만 그들은 아버지로서 행위하지 않는다. 결국 이 이야기들은 아버지의 정치적 권력이 패퇴되었음을 말하고 있다. 남자들은 더 이상 아버지로서의 정치적인 장소를 갖지 않는다. 그러나 아버지들은 남편들이기도 하며——로크의 친구 티럴(Tyrrell)은 아내들이 '남편들에 의해 체결된다'라고 적고 있다[19]——또 다른 관점에서, 사회계약에 참여

19. 재인용. Schochet, *Patriarchalism in Political Thought*, p. 202. 나는 자유, 평등과 사회계약을 다음 저서에서 논의한 바 있다. *The Problem of Political*

하는 자들은 아들들 내지는 형제들이기도 하다. 계약은 형제들——혹은 형제애적 집단(fraternity)——이 맺는 것이다. 역사적으로 형제애가 자유와 평등과 함께 손에 손을 잡고 출현한 것도, 형제애가 정확하게 그것이 말하는바——즉, 형제들 간의 사랑(brotherhood)——를 의미하는 것도, 결코 우연이 아닌 것이다.

'가부장제'가 너무나도 빈번히 문자 그대로 해석되는 반면, '형제애'는 종종 그 문자 그대로의 의미가 오늘날 관련성이 없는 것처럼, '자유, 평등, 형제애'라는 혁명적 구호에서 그 용어들이 형제애적 유대로 이어진 남자들에게만이 아니라 우리 모두에게 의문의 여지없이 적용되는 것처럼 여겨진다. 버나드 크릭(Bernard Crick)은 '형제애는 자유와 함께 인류의 가장 위대한 꿈'이지만, 그럼에도 불구하고 형제애는 상대적으로 거의 분석되지 않았다고 최근에 지적한 바 있다.[20] 형제애가 언급될 때 그것은 주로 공동체의 표현으로서 제시된다; 그것은 '아래에 있는, 특정 종류의 사회적 협동 (…) 최대의 상호부조를 위한 평등한 사람들로 이루어진 집단 사이의 관계'로 여겨진다.[21] 혹은 크릭이 자신의 동료 사회주의자들을 향해 논변하듯, 형제애는 '일상적 삶 속의 개인들 사이에서 벌어지는 단순하고, 허위의식이 없고, 다정하고, 도움을 주고, 친절하고, 열려 있으며, 규제하지 않는' 윤리적이고 사회적인 실천이며, '공동의 과업을 함께하고자 하는 의지'이다.[22] 형제애가 단지 공동체의 유대에 관해

Obligation 2nd ed. (Polity Press, Cambridge, 1985; University of California Press, Berkeley, CA, 1985).

20. B. Crick, *In Defence of Politics*, 2nd ed. (Penguin Books, Harmonds-worth, Middlesex, 1982), p. 228.

21. E. Hobsbawm, 'The Idea of Fraternity', *New Society*, November 1975. M. Taylor, *Community, Anarchy and Liberty* (Cambridge University Press, Cambridge, 1982) p. 31에서 재인용.

말하는 방식에 지나지 않는다는 일반적 승인은 가부장적인 생각이 얼마나 깊이 우리의 정치적 이론과 실천을 구조 짓고 있는지 보여준다. 사회주의적 연대와 공동체가 의미하는 바란 여자들은 동지들을 보조하는 자들에 지나지 않는다는 것임을, 그리고 여자들의 정치적 요구들은 혁명 다음으로 미뤄져야 한다는 것임을 여성주의자들은 오래전부터 인식하고 있었다. 하지만 『제2의 성』을 끝맺는 시몬 드 보부아르(Simone de Beauvoir)의 마지막 말은 여자들이 자신들의 요구를 위한 언어를 찾는 데서의 문제를 실증하고 있다――거기에서 그녀는 '남녀가 (…) 분명한 [형제]애를 나누어야 할 것이다'라고 표명한다.[23]

사회계약이 개인들, 아버지들, 혹은 남편들 사이의 동의가 아니라 형제애적 협약이라는 사실은 사회계약 이야기의 프로이트적 판본에서 특별히 명료해진다. 아들들의 원초적 부친 살해에 대한 프로이트의

22. Crick, *In Defence of Politics*, p. 233. 크릭은 '자매애'가 '어떤 측면에서는 내가 "형제애"로써 전달하고자 하는 바의 진정 덜 애매한 이미지'라고 제안한다(p. 230). 비록 그는 형제애, '공격적인 형제들의 무리', 그리고 남성다움의 '고정관념'이 갖는 관련을 언급하기는 하지만, 그는 '낡은 "형제애"를 탈-성화하도록, 심지어는 여성화하도록 노력하는 것이 언어 대부분을 다시 쓰기 위해 멈춰서는 것보다는' 낫다고 주장하는데, 이는 언어가 우리 사회의 가부장적인 구조를 표현하고 그 일부를 형성한다는 점을 정확히 놓치는 것이다('언어는 삶의 형식이다').

23. S. de Beauvoir, *The Second Sex*, tr. H. M. Parshley (Penguin Books, New York, 1953), p. 732. [국역본: 『제2의 성』, 이희영 옮김, 동서문화사, 2009, 932쪽.] 물론 우리는 보부아르가 조직화된 여성주의 운동의 지지 없이 저술하고 있다는 것을 기억해야 할 것이다. 오늘날 여성주의자들은 언어에 대한 상당한 관심을 쏟은 바 있다. 그리고 어떻게 형제애가 실천적으로 노동계급과 노동운동을 형성했는지――그에 따라 '노동자'는 남자이고, '남성 운동'의 성원이도록――에 관한 매혹적인 설명을 제공했다. 특히 C. Cockburn, *Brothers: Male Dominance and Technological Change* (Pluto Press, London, 1983) 및 B. Campbell, *The Road to Wigan Pier Revisited: Poverty and Politics in the 80s* (Virago Books, London, 1984) 등을 볼 것. ('남성 운동'이라는 용어는 베아트릭스 캠벨(Beatrix Campbell)의 것이다.)

설명은 사회계약 논의에서 일반적으로 고려되지 않는다. 그러나 브라운이 진술하고 있듯, '책들의 전투가 프로이트의 원초적 범죄를 재연하고 있다'.[24] 또한, 리프(Rieff)는 프로이트의 부친 살해 신화를 사회계약의 한 가지 판본으로—홉스, 로크, 루소의 이론들과 같은 전통의 일부로서 여겨지는 것으로—취급하고 있다.[25] 이 해석의 최상의 근거가 있는데, 프로이트는 『모세와 유일신주의』에서 형제들이 끔찍한 행동 이후 맺은 협약을 가리켜 '사회계약 같은 것'이라고 지칭하고 있다.[26]

그러나 프로이트의 신화가 사회 그 자체의 기원에 관한 것이라는 반론이 가능하다. 프로이트는 부친 살해가 '문명'—즉, 인간 사회—을 등장시켰다고 주장하며, 이 주장은 여성주의자들 사이에서 굉장히 영향력 있었던 줄리엣 미첼의 『정신분석학과 여성주의』에서 액면 그대로 취급되었다. 그러나 고전적 사회계약 이론가들도 때로는 동일한 방식으로 읽혀지곤 한다—'자연 상태'로부터 벗어나는 것을 자연 또는 야만성에서 최초의 인간적 사회질서로의 이행으로 볼 수 있다. 어느 쪽에도 '문명' 혹은 '시민사회'를 사회 그 자체와 동일시하는 보편적 독서를 받아들일 만한 타당한 이유가 없다. 형제들이 제도화한 법률의 형태를 검토해 보면 그 이야기들이 문화적으로 그리고 역사적으로 특정한 형태

24. N. O. Brown, *Love's Body* (Vintage Books, New York, 1966), p. 4. 브라운의 해석에 내 관심을 갖게 해준 피터 브레이너(Peter Breiner)에게 감사한다. 비록 가부장제에 관한 함축들은 추구되지 않고 있지만, 유사한 주장이 다음에서도 발견된다. M. Hulliung, 'Patriarchalism and Its Early Enemies', *Political Theory*, 2 (1974), pp. 410-19. 헐리엉(Hulliung)은 부친 살해가 '민주주의의 이념들을 대변하는 도덕극으로 만들어질 수 없을' 이유는 없다는 것과 '살해자들은 서로에 대해서는 "형제들"이며, 형제들은 평등하다'는 점을 지적한다(p. 416).

25. P. Rieff, *Freud: The Mind of the Moralist* (Methuen, London, n.d.), chap. VII.

26. S. Freud, *Moses and Monotheism*, tr. K. Jones (Vintage Books, New York, 1939), p. 104. [국역본: 『종교의 기원』, 이윤기 옮김, 열린책들, 2004, 359쪽.]

의 사회적 삶에 대한 것이라는 사실이 분명해진다. '문명'이라는 용어가 18세기 말 무렵에 비로소 '유럽사의 특정 단계를—때로는 최종의 혹은 궁극적 단계를—표현하기 위해' 일반적으로 사용되기 시작했다는 사실 또한 '시민사회'와 '문명' 사이의 밀접한 관계를 암시한다.[27] '문명'은 '현대성의 양식, 즉 세련됨과 질서가 이루어진 상태'를 표현했다.[28]

미첼은 프로이트에 대한 자신의 해석에서 '아버지의 법'이 부친 살해 이후에 확립되었다고 주장한다. 그에 반하여 아버지의 법—단일한 아버지-왕의 절대적인 통치—은 아버지가 살해되기 이전에 지배권을 갖는다. 계약의 요점은 그것이 아버지의 죽음 이후에 발생하며 그의 전제적 권리를 폐지한다는 것이다. 그 대신 형제들(아들들)은 자신들의 끔찍한 행동에 대한 회한, 사랑과 증오, 그리고 미래의 친족살해를 방지하고자 하는 욕망에 의해 촉발되어 자신들의 법을 확립한다. 그들은 정의, '최초의 ["옳음" 또는] "법"'—혹은 시민사회—을 확립한다.[29] 아버지의 법 혹은 전제적 의지는 형제들의 연합적 행동으로 인해 타도된다. 그런 뒤 그들은 자신들에 대해 상호적인 제약을 가하고—프로이트가 진술한 바에 따르면, '자기네들을 강화시킨 조직을 구[한]'[30]—평등을 확립한다. 자유롭고 평등한 형제들 간의 계약이 '아버지의 법'을 모든 사람들을 평등하게 결속시키는 공적 규칙들로 대체한다. 로크가 분명하게 하듯, 한 남자(아버지)의 규칙은 시민사회와 양립할 수 없다. 자유롭고

27. S. Rothblatt, *Tradition and Change in English Liberal Education*, p. 18
28. R. Williams, *Keywords: A Vocabulary of Culture and Society*, revised ed. (Oxford University Press, New York, 1985), p. 58. '문명'의 출현에 내 관심을 갖게 해준 로스 풀(Ross Poole)에게 감사한다. [국역본: 『키워드』, 김성기 · 유리 옮김, 민음사, 2010, 80쪽.]
29. S. Freud, *Civilization and its Discontents* (W. W. Norton & Co.), p. [국역본: 277쪽.]
30. S. Freud, *Totem and Taboo,* tr. A. Brill (Vintage Books, New York, n.d.), p. 186. [국역본: 『종교의 기원』, 218쪽.]

평등한 자들로서, 형제로서 법과 서로 앞에 서 있는 남자들의 집합체가 공포한 공정하고 비인격적인 법칙들의 집합을 필요로 하는 시민사회 말이다.

형제들이 계약에 들어서더라도 협약이 한번 체결되고 나면 그들은 형제이기를 멈춘다는 반론이 이 지점에서 제기될 수 있다. 계약하는 행위에서 그들은 자신들을 평등한, 시민적 '개인들'로 구성하고, 따라서 가족적이며 그로 인해 형제애적인 유대를 벗어던진다. 아버지의 전통적 가부장제와 근대적 가부장제 사이의 근본적인 차이는 정확히 후자가 가족적인 영역과 분리된 채—그리고 거기에 대립해서—창조되었다는 점이다.

그러나 그 결과 모든 귀속적인 유대가 포기되었고 '형제애적'이라는 용어가 더 이상 적절하지 않다는 결론이 도출되지는 않는다. 브라운은 자유, 평등, 형제애라는 세 이념에 '내적 모순'이 있다고 주장한다—'아버지 없이는 아들들도 형제들도 있을 수 없다'.[31] 그러나 형제애에 대한 최근의 설명들이 명백히 밝혀주듯, 이 개념은 친족적 유대보다도 훨씬 더 많은 것들을 포함한다. 비록 형제(한 아버지의 아들들 또는 친족)가 아니더라도 '개인들'은 우애나 형제애—하나의 '공동체'—의 일부가 될 수 있다. 아버지는 죽었고 시민사회의 참여자들은 친족관계를 떼어놓았지만, 시민적 개인으로서 그들은 여전히 귀속적인 유대—남자로서의 유대—를 공유한다.

프로이트의 부친 살해 이야기가 중요한 것은 이론적 살해의 고전적 이야기들이 모호하게 남겨둔 것을 그가 명시적으로 만들고 있기 때문이다: 형제들의 집단적 행동의 동기는 단순히 그들의 자연본성적 자유와 스스로 통치할 권리를 얻기 위해서가 아니라 여자들에 대한 접근을 얻기

31. Brown, *Love's Body*, p. 5.

위해서이다. 고전적 이론가들의 자연 상태에서 '가족'은 이미 실존하고 남자들의 부부적 권리는 자연적인 권리로 여겨진다.[32] 프로이트의 원초적 아버지, 그의 파트리아 포테스타스는 무리의 모든 여자들을 자신을 위해 남겨둔다. 부친 살해는 아버지의 정치적 권리를 제거하며, 그의 독점적인 성적 권리 또한 제거한다. 형제들은 그의 가부장적, 남성적 권리를 물려받고 자기들끼리 여자들을 공유한다. 그 어떤 남자도 더 이상 원초적 아버지가 될 수는 없지만, 모든 남자들에게 여자들에 대한 평등한 접근을 제공하는 규칙들을——국가의 법 앞에서 그들이 갖는 평등과 비교하라——수립함으로써 그들은 한때 아버지의 특권이었던 여자들에 대한 지배라는 '기원적' 정치적 권리를 행사한다.

프로이트는 형제들이 '어머니나 누이에 대해 야기될 수 있는 뜨거운 욕망을 단념'한 것에 대해 쓰고 있다.[33] 그러나 이는 호도하는 것이다. 이 형제애적 집단은 여자들을 포기하는 것이 아니라, 각자가 스스로를 아버지의 자리에 두고자 하는 욕망을 포기하는 것이다. 형제들은 형제애적 사회계약의 일부로서 프로이트가 족외혼 또는 친족의 법이라 부르는 것을 제도화한다. 역사적으로 특정한 용어로, 형제들은 결혼법과 가족의 근대적 체계를 창조하고 부부적 내지는 성적인 권리의 근대적 질서를 확립한다. 시민사회의 '자연적 토대'는 형제애의 사회계약을 통해 성립되었다.

'아버지의' 지배를 정치적 지배로부터 분리한 것, 혹은 가족을 공적인 영역으로부터 분리한 것은 남자들에 대한 여자들의 종속을 통해 여자들

32. 또다시 홉스는 예외이다. 홉스의 급진적으로 개인주의적인 자연 상태 안에는 가족들이 없으며 여자들은 남자들만큼 강하다. 그러나 그는 단순하게 시민사회 안에서 여자들이 자신을 남편들에 대한 종속 안으로 위치시키는 결혼 계약에 항상 들어설 것이라고 가정한다.

33. S. Freud, *Moses and Monotheism*, p. 153. [국역본: 『종교의 기원』, 405쪽.]

을 남자들로부터 분리한 것이기도 하다. 형제들은 그들 자신의 법과 그들 자신의 성적 내지는 부부간 지배의 형태를 확립한다. 형제애적 사회계약은 두 영역들 사이에 분리된 것으로서 제시되는 새로운, 근대적 가부장적 질서를 창조한다: 시민사회 혹은 자유, 평등, 개인주의, 이성, 계약, 공정한 법칙의 보편적 영역——남자들 혹은 '개인들'의 영역——과 특수함, 자연적 종속, 피, 감정, 사랑, 성적 열정의 유대들의 사적인 세계——마찬가지로 남자들이 통치하는 여자들의 세계——로 말이다.

요컨대 그 계약은 가부장적 시민사회와, 여자들에 대한 남자들의 근대적이고 귀속적인 통치로 구성된다. 귀속과 계약은 종종 상반되는 양극에 서 있는 것으로 여겨지지만, 사회계약은 형식(그것은 형제들에 의해 만들어졌다)과 내용(형제애의 가부장적 권리가 확립되었다) 둘 다에 성적으로 귀속적이다. 시민적 개인들은 형제애의 유대를 갖는데, 남자로서 그들은 계약을 유지하는 공통의——그들의 남성적인 가부장적 권리를 정당화하고 그들로 하여금 여자들의 종속으로 인한 물질적 및 심리적 이득을 얻게 하는——이해를 공유하고 있기 때문이다.

계약 이야기들이 제기하는 한 가지 중요한 질문은 정확하게 어떻게 여자들의 종속을 유지하는 '자연 안의 토대'가 특징화되어야 하는 것인가 이다. 로크는 남자(남편)의 힘과 능력이 아내들의 복종에 대한 자연적 기반이라고 우리에게 말한다: 가부장적 자유주의 안으로 흡수되는 이 관점은 자유주의 여성주의를 위한 길을 열어주기도 한다. 여성주의자들은 힘으로부터의 논변을 오래전부터 비판하기 시작했고,[34] 비록 오늘날

34. 예를 들어, 메리 애스텔은 만약 '정신의 힘이 신체의 힘과 조응하는 것이라면, 철학자들이 여전히 가장 튼튼한 경비원이 가장 현명한 사람은 아니라는 사실에 대해 탐구할 가치가 있다고 생각하지 않은 것은 그저 이상한 우연일 뿐일 것'이라고 비꼬는 투로 말하고 있다(Reflections Upon Marriage, p. 86). 혹은 다음을 참고하라. William Thompson, *Appeal of One Half of the Human Race, Women, Against the Pretensions of the Other Half, Men, to Retain them*

에도 이 주장이 들려오지만, 남성의 정치적 권리의 규준으로서 힘에 의존하는 것은 역사적으로 점점 그럴듯해 보이지 않게 되었다. 동시대의 자유주의 여성주의자들은 메리 애스텔과 메리 울스턴크래프트와 같은 훨씬 더 앞선 작가들의 안내를 따르며, [남자들에 비해] 모자라다고 여겨지는 여자들의 능력과 수용력이 자연의 사실이 아니라 결함이 있는 교육의 산물이라고, 고의적인 사회적 장치의 문제라고 공격했다.

자유주의적 여성주의 논변의 난점은 남자들과 여자들이 그들의 '분리된 영역' 안에서 다르게 위치 지어진 이상 교육이 평등할 수 없다는 것이다. 그러나 사적 가족과 공적인 시민사회 사이의 가부장적 분리는 자유주의의 중심적 구조 원리이다. 더 나아가서, 문제는 자유주의적 관점이 암시하는 것 이상으로 뿌리가 깊다. 자유주의적 여성주의는 남자들이 소유한 수용력을 여자들도 소유하며 남자들이 할 수 있는 것을 여자들도 할 수 있다는 것을 보여주는 것이 유관한 정치적 문제라고 가정한다. 그러나 이는 남자들에게는 결여되어 있는 한 가지 자연적 능력을 여자들이 갖고 있다——남자들이 아닌 여자들이 출산을 할 수 있다——는 사실이 정치적 중요성을 갖지 않는다고 가정하는 것이기도 하다.

이것이 여자들의 종속에 대한 '자연 안의 토대'를 제공하지는 않는다는 것을 이제 주장할 수 있는데, 출산은(양육과는 달리) 시민적 존재들의

....

in Political, and Thence in Civil and Domestic, Slavery (Source Book Press, New York, 1970; originally published 1825), p. 120: '힘이 행복을 위한 상위의 자격이라면, 말과 코끼리, 그리고 모든 더 강한 동물들의 즐거운 감각을 증가시키는 데 인간의 지식과 기술을 이용하게 할 것이다. 힘이 행복을 위한 상위의 자격이라면, 읽고 쓰는 능력이나 지적 능력을 보장하기 위한 **간접적인** 방법들 같은 유권자의 자격을 모두 폐지해야 할 것이다. 또한, 정치적 권리의 행사를 위한 단순한 시험으로 남자들과 여자들 모두 300파운드의 무게를 들 수 있는지 볼 것이다.'

수용력을 발전시키는 것과 궁극적으로 무관하기 때문이다. 이 논변이 갖는 난점은 그것 또한 가부장적인 정치적 권리의 '기원'에 대한 이야기를, 따라서 가부장적 시민사회에서 출산이 갖는 중요성을, 무시한다는 것이다. 출산하는 능력은 실제적으로나 은유적으로나 가부장적 이론에 중심적이다.

필머의 논변은 이브에 대한 아담의 지배권이 아버지가 될 권리라는 것을 보여준다: 이브의 신체에 대한 성적 접근을 요구할, 그리고 출산할 것을 주장할 권리 말이다. 그런 뒤, 이브의 출산하는 창조적 수용력은 부인되고, 그것은 정치적 탄생을 제공하는, 정치적 질서의 새로운 형태의 '창시자'가 되는 능력으로서 남자들에 의해서 전유된다. 아담과 형제애의 사회계약의 참여자들은 놀라운 가부장적 능력을 얻고 정치적 생성에서 '주요 행위자들'이 된다. 더 나아가 가부장적 논변 안에서 출산은 시민사회에서 여자들이 신체적으로 제거되어야 한다고 주장되었던 모든 이유들을 상징하고 집약한다.[35]

루소와 프로이트가 말해주는 이야기들 안에서 흐릿하고 깊은 곳의 몇 가지 측면들이 보다 명확해진다. 그들은 여자들이 시민적 삶에 참여하고 시민사회의 보편적 법을 유지해야 할 '개인들'에게 요구되는 방식으로 자신들의 신체적 본성을 초월할 수 없다고 주장한다. 제어 불가능한 자연적 과정과 열정에 종속된 여성의 신체는 시민사회를 위해 교육될 수 있는 이성과 도덕적 특성을 여자들로부터 박탈한다. (나는 다른 장에서 여자들에 대한 이런 인식의 한 측면과 그것의 당연한 귀결——우리가 시민적 삶에 영구적인 위협을 제기한다는 것——을 탐색하기 시작했다.[36])

35. 이는 우리에게 '탄생의 철학'이 없는 이유를 설명하는 데 도움이 된다. 다음을 볼 것(특히 1장을 보라). M. O'Brien, *The Politics of Reproduction* (Routledge & Kegan Paul, London, 1981).

루소의 해결책은 심지어 가정적 삶에서조차 양성이 가능한 한 최대로 분리되어야 한다는 것이다. 의미심장하게도 루소는 『에밀』에서 가정교사가 단 하나의 직접적 명령을 하는 것만을 허용하는데, 거기에서 그는 에밀이 남편으로서 소피의 신체를 주장하는 것이 허용되기 이전에 그가 정치와 시민권에 대해 먼저 배우도록 장기간 소피로부터 떠나 있게 한다. 프로이트는 어떤 해결책도 제공하지 않지만, 여자들은 '처음'부터――여자들이 내기에 걸려 있으며 오이디푸스 콤플렉스를 통해 끝없이 재생산되는 원초적인 부친 살해에서부터――'문명에 대해 적대적인 태도'를 계속해서 갖는다고 명시적으로 밝힌다.[37] 혹은 미첼이 프로이트를 해석하듯 여자는 '법의 "접촉"을 받지 못한다――법에 대한 그녀의 복종은 자신을 그것의 정반대로 확립하는 것 안에서 되어야 한다'.[38]

여자들은 두 가지 의미에서 형제애의 사회계약과 그 시민법에 '대립'하며 그것의 바깥에 있다. 첫째, 그들은 형제들이 가부장적 성적 권리의 유산을 물려받고 여자들의 신체와 출산하는 능력에 대한 권리를 정당화하는 합의로부터 '기원적으로'――필연적으로――배제되어 있다. 둘째, 시민법은 여자들이 결여한 모든 것을 집약하고 있다. 시민법은 만인에게 평등하게 적용 가능한 법으로, 그들의 상호작용과 욕망들을 규제하는 것이 계약의 참여자들에게 합리적인 상호적 이점을 가진다는 추론을 거친 합의에서 기인하는 것이다. 여자들의 열정은 여자들을 그러한 추론을 거친 합의를 할 수 없는 자들로, 혹은 합의를 하더라도 그것을 유지할 수 없는 자들로 만들어 버린다. 다시 말해, 남자들에 대한 여자들의 종속이 '자연 안의 토대'를 갖는다는 가부장적 주장은 남자들의 이성이

36. 1장을 볼 것.

37. S. Freud, *Civilization and Its Discontents*, p. 56. [국역본: 280쪽.]

38. J. Mitchell, *Psychoanalysis and Feminism* (Penguin Books, Harmondsworth, Middlesex, 1975), p. 405.

여자들의 신체를 통치해야 한다는 주장인 것이다. 시민사회를 가족의 영역으로부터 분리하는 것은 남자들의 이성과 여자들의 신체를 분리하는 것이기도 하다.

여성주의 학자들은 어떻게 고대로부터 정치적 삶이 필연성, 신체, 성적 열정, 출산의 일상적 세계와 대립하여 개념화되었는지 이제 보여주고 있다. 요컨대 여자들과 그들이 상징하는 무질서와 창의성에 대립하여 말이다.[39] 필머의 고전적 부권주의에서 아버지는 어머니이자 아버지 둘 다이며 그의 부성을 통해 정치적 권리를 창조한다. 그러나 필머의 설명은 정치적 삶의 창조를 남성적인 출산 행위로——여자들만이 소유한 능력의 남성적 복제품으로——여겨온 오랜 서구적 전통의 한 판본일 뿐이다.

형제애적 사회계약은 이 가부장적 전통의 특별히 근대적인 재공식화이다. 아버지는 죽었지만, 여자들에게 특정한 능력을 형제들이 전유한다; 그들도 새로운 정치적 삶과 정치적 권리를 생성할 수 있다. 사회계약은 시민사회가——그리고 그와 동시에 진짜 출산의 사적 영역과 여자들의 무질서로부터 시민사회의 분리가——기원하는, 혹은 탄생하는 지점이다. 형제들은 인위적인 신체, 시민사회의 정치체를 낳는다; 그들은 홉스의 '우리가 국가라고 부르는 인위적 인간'을, 루소의 '인위적 집합체'를, 로크의 '정치체'의 '유일한 신체'를 창조한다.

그러나 시민 정치체의 '탄생'은 이성적 행위이다. 거기에는 신체적 출산 행위의 유사물이 없다. 사회계약은, 우리 모두가 배운 바와 같이,

39. 가령 다음을 볼 것. N. Hartsock, *Money, Sex and Power: Towards a Feminist Historical Materialism* (Northern University Press, Boston, MA, 1983), 8장; O'Brien, *The Politics of Reproduction*, 3장과 4장; Elshtain, *Public Man, Private Women*, 1장; H . Pitkin, *Fortune Is A Woman: Gender and Politics in the Thought of Nicccolo Machiavelli* (University of California Press, Berkeley, CA, 1984).

실제적 사건이 아니다. 필머의 가부장제에서의 자연적 아버지의 신체는 계약 이론가들에 의해 은유적으로 죽임 당했지만, 그것을 대체하는 '인위적인' 신체는 진짜 사람들이 창조한 정치적 공동체가 아닌 정신적인 구성물이다. 인간 자녀의 탄생이 새로운 남성 혹은 여성을 만들어내는 반면, 시민사회의 창조는 인류의 두 신체들 가운데 한쪽의 형상만을 따라서 제작된 사회적 신체를 만들어낼 뿐이다. 혹은 보다 정확히 말하자면 시민 정치체는 여자들로부터 시민사회를 분리함으로써 구성된 남성 '개인'의 형상을 따라서 제작된다. 이 개인은 어떤 독특한——그리고 대체로 인지되지 않은——측면들을 갖는데, 그것은 정확하게 그를 정의하는 특성들이 시민사회로부터 배제된 여성적 본성과의 대비를 통해서만 눈에 띄게 되기 때문이다.

자유주의 계약 이론에서 개인의 추상적 특성은 루소의 최초 공격 이후 쭉 좌파들로부터의 비판을 받아왔다. 그러나 그 비판들이 시민 개인의 기원적 창조에서 남성적 이성을 여성적 신체로부터 분리한 것에 대해서는 변함없이 침묵하고 넘어가기 때문에, 시민 개인의 가장 주목할 만한 특징들 가운데 한 가지 또한 비평가들에 의해서 조용히 통합된다——'개인'은 탈신체화되어 있다. 3세기 동안 개인의 형상은 보편적인 것으로, 만인을 구현하는 것으로 제시되었다. 그러나 '개인'이 보편적인 것으로 나타날 수 있는 것은 오직 그가 탈신체화되어 있기 때문이다. 새로운 정치체처럼 개인 또한 '인위적'이다: 그는 '이성적 남자'에 지나지 않는다.[40]

자유주의적 계약 이야기에 대한 가장 최근의 다시 쓰기인 롤즈의

40. G. Lloyd에 따른 이 역사에 관해서는 다음을 볼 것. G. Lloyd, *The Man of Reason; "Male" and "Female" in Western Philosophy* (Methuen, London, 1984). 데카르트적인 '출산 드라마'를 위해서는 다음을 보라. S. Bordo. 'The Cartesian Masculinization of Thought', *Signs*, 11(3), (1986), pp. 439-56.

『정의론』은 기원적 위치의 당사자들이 자신들에 대한 본질적인 사실들을 모르고 있었다고 주장한다. 따라서 롤즈의 당사자들이 진정으로 보편적인 것으로 여겨질 수 있으며, 기원적인 선택들이 인류의 두 신체들(성들) 사이에서 내려지는 선택을 포함하는 것으로 여겨질 수도 있다. 롤즈가 이 가능성을 무시하고 당사자들이 가족의 가장으로 여겨질 수 있다고 말한다는 사실은,[41] '개인'의 고유한 특성들에 대한 가부장적인 가정들이 얼마나 깊이 자리하고 있는지 보여준다. 더 나아가서, 당사자들의 속성과 그들의 기원적 위치는 롤즈가 형제애적인 계약 전통의 논리적 귀결에 서 있다는 사실을 보여준다. 그 기원적 위치와 그것의 선택들은 명시적으로 가설적(논리적)이고, 당사자들은 탈신체화된 이성적 개체들에 지나지 않는다. 그러지 않고서야 그들이 자신들의 신체로부터 분리 불가능한 자연적——성별, 나이, 피부색 같은——사실들을 모르지 않을 수 없을 것이다.[42]

아이러니컬하게도, 보편적 시민 개인이라는 정치적 허구를 유지하기 위해 필수적인 이 탈신체화는 형제애에 있어 심오한 문제들을 제기한다. 개인주의적 자유주의자들에게 이 문제들은 자아에 대한 그들의 보다

41. J. Rawls, *A Theory of Justice* (Harvard University Press, Cambridge, MA, 1971), p. 128. [국역본: 185쪽.]

42. 어떤 사람이 실제 나이보다 젊어 보이거나 나이가 더 들어 보일 수 있다고, '잘못된' 신체 안에 있음을 확신할 수 있다고, 혹은 백인으로 '넘어갈' 수 있다고 반론을 제기할 수 있을 것이다. 그러나 이 모든 사례들은 나이, 성, 피부색의 차이들에 관한 지식과 다른 문화에서 그것들에 대해 주어지는 특정한 의미에 의존한다. 가령, 어떤 사람이 '남성적인' 것과 '여성적인' 것이 포함하는 것이 무엇인지, 그리고 그러한 것들이 어떻게 신체들에 필수적으로 관련되어 있는지, 이미 알지 못하고서는 트랜스섹슈얼이 될 수 없다. 롤즈의 논변들이, 겉보기에는 성적으로 차별적이지 않은 그의 '당사자들'에도 불구하고, 성적으로 차별화된 도덕성을 전제한다는 것은 다음에서 제시된다. D. Kearns, 'A Theory of Justice and Love: Rawls on the Family', *Politics*, 18(2), (1983), pp. 36-42.

넓은 어려움의 일부분이고, 개인 안에 형제애와 이성 사이의 대립을 수반하는 문제이다. 이성과 형제애의 대립은 공적인 것과 사적인 것 사이의 대립이다. 그러나 이것은 '공'과 '사' 사이의, 가족(여자들)과 시민사회(남자들) 사이의 가부장적 대립이 아니다. 공과 사 사이의 유관한 분리는 내가 앞서 이미 참조한 바 있는 다른 대립—내가 그 용어를 사용하는 방식으로서의 '시민사회' 내부에 위치한 대립—이다.[43] 자아의 사회적 관점에 의존하는 자유주의자들에게, 혹은 자유주의에 대한 사회주의적 비평가들에게 문제들이 발생하는데, 1980년대에 형제애의 강조가 그들의 이론이 가진 가부장적인 특성을 드러내기 시작하기 때문이다. 보편성을 보존하기 위해서는 '고유한 개인'이 그의 남성성과 형제애로부터조차 추상화되어야만 한다. 개인이 신체를 갖지 않고 그에 따라 성별도 갖지 않도록 말이다.

'개인'의 창조는 여성적 자연본성의 무질서로부터 합리적인 시민질서의 분리를 전제한다. 따라서 시민적 개인과 그의 형상을 따라 만들어진 정치체가 통일될 수 있을 것처럼 보일지도 모른다. 자유주의 이론 안에서 그것들은 실로 그렇게 제시되고 있다. 그러나 루소 이래로 그것의 비판가들은 개인과 시민사회가 내재적으로—하나가 다른 하나로부터, 그리고 자신들 내부에서—분리되어 있다고 주장한다. 개인은 부르주아와 시민 사이에, 혹은 호모 에코노미쿠스[경제적 인간]와 호모 키비쿠스[시민으로서의 인간] 사이에 찢겨져 있으며, 시민사회는 사적 이해와 공적, 보편적 이해 사이에, 혹은 '시민적' 사회와 국가 사이에 나뉘어져 있다. 그러나 그러한 비판의 요지는 정확히 그들이 가족 바깥의 사회적 삶에,

43. 사회계약의 익숙한 이야기의 두 번째 단계에서 공과 사의 이러한 분리가 구성된다(로크는 이를 명확하게 보여준다). 나의 저서인 『정치적 의무의 문제』(*The Problem of Political Obligation*)와 이 책의 4장과 6장을 볼 것.

그리고 공적 세계의 거주자로서의 개인에 관심이 있다는 점이다.

공과 사의 자유주의적 대립은(양성 사이의 가부장적 대립처럼) 다양한 외피를 입고 나타난다; 예컨대 사회, 경제, 자유는 국가, 공공성, 강제에 대립해 있다. 자유주의자들은 이러한 이원성이 자유에 대해 중요한 문제를 제기하는 것으로 여기는데, 시민사회의 사적인 영역이 국가의 강제적 침범으로부터 보호받아야 하기 때문이다. 그들은 구분선이 어디에 그럴듯하게 그어질 수 있을 것인지 가려내려는 노력에 많은 시간과 수고를 할애하고 있다. 반면 그들의 비판가들은 공과 사의 대립이 해결할 수 없는 문제를 제기한다고, 그 대립은 자유주의의 중심의 메울 수 없는 구조적 틈이라고 주장한다. 나는 그 비판가들에 동의한다; 그러나 그 비판은 '기원적인' 가부장적 분리를 고려하지 않으며, 따라서 비판가들 자신의 '개인'과 '시민사회'에 대한 생각은 건드리지 않기 때문에 충분히 나아가지 못한다.

로베르토 웅거(Robert Unger)는 『지식과 정치』(*Knowledge and Politics*)에서 자유주의적 이분법에 대한 종합적인 논의와 비판을 제공하고 있지만, 사실과 이론, 가치와 규칙, 욕망과 이성 사이의 분리에 대한 그의 분석조차 그것이 양성 사이의 대립을 표상한다는 사실은 무시한다. 암묵적으로 '자아'는 남성적인 것으로 여겨진다. 그가 다음과 같이 쓸 때 '남자들'에 대한 참조는 문자 그대로 받아들여져야 한다: '공적 삶과 사적 삶의 이분법은 이해와 욕망 사이의 분리가 갖는 또 하나의 당연한 귀결이다. (…) [남자들은] 추론할 때 공적인 세계에 속한다 (…) 하지만 욕망할 때, 남자들은 사적인 존재들'이다.[44] 여자들이 표상하는 '욕망'과

44. R. M. Unger, *Knowledge and Politics* (Free Press, New York, 1976), p. 45. 웅거는 여자들과 가족에 관해서 거의 말하지 않지만, 그의 (노동 분업에 관한 것과 같은) 언급들은 그의 비판이 그가 겨냥하고 있는 '전체적 비판'이 아니라는 것을 예증한다. 가령 웅거는 가족이 '남자들을 모든 다른 집단들에

그와 연관된 무질서, 그리고 여자들의 사적인 세계는 웅거의 설명에서 '잊혀져' 있다. '자아'는 시민사회의 남성 개인──공적 이해('이성')와 사적 혹은 주관적 이해('욕망')의 요구들 사이에 찢겨져 있는 개인──의 것이 되었다. 여자들과 신체들과 열정 그리고 남자들과 이성과 합리적 이점 사이의 대립은 개인의 사적 이해와 공적 이해 혹은 보편적 법의 요구들 사이의 이분법에 의해 억압되고 대체되었다.

이 형식 안에서 이분법은 시민 개인들의 형제애와 이성 사이의 대립으로도 표현되고 있다. 자유주의 계약 이론의 개인들 사이 유일한 유대는 자기-이해의 유대뿐이다. 개인은 과거에도 그러했듯 정신의 합리적 계산을 통해서 계약의 주체로 만들어질 수 있는 소유물의 집합체이다. 따라서 개인들은 특정한 종류의 관계에만 들어서게 되고, 이러한 제약은 자유주의 이론 안의 또 다른 친숙한 난점을 야기한다. 시민권이나 정치적인 것에 대한 정합적인 개념을 제시하는 문제 말이다. 자유주의적 개인이 다른 시민들과 맺는 정치적 유대는 다만 자기-이해 추구의 다른 표현일 뿐이다. 호모 키비쿠스는 '사적인' 호모 에코노미쿠스 안으로 흡수되거나, 그것의 한 가지 얼굴에 지나지 않는다. 그러나 개인을 시민으로──공적 혹은 시민적 개인으로──보는 이 관점은 형제애의 가장 중요한 표현들 중 하나를 체계적으로 약화시킨다.

자유주의적 개인들은 유순한 공적 세계에서 상호작용한다. 그들은 서로 경쟁하지만, 그 경쟁은 규제되며 규칙들은 공정하다; 유일하게 요구되는 강요는 규칙의 강제뿐이다. 그러므로 사회와 국가 사이의 대립으로서 공과 사의 분리는 종종 자유와 강요 사이의 분리로 제시된다. 이 입장은 현재 뉴 라이트(the New Right)와 연관되어 있지만, 과거에는 온화한 상업론(le doux commerce)이 폭력의 안티테제로 제공될 수 있었으

대한 충성심과 경쟁하는 결합 안으로 끌어당긴다'라고 지적하지만, 그것은 '시민사회'로 들어가는 자들만을 끌어당긴다(p. 264).

며 대립적인 것들을 화해시켰다고 주장하는 이상주의적 자유주의자들은 힘이 아닌 의지가 국가의 기반이라고 주장할 수 있었다.

다른 한편, 법에 대한 단순한 복종 이상의 어떤 것에 의해 개인이 (홉스의 표현대로) 보호를 보호하도록 요구 받을 수 있다는 것도 명백하다.[45] 그는 국가를 방어하기 위해서 자신의 신체를 항복시켜야 할지도 모른다. 이것은 실로 충성과 헌신의 궁극적 행위로, 언제나 진정으로 모범적인 시민적 행위로 여겨져 왔다. 그러나 급진적 개인주의에 대한 홉스의 논리적 산출이 드러내듯, 그것은 결코 자유주의적 개인의 합리적 이점이 될 수 없는 행위이기도 하다. 사적 이해와 공적 이해의 충돌 속에서 늘 사적인 요구가 합리적 이점을 갖는다. 군인이 되는 것은 개인의 자기-이익을 위한 것이 아니다. 따라서 이성은——시민권이 최종적 분석에서 의존하고 있는——형제애로부터 떨어져 나온다. 모든 남성 클럽과 연합들 중 형제애가 그것의 가장 완전한 표현을 발견하는 곳은 군대와 전장에서이다.

군인의 형상과 개인의 형상 사이의 대립은——혹은 형제애와 이성 사이의 대립은——자유주의적 시민사회 특유의 것이다. 형제애적 계약 이야기는 많은 측면에서 고대 가부장적 주제들을 특별히 근대적인 이론으로 변형시키지만, 자유주의적 개인의 개념은 보다 오래된 전통과 결별한다. 시민권이 변별적 활동의 형태를 포함했고 무기를 드는 것과도 밀접하게 연관되어 있던 전통 말이다. 여성주의 학자들은 고대부터 전사(warrior)와——전부 시민권과 밀접한 관련이 있는——자아-동일성, 섹슈얼리티, 남성성 개념들 사이에 필수적인 연관성이 있어왔다는 것을 이제 보여주고 있다. 자유주의 개인의 기이한 점은 비록 그가 남성이지만

45. [to protect your protection. 국민의 보호자인 코먼웰스=국가를 국민이 보호하는 것을 말한다. 토마스 홉스, 『리바이어던』, 최공웅 · 최진원 옮김, 동서문화사, 2009, 324쪽. 이 번역본은 '주권자를 보호할'이라고 옮기고 있다.]

그가 정치적인 것과 무력을 통한 국가의 방어 기저에 깔려 있는 남성적인 열정들에 대립적으로 정의되기도 한다는 것이다. 전통적인 세계의 선조들이나 사회-자유주의적 및 사회주의적 이론 안에 출현하는 '개인들'과는 달리 말이다.

비록 우리의 의식이 자유주의적 개인의 형상의 영향을 받고, 우리의 많은 사회적 실천들과 제도들이 우리가 자기-이해에 의해 동기를 부여받는다고 전제하지만(불로소득에 대한 현대의 집착은 우연이 아니다), 국가는 합리적 자기-이해를 사회-정치적 질서의 기반으로서 의존한 적이 없다. 대부분의 고전적 이론가들도 이 점에 대해서는 자신들의 이론적 신념대로 할 용기가 없었다. 홉스를 제외하고 말이다. 리바이어던의 검이 내재적으로 불안정하고 '인위적인' 질서의 토대에 대한 유일한 대안이었다는 홉스의 결론은 자연법, 동정심, 자선, 보이지 않는 손과 같은 장치들에 대한 지지로 인해 거부되었고, 사회주의자들은 연대, 동료애, 공동체——한마디로 형제애——에 호소했다. 역사적으로, 국가에 대한 복종과 충성은 개인의 합리적 이점에 대한 호소가 아니라——특히 민족주의, 애국주의, 형제애의——귀속적이고 심리적인 유대에 대한 호소로 촉진되었다. 이는 이를테면 롤즈적 의미의 정의보다 훨씬 순혈적인 특성의 유대들이며, 가장 중요하게 그것들은 남성적 자아의 동일성의 감각에 직접적으로 호소한다. 그러나 자기-이해의 원동력을 위한 진정한 이념적 기반은 형제애와 이성 사이의 대립을 제거하는 것이 어렵다는 것을 의미한다.

지난 세기의 어떤 자유주의자들이 적절히 사회적이고 발전적인——자유주의 계약 이론에서 제거된 공동체의 정서적 유대들을 복원시키는——개인성의 개념을 발전시키고자 시도했을 때, 또한 그들은 형제애라는 관념을 향해 돌아섰다. 이 자유주의자들이 보기에 형제애는 '공동체적 결속 가운데 가장 강력한' 것이라고 가우스(Gaus)는 진술하고 있다.[46]

형제애의 이념은 '근대 자유주의 이론의 공동체적 결속의 탁월한 개념'을 제공하기 때문에, 가령 듀이는 '형제애로 결속된 대중'에 대해 말하고 있으며 롤즈는 자신의 차이 원칙을 '형제애의 자연적 의미'로서 여기는 것이다.[47]

시민적 개인과 공동체를 다시 통합시키려는 (혹은 공과 사 사이의 자유주의적 구분을 다시 통합시키려는) 사회-자유주의적인 시도와 사회주의적 시도 둘 다 '형제애'를 명시적으로 사용하는 것은 시민사회의 가부장적 특성이 표면 위로 나타나기 시작했음을 의미한다. 더 나아가서, 개인의 남성적 속성들이 노출되기 시작했다. '개인'이라는 범주의 보편주의는 신체로부터의 추상화가 유지되는 한에서만 유지될 수 있다. '개인'은 허구이다: 개인들은 두 개의——남성적이거나 여성적인——신체 가운데 한 가지를 갖는다. 그런데 어떻게 여성적 신체가 (자유주의적이든 사회주의적이든) 형제애적 정치체의 일부가 될 수 있겠는가?

시민권은 이제 어떻게 우리가 남성적 형상으로 된 시민적 '개인들'이 될 수 있을 것인가 하는 실질적인 문제를 제기하며 여자들에게까지 공식적으로 확장되었다. 남성성, 시민권, 무기를 드는 것 사이의 밀접한 관계가 실제로 중요하다는 것은 여자들이 시민사회의 원리들의 보편주의를 액면 그대로 받아들이며 참정권을 요구했을 때 명시적으로 드러났다. 반-참정권론자들이 입은 갑옷에 달린 '보석'은 물리적 힘으로부터의 논변이었다.[48] 여자들은 자연본성상 무기를 들거나 폭력을 사용할 수

46. G. F. Gaus, *The Modern Liberal Theory of Man* (Croom Helm, London, 1983), p. 90.

47. Gaus, *The Modern Liberal Theory*, p. 94; 그는 91쪽과 94쪽에서 듀이와 롤즈를 인용하고 있다.

48. 이 묘사는 B. Harrison, *Separate Spheres: The Opposition to Women's Suffrage in Britain* (Holmes & Meier, New York, 1978), 4장에서 가져온 것이다. 한때는 여자들이 군대의 본질적 부분이었지만, 세계 1차 대전 즈음 '서양 군대 안에서

없고 그럴 의지도 없기 때문에 여자들이 시민이 된다면 국가가 불가피하게 치명적으로 약화될 것이라고 주장되었다.

여자들이 참정권을 가진(그리고 심지어는 수상이 되기도 한) 지금도 여전히 시민권에 대한 동일하게 가부장적인 관점이 발견되고 있다. 1981년 영국 하원에서의 국적 법안에 대한 토론에서 이녹 파월(Enoch Powell)은 '국적은 결국에는 싸움으로 시험되는 것이다. 남자의 국가는 그가 그것을 위해 싸울 국가'이기 때문에 여자들이 자신들의 시민권을 자녀에게 물려주어서는 안 될 것이라고 주장했다. 남자들과 여자들의 차이는 시민권에서 표현되어야만 하는데, '한편에서는 싸움과 다른 한편에서는 삶의 창조와 보존' 사이의 차이이다.[49] 이제는 여자들이 군사 병력의 일원으로 포함되기도 한다는 것이 사실이지만, 그들은 여전히 전투부대로부터 배제되어 있는데, 이는 형제애의 작동을 예증한다.[50]

'남자들은 자유롭게 태어났다': (남성적인) 자연적 종속의 거부는 힘이 아닌 의지가 국가의 기반이라는 혁명적인 주장을 낳았다. 형제애적 계약 이야기의 주된 성공 중 하나는 그것이 시민사회 안에서 강제와 폭력을 모호하게 만드는 데에 일조한 방식과 '의지'가 지배와 종속의 관계들 안에서 결정된 방법에 있다. 계약 이론의 비판가들은 계약 당사자

여자들이 가졌던 과거의 필수적 자리는 기억에서 사라졌다'(여자들에 관한 다른 많은 것들처럼 말이다!). B. C. Hacker, 'Women and Military Institutions in Early Modern Europe: A Reconnaissance', *Signs*, 6(4), (1981), pp. 643-71을 볼 것. (인용 출처는 p. 671.).

49. 다음에서 인용. *Rights*, 4(5), (1981), p. 4.

50. 여자들과 군사와 전투에 관해서는 다음을 볼 것. J. Stiehm, 'The Protected, The Protector, The Defender', *Women's Studies International Forum*, 5 (1982), pp. 367-76; 그리고 *Bring Me Men and Women: Mandated Change at the US Air Force Academy*의 후기인 'Reflections on Women and Combat' (University of California Press, Berkeley, CA, 1981).

들 사이의 불평등과 착취에 관해서는 많은 이야기를 했지만, 계약과 종속의 결과들에 관해서는 보다 적게 이야기했다. 어떻게 계약이 성적으로 귀속적인 지배와 종속에 자유의 외양을 제공했는지에 관해서 드물게 논의했을 뿐이다. 계약은 또한 무장한 남자의 형상을 시민적 개인의 그림자 뒤에 숨겨놓는다. 푸코는 사회의 '군사적 통제의 꿈(military dream)'을 기원적 계약(친숙한 이야기들 안에서 기원적 협약으로서 제공된 어떤 것)과 대치시켰지만, 그 둘은 보이는 것만큼 그리 떨어져 있지는 않다.

푸코는 '군사적 통제의 꿈'이 '자연 상태에 있었던 것이 아니라, 하나의 기계장치의 주도면밀하게 돌아가는 톱니바퀴에 있었으며, 원시적인 계약이 아니라 끝없는 강제권에, 기본적 인권에서가 아니라 끝없이 발전되는 훈련방법에, 그리고 모든 사람의 의지가 아니라 자동적인 복종'에 유의했다고 말한다.[51] 푸코가 묘사하는 신체의 자동적인 복종과 규율은 형제애적 사회계약이 낳은 결과의 일부분이다. 푸코는 '규율장치의 발전과 일반화'가 '명문상으로는 평등한 법률적 범주'의 발달 과정의 '어두운 이면을 만들어 놓았다'라고 진술한다.[52] 그러나 그 규율들이 '계약적 고리를 체계적으로 왜곡하는' 것이 아니라, 오히려 가부장적 규율이기도 한 시민사회 안에서의 규율이 계약을 통해 전형적으로 확립되는 것이다. 푸코가 강조하듯 시민사회에 특징적인 종속 형태들은 힘뿐만 아니라 종속된 자들의 공모를 통해 발전했다. (중요하게는 저항이 그러하듯) 자유와 평등의 가부장적 형태들이 의식에 스며들 때 더더욱 수월해지는 공모 말이다. 가령 '개인들'이 자유 계약에 의해 공적으로 승인되는

51. M. Foucault, *Discipline and Punish: The Birth of the Prison*, tr. A. Sheridan (Vintage Books, New York, 1979), p. 169. [국역본: 『감시와 처벌』, 오생근 옮김, 나남, 265쪽.]

52. Foucault, *Discipline and Punish*, pp. 222-3. [국역본: 339쪽.]

결혼 상대를 자유롭게 선택할 수 있을 때, 결혼 계약이 의례를 통해 아내들의 가부장적 종속과 남편의 남성적 특권을 승인하는 정치적 허구라는 사실을 인정하는 것이 보다 어려워진다.[53]

근대적인 신체의 규율은 신체로부터 이성을, 그리고 여자들의 신체로부터 남자들의 이성을 이미 분리해놓은 정치 이론의 도움을 받았다. '군사적 통제의 꿈'이 남자들의 꿈인 반면, 형제애의 사회계약은 여자들의 꿈이기도 하다는 중요한 사실을 푸코는 무시한다. 그러나 여자들의 꿈은 완수될 수 없다. 비록 표면상 보편적인 계약의 범주들이 그것을 늘 유혹적으로 보이게 할지라도 말이다. 자유주의 여성주의의 역사는 자유주의적 자유와 권리를 성인 인구 전체에 일반화하려는 시도의 역사이다; 그러나 자유주의 여성주의는 어떻게 여자들이 가부장적 시민 질서 안에서 평등한 자리를 차지할 것인가의 보다 심오한 문제와 씨름하지 않으며, 할 수도 없다.

여성주의적 투쟁이 이제는 여자들이 공식적으로 거의 평등한 시민이 된 지점에 도달하자, 남성의 형상을 따라 만들어진 평등과 여자로서의 여자들의 진짜 사회적 위치 사이의 대립이 부각되었다. 물론 여자들이 시민적 삶에서 완전히 배제된 적은 없지만——근대 시민적 질서의 두 영역들은 현실에서는 분리되어 있지 않다——우리들은 단일한 방식으로만 포함되어왔다. 관습적, 계약적, 보편적으로 제시되는 세계에서 여자들의 시민적 위치는 여성됨의 자연적 특수성으로 정의되는 귀속적인 것이다; 가부장적 종속은 시민적인 삶 도처에서——가족에서와 마찬가지로 생산과 시민권에서——사회적으로 그리고 법적으로 유지된다. 따라서 여자들의 종속을 탐색하는 것은 남자들의 형제애를 탐색하는 것이기도

53. 다음을 볼 것. C. Pateman, 'The Shame of the Marriage Contract', J. Stiehm, ed., *Women's View of the Political World of Men* (Transnational Publishers, Dobbs Ferry, NY, 1984).

하다. 최근의 여성주의 연구는—상이한 계급과 인종의 남자들 사이에서의 중요한 구분들에도 불구하고(그리고 형제애가 명시적으로 표현되는 연합들과 클럽들은 통상 매우 분리되어 있다)—어떻게 남자들이 **남자들로서** 가부장적 권리의 권력과 특권을 사회-정치적 삶 전체에서 유지하고 있는지 드러내기 시작했다.

형제애적 사회계약 이야기는 시민사회의 범주들과 실천들이 단순하게 여자들에게까지 보편화될 수 없다는 것을 보여준다. 사회계약은 여자들에 대한 남자들의 성적 권리를 확립한 근대적인 가부장적 협약이며, 시민 개인은 여자들과 우리 신체가 상징하는 모든 것에 대립적으로 구성되었는데, 어떻게 우리 여자들이 시민사회의 완전한 일원이 혹은 형제애의 계약의 완전한 당사자가 될 수 있겠는가?

[이 질문에 대한] 모순적인 답변은 여자들은 시민사회 안에서 자신의 신체를 부인해야만 하고 형제애의 일부로서 행동해야 한다는, 그러나 우리들은 결코 여자들 이외의 어떤 것으로 고려되지 않기 때문에 그와 동시에 여성성의 가부장적 개념 혹은 가부장적 종속을 계속 긍정해야만 한다는 것이다.[54] 시민사회와 여자들과 우리 신체들 사이의 기이한 관계는 남편이 아내의 신체를 그녀의 의지에 반하여 사용할 수 있는 권리를 폐지한 사법적 관할구역이 거의 없다는 사실이, 강제적 성관계('성적 희롱')가 일상적 직장생활의 일부라는 사실이, 여자들의 신체가 자본주의 시장에서 팔리고 있다는 사실이,[55] 미국에서는 1934년, 영국에서는 1948

54. 대처는 대단히 흥미로운 사례를 제공한다. 한편으로 그녀는 '내각의 최고의 남자(the best man in the Cabinet)', 포클랜드 전쟁의 승리자, 레이건의 리비아 국가 테러의 공모자이며 무기를 들고 사진을 찍는다. 다른 한편으로 그녀는 언론에 (머리칼을 염색하는 것과 같은) '여성적' 문제에 관해 말하며, '4년이 지났지만 10년 젊어 보인다'와 같은 헤드라인을 끌어당기고, 사회복지 지출 삭감에 관해 말할 때 살림꾼의 언어를 사용한다. A. Carter, 'Masochism for the Masses', *New Statesman*, 3 June 1983, pp. 8-10을 볼 것.

년까지도 여자들이 외국인과 결혼하면 시민권을 잃었다는 사실이, 1983년에서야 비로소 모든 영국 여자 시민들이 자신의 시민권을 남편들에게 건네는, 그래서 그들이 영국에서 사는 것을 가능케 하는 권리를 쟁취했다는 사실이,[56] 복지 정책들이 여전히 개인으로서의 여자들의 지위를 완전히 인정하고 있지는 않다는 사실이 예증해 준다.

여자들과 남자들이 자유로운, 진정으로 민주주의적인(혹은 진정으로 '문명화된') 사회의 완전한 일원이 되기 위해 요구되는 이론적 및 사회적 변형은 상상 가능한 가장 광범위한 변형이다. (여기에서 논의된 두 가지 의미 모두에서) '시민사회'의 뜻은 여자들과 우리 여자들이 상징하는 모든 것을 배제함으로써 구성되었다. 시민사회의 가부장적 개념을 '재발견'하는 것은 남자들의 가부장적 권리에 도전하는 데 기여하는 바가 거의 없을 것이다. 여자들을 완전한 시민으로 포함하는 진정으로 민주주의적인 사회를 창조하기 위해 정치체에 대한 우리의 이해를 해체하고 재조립하는 것이 필수적이다. 이 과업은 공과 사의 가부장적 분리를 분해하는 것에서부터 여성 존재와 남성 존재로서 우리의 개인성과 성적 정체성을 변형시키는 것에까지 확장된다. 이러한 정체성들은, 이성과 욕망 사이의 가부장적 이분법에 대한 다면적인 표현의 일부로 이제 맞서고 있다. 정치 이론과 실천의 가장 심오하고 복잡한 문제는 어떻게

55. 매춘에 대한 계약론적인 옹호의 비판은 나의 'Defending Prostitution: Charges Against Ericsson', *Ethics*, 93 (1983), pp. 561-5, 그리고 *The Sexual Contract*, 7장을 볼 것.

56. 이 권리는 여전히 영국의 흑인 여자들이 그것을 행사하기 어렵게 만드는 이민 제약들로 둘러싸여 있다. 영국 법에 관한 성과 인종의 대화에 관한 보고는 다음을 볼 것. Women, Immigration and Nationality Group, *Worlds Apart: Women Under Immigration and Nationality Law* (Pluto Press, London, 1985). 미국에 관해서는 다음을 볼 것. V. Sapiro, 'Women, Citizenship and Nationality: Immigration and Naturalization Policies in the United States', *Politics and Society*, 13(1) (1984), pp. 1-26.

인류의 두 신체들과 여성적 및 남성적 개인성이 정치적 삶 안으로 완전하게 통합될 수 있을 것인가이다. 어떻게 가부장적 지배, 대립, 이중성이라는 현재가 자율적, 민주주의적 차이화의 미래로 변형될 수 있을까?

아버지들의 전통적 가부장제는 오래전 시민사회의 형제애적, 근대적 가부장제로 변형되었다. 어쩌면 희망이 있을지도 모른다. 왜냐하면 이러한 관찰들은 미네르바의 부엉이의 날개 그림자 아래에서만 쓰일 수 있기 때문이다. 그렇지 않다면 낙관을 위한 시간은 어쩌면 지난 것일지도 모른다. 여성주의는 무장한——이제 검이 아닌 플라스틱 탄환, 산탄식 폭탄, 생화학 및 핵무기로 무장한——남자의 형상이 시민 개인의 형상을 완전하게 지워버린 가부장제의 위기 속 한 지점에서 재-출현한 것일지도 모른다. 어쩌면 메리 오브라이언(Mary O'Brien)이 제안하듯, '형제들은 정신이 나가서 우주 마법사의 견습생 기간의 창조물들을 제어할 수 없게 된 것'일지도 모른다.[57]

57. O'Brien, *The Politics of Reproduction*, p. 205.

3
정치적 의무의 정당화

오늘날의 정치 이론가들은 정치적 의무가 정당화를 요구한다는 의미에서 문제를 제기한다는 점에 대체로 동의하고 있다. 그러나 그들은 또한 자유민주주의 국가의 권위 내지는 그 시민들의 정치적 의무에 대한 정당화를 제공하는 데 진정으로 심각하거나 다루기 힘든 어려움은 없다는 것에 거의 만장일치로 동의한다. 실로 몇몇 이론가들은 심지어 정치적 의무가 정당화를 요구한다고 주장하는 것, 그것이 진정으로 일반적인 문제를 제기한다고 주장하는 것은 스스로가 개념적으로 혼동된 그리고 철학적 무질서의 상태에 있음을 보이는 일이라고 주장하는 데까지 나아갔다. 나는 후자의 주장에 관해 다른 곳에서 반론을 제기한 바 있다.[1] 이 장에서 나는 자유민주주의 국가에서 정치적 의무를 정당화하는 데 문제가 거의 없다고 가정하는 것이 실수라는 것뿐만 아니라, 가장 빈번하게 제시된 정당화들이 문제에 대한 해결책을 제공하지 않는다는 것을 주장할 것이다. 정치 이론가들이 일반적으로 개인의 자유와

1. 'Political Obligation and Conceptual Analysis', *Political Studies*, 21 (1973), pp. 199-218.

평등이라는 중요한 자유주의적 원리들과 필수불가결하게 묶여 있는 주의주의적 논변들에 호소한다는 것을 나는 보여줄 것이다. 이러한 논변들은 자유민주주의 국가에서의 정치적 의무에 대한 정당화를 제공할 수 없다. 대신, 그것들은 정당화된 정치적 의무가 민주주의의 참여적, 혹은 자가 관리적 형태 안에서만 현존할 수 있다는 결론으로 이끈다.

자유민주주의 국가 안에서의 정치적 의무를 논의할 때 이론가들은 대부분 변함없이 어떤 형태의 주의주의에 의존한다. 동의, 계약, 합의, 헌신 또는 약속들, 혹은 보다 광범위하게는 정치적 의무를 발생시킨다고 여겨지는 개인들의 자발적인 행위들에 호소하는 것이다. 다시 말해, 정치 이론가들은 통상 정치적 의무가 스스로 떠맡은 의무의 형태, 혹은 개인들이 자유롭게 들어서고 자신들의 행위를 통해 자유롭게 스스로 취하는 도덕적 헌신이라고 가정한다. 이 가정 근저에는 자유민주주의를 특정 종류의 거주자들이 있는 사회의 일정한 종류로 보는 관점이 있다. 이 관점은 롤즈가 멋지게 요약하고 있는데, 그는 자유민주주의 '사회는 가장 자발적인 체제에 가까이 접근하게' 되고 '그 사회의 성원들은 자발적이며, 그들이 받게 되는 책무는 스스로 부과한 것이 된다'라고 말한다.[2] 그러나 정치적 의무에 대한 동시대적 논의에서 놀라운 한 가지 특징은 정확하게 왜 주의주의가——혹은 동의, 합의 그리고 약속의 관념들이——그토록 중요한 것인지, 왜 스스로 책무들을 취하거나 떠맡아야 하는 것인지 하는 물음이 거의 질문되지 않는다는 것이다. 자유민주주의 국가에서 정치적 의무를 정당화하는 문제가 얼마나 큰 문제인지를 이해하려면 이 질문에 대한 답변이 요구된다.

주지하는 바와 같이 17세기와 18세기에 동의와 그 연관 개념인 사회계약이 중심적이고 근본적인 정치 이론들이 각광을 받게 되었다. 이는

---

2. J. Rawls, *A Theory of Justice* (Oxford University Press, Oxford, 1972), p. 13. [국역본: 『정의론』, 황경식 옮김, 이학사, 48쪽.]

놀라운 것도 아니다. 정치적 관념들과 개념들은——매우 많은 정치 이론가들이 그것들을 취급하는 방식에도 불구하고——그것들만의 분리된, 무시간적 세계 안에 현존하는 대신 사회적 삶의 특정한 형식의 구성을 돕는다. 사회계약 및 동의 이론들은 사회경제적 발전과 변화가 컸던 시기, 자본주의 시장경제와 자유주의적 법치국가가 출현하기 시작했던 시기에 정식화되었다. 이 발전의 일부로서 개인들과 그들의 관계들이 새롭고 혁명적인 방식으로 보이기 시작했다. 계약 이론가들은 개인들이 '자유롭고 평등하게 태어났다'라는 내지는 개인들이 '자연적으로' 자유롭고 서로에 대해 평등하다는 전제에서 출발해 자신들의 논변을 전개했다. 이러한 생각은 사람들이 신이 창조한 불평등과 종속의 '자연적' 위계 안에서 태어났다는 오랫동안 지배적이었던 견해와 완전히 대조적이었다. 이 전통적 관점 안에서, 특정 통치자의 명령할 권리가 갖는 범위에 대한 논쟁은 종종 일어났을지라도, 정치적 복종에 대한 일반적 의구심을 위한 공간은 희박했다——통치자들과 정치적 복종은 세계에 대한 신의 섭리의 일부였던 것이다. 그러나 개인들이 자유롭고 평등하게 태어났다는, 혹은 '자연적'으로 그렇다는, 생각이 통용되기 시작하자——그렇지 않다면 어떻게 그들이 자유롭게 계약을 맺고 시장에서 등가 교환을 하고, 적절하다고 여겨지는 이해를 추구할 수 있겠는가?——정치적 권위와 정치적 복종에 대한 매우 큰 질문 또한 제기되었다.

사회계약 이론가들은 자유주의적 개인주의가 갖고 온 문제를 굉장히 잘 인지하고 있었다. 즉, 어떻게 그리고 왜 자유롭고 평등한 개인이 그 어떤 누군가에 의해서건 정당하게 통치될 수 있는가 하는 것이다. 이 전복적인 물음의 완전한 함축은 오늘날까지도 완전히 해결되지 않았다. 가령 자유롭고 평등한 여자 개인이 결혼하는 남자의 권위에 종속되어야 한다는 널리 받아들여지는 믿음에는 그 어떤 충분한 이유도 없다는 여성주의자들의 논변을 고려해 보라. 더 나아가, 이 기초적 질문의 출현은 정치적 권위와 정치적 복종을 그토록 오랫동안 감싸 안아주었던 그 안전성이 다시 되돌아올 수 없다는 것을 뜻한다. 오해를 피하기 위해 여기에서 나는 철학적 무정부주의자들과 같이 정치적 권위와 개인의 자율성 사이에, 혹은 개인의 자유와 평등 사이에 메워지지 않는 깊은 구렁이 있다고 주장하는 것이 아니라는 것을 밝혀야 할 것이다.[3] 나는 정부에 관한 이 근본적 질문에 대한 받아들여질 만한 답변이 불가능하고 정치적 의무가 지엽적인 개념이라고 주장하려는 것이 아니다. 오히려 나는 정치적 의무가 정당화될 수 있지만——그리고 그것은 언제나 정당화를 요구하지만——유일하게 받아들여질 만한 정당화는 이 주제를 다룬 대부분의 저자들이 탐색하기를 무시해 온 함축들을 갖고 있다고 주장하는 것이다.

개인의 자유와 평등이라는 첫 공준을 고려할 때 정치적 의무와 정치적 권위에 대한 합리적이고 받아들일 만한 정당화는 단 하나이다. 개인들은 그러한 관계에 들어설 것을 스스로 동의, 계약, 합의, 선택 내지는 약속해야 한다. 정치적 권위는 개인들 자신의 자발적 행위에 기초해야 한다. 또는, 이를 달리 표현하자면, 개인들이 자신들의 정치적 의무를 스스로 자유롭게 떠맡아야 한다. 자유주의적 개인주의의 발전과 함께 개인과 정부의 관계는 한낱——그것이 어떻게 생겨났든——복종의 관계에서 책무의 관계로, 개인들이 그 안에서 자신의 자유로운 행위에 의해 매여 있는 관계로 변형되어야만 한다. 그러나 그렇게 하고 나면 정치적 의무는

3. 철학적 무정부주의적 논변의 최근 사례는 P. Abbot의 *The Shotgun behind the Door* (University of Georgia Press, Athens, GA, 1976)에서 확인할 수 있다. R. P. 볼프(Wolff)는 자신의 철학적 무정부주의에 대하여 모호하게 말한다. 책의 마지막 부분에서 그는 자율성과 권위의 문제에 대한 해결책이 '자발적 공모'에 기초하는 제도들 안에서 발견될 수 있음을 암시한다. R. P. Wolff, *In Defense of Anarchism* (Harper & Row, New York, 1970)을 볼 것.

일반적인 문제가 된다; 그것은 당연하게 받아들여질 수 없고, 항상 매우 구체적인 정당화가 요구된다. 정치적 의무의 논의 안에서 주의주의적 정당화를 마주치게 되는 빈도는 이론가들이 계약 이론가들로부터 물려받은 자유주의적 유산을 포기하기를 얼마나 꺼려하는지 예증해 준다. 이는 자유민주주의 국가에서 정치적 의무가 적절한 방식으로 꽤 쉽게 정당화될 수 있다는 널리 받아들여진 가정 또한 예증한다. 그러나 대부분의 이론가들은 정치적 의무의 주의주의적 정당화에 대해서 극도로 애매한 태도를 보이고 있다——비록 그 애매성이 통상 인정되지는 않지만 말이다.

개인들이 합의나 동의나 약속을 했건 안 했건 그들은 그럼에도 불구하고 자유민주주의 국가에서 정당화된 정치적 의무를 갖는다는 것이 빈번히 주장되곤 한다. 이 주장은 자유민주주의 국가에서 정치적 의무가 문제적이지 않다는 가정을 유지시키는 동시에 누가, 언제 그리고 어떻게, 이러한 행위들을 수행했는지 특정하는 악명 높은 어려움을 피해 간다. 이 논법의 특히 기억할 만한 사례는 터스먼(Tussman)의 『책무와 정치체』(*Obligation and the Body Politic*)에서 발견할 수 있다. 그는 자유민주주의 국가가 그 구성원의 자격이 동의에 기초하고 있는 주의주의적 연합으로서 간주되어야 한다고 주장한다. 그러나 그는 모든 시민들이 동의하지는 않는다고도 주장하고 있다. 일부(대다수?)는 미성년자들처럼 자기 자신의 동의 없이 지배받는 '어린신부 시민들'인 것이다. 그러나 이러한 시민들 또한 정당화된 정치적 의무를 갖는다——비록 터스먼이 그 근거에 관해서는 우리에게 알려주지 않고 있지만 말이다. 그렇다면 명시적으로는 동의가 중요하더라도 주의주의가 정치적 삶에 대해 오로지 제한적인 관련만을 갖는 것처럼 보인다. 또한, 정치적 '책무'가 모든 시민들과 국가 사이의 관계를 적합하게 특징짓는 것처럼 보이지는 않는 것 같다.

우리가 일상생활 속에서 책무를 떠맡는 전형적인 방식은 약속을 통해서이다. 개인이 '나는 약속한다'라고 말할 때 그 또는 그녀는 책무를 떠맡은 것이고, 어떤 행위들을 수행하(거나 삼가)겠다고 확약한 것이다. 정치 이론가들은 정치적 의무가 약속과 같거나 약속에 근거한다고, 또는 특별한 종류의 약속이라고 종종 주장해왔지만, 이는 다시금 시민과 자유민주주의 국가 사이의 관계가 스스로 떠맡은 책무의 한 형태라는 것을 상정하는 것이다. 정치적 의무를 약속이라는 사회적 실천과 비교하는 것은 통상 매우 일반적인 용어로 이루어질 뿐이며 거의 추구되지 않는다. 그러나 자유민주주의 국가에서 정치적 의무의 문제의 전체 범위가 정확히 이 비교를 고려함으로써 드러나게 된다. 최근 몇 년간 도덕 철학자들은 약속에 상당한 관심을 기울였다. 나는 현재 논의에서 특히 중요한 약속의 몇몇 측면들만을 여기에서 언급할 수 있다.[4]

약속하는 것은 자유롭고 평등한 개인들이 자유롭게 자신들의 사회적 관계를 창조하는 가장 기초적인 방식들 가운데 하나이다. 사회적 및 도덕적 교육의 일부로서 개인들은 약속하기라는 사회적 실천에 어떻게 참여하는지 배우며, 따라서 일정한 종류의 역량을 가진 사람으로 발전해 간다. 이러한 역량들은 이 경우에 약속을 할 것인지 결정하는 데 요구되는 합리적이며 추론을 거친 숙고에 참여할 수 있는 능력과 자기 스스로의 행위와 관계들을 돌이켜보고 비판적으로 평가할 수 있는 능력 또한 포함한다. 때때로 약속은 정당하게 깨지거나 어떤 방식으로 바뀌거나 개정될 수 있다. 정치적 의무가 약속과 같거나 그것의 한 형태라면 이제 제기되어야 할 중요한 물음이 있다. 즉, 시민들이 어떻게 자신의 정치적인 책무들을——그들의 다른 책무들처럼——스스로 떠맡을 수

4. 약속이라는 사회적 실천과 그것이 정치적 의무와 계약들에 대해 갖는 관계에 관한 상세한 논의는 Carole Pateman, *The Problem of Political Obligation: A Critical Analysis of Liberal Theory*, 2nd ed. (Polity Press, Cambridge, 1985; University of California Press, Berkeley, CA, 1985)에서 확인할 수 있다.

있는가? 어떤 형태의 정치 체제가 이를 가능하게 할 것인가? 요컨대 약속이라는 사회적 실천의 정치적 대응물이 무엇인지 질문되어야만 한다.

정치적 삶에서 투표는 개인들이 추론을 거친 숙고에 참여하고 정치적 삶과 환경을 어떻게 질서 지을지를 스스로 결정할 수 있게 해주는 실천이다. 투표의 결과는——약속의 결과처럼——확약 또는 책무이다. 비록 투표의 경우, 이는 개인적인 것이 아닌 집단적인 확약이 될 것이지만 말이다. 그러나 일반적 투표와 정치적 의무 사이의 이러한 추상적이고 개념적인 관계는 스스로 떠맡은 책무라는 정치적 실천이 존재하기 위해 투표가 취해야 할 특정한 형태를 말해주지는 않는다. 정치 이론가들은 종종 자유민주주의적 투표 형태가 요구된다는 것을 제안하며, 나는 이 제안에 대한 몇 가지 추가적인 반론을 나중에 제시할 것이다. 지금은——약속과의 유비를 유지시키기 위해——투표가 개인들이 집단적으로 자신들의 정치적 의무를 스스로 결정할 수 있게 해준다는 것을 지적하는 것만으로도 충분하다. 이를 허용하는 것은 직접적 혹은 참여적 민주주의 투표 형태이다. 개인들이 시민으로서 자신들의 정치적 의사결정 능력을 보유하는 것은 민주주의의 참여적 형태 안에서이다. 그들은 개인으로서의 사적 역량 안에서 스스로에 대한 정치적 권위를 행사한다——많은 사람들이 이를 이상하게 생각하는데, 그것은 우리가 대표자들이 시민들에 대한 정치적 권위를 행사한다고 생각하는 것에 너무 익숙해 있기 때문이다. 그리고 그들은 자신의 결정을 실현시키고 자가 관리된 정치적 연합의 존재를 유지하기 위해서 필요한 무엇이든 하기 위해 집단적으로 확약하거나 자유롭게 책무를 떠맡는다. 약속하기와 같이, 시민들이 스스로의 행위와 결정을 반성하고 평가하며 필요한 경우 그것을 바꿀 역량을 정치적으로 행사하게 해주는 것 또한 참여적 민주주의 투표 형태이다. 따라서 개인의 자유와 평등이라는 자유주의적 원리와 스스로 떠맡은 책무라는 그것의 귀결은 자유주의적 민주주의가 아니라 참여적 민주주의의 정당화로 이어지고 그 정당화를 제공한다.

여기에서 추가로 지적해야 할 두 가지 점이 있다. 첫 번째는, 이후에 다시 다루겠지만, 참여민주주의에서 정치적 의무는 국가나 그것의 대표자들이 아닌 동료 시민들에 대해 지는 것이라는 점이다. 달리 누구에 대해 질 수 있겠는가? 두 번째, 우리가 다룰 질문은 정치적 의무에 대한 최근의 논의에서 제기되는 질문이 아니라는 점을 강조하는 것이 중요하다. 통상 이론가들은 스스로 떠맡은 책무의 이상이 갖는 정치적 결과가 무엇인지 질문하지 않는다. 이는 문제가 있다는 것을 전제하게 될 테니 말이다! 대신 자유-민주주의 국가 안에서 정치적 의무가 정당화되었다는 그들의 가정을 따라 그들은 (암묵적으로) 질문한다: 어떻게 개인들이 그들의 정치적 의무에 자발적으로 동의하는가, 혹은 정치적 의무를 발생시킨다고 합리적으로 말해지거나 추론될 수 있는 자발적 행위는 무엇인가? 이 질문에 대한 그들의 답변을 살피기 전에 나는 잠시 멈추어 로크의 이론을 사례로 삼아 내 주장과 최근의 논의들이 고전적 사회계약 이론에 대해 갖는 관련에 대한 무엇인가를 말하고자 한다.

계약 가설은 '태초에' 자유롭고 평등한 개인들이 어떻게 정치적 권위 아래 살 것을 합리적으로 동의할 수 있는지 보여주는 한 가지 방식이다. 그러나 자유주의적 사회계약에는 두 가지 단계가 있는데 각각의 단계가 갖는 중요성이 매우 다르다.[5] '흩어진' 개인들이 새로운 정치적 공동체를 형성하는 방식을 보여주는 것은 계약 이야기의 첫 부분이다. 사회계약의 이 부분은 공동체의 구성원들 사이에 책무를 확립하고 그들의 손에

5. 루소의 사회계약 이론은 자유주의 계약 이론에 대한 명석한 비판 및 비-자유주의적인 대안을 제공한다. 그의 비판은 정치적 의무의 저자들에 의해 통상 무시되곤 한다.

권위를 놓는다. 따라서 그 자체로 취해 보면 계약의 첫 단계는 약속과의 유비에 대한 질문과 관련이 있다. 로크는 사회계약의 첫 부분을 (정치적 공동체가 만들어져야 하기 때문에) 필수적인 것으로, 그러나 중요하지 않은 예비 단계로 취급한다. 자유주의 이론에서 근본적인 것은 계약의 두 번째 단계이다. 이 두 번째 단계는 새로운 공동체의 구성원들이 몇몇 대표자들에게 정치적 권위를 행사할 권리를 양도하는 것이 필수적이라는 가정을 구현한다. 따라서 계약의 자유로운 합의는 몇몇 대표자들이 개인들의 정치적 의무의 내용을 결정하는 것에 대한 합의가 된다. 스스로 떠맡은 책무는 자신의 정치적 의무를 다른 사람들이 결정할 것을 허용하는 책무가 된다. 약속과의 유비는 이제 잘못 자리를 잡은 것처럼 보이기 시작하고, 더 나아가 정치적 의무는 이제 시민들이 서로에 대해 지는 것이 아닌, 국가와 그 대표자들에 대해 지는 것이 된다.

로크는 사회계약의 관념에서 자신의 이론을 마무리할 수 없었다. 그는 아들들이 진정으로 자유롭고 평등하게 태어났다면 아버지들의 합의가 아들들까지 구속할 수는 없을 것이라는 부권주의자들의 반대에 마주쳐야 했다. 따라서 로크는 동의 개념을 자신의 이론 안으로 들여와야만 했다.[6] 아들들은 자기 차례가 되자 아버지들이 만든 정치적 합의에 자발적으로 동의하거나 합의했다. 로크는 현대의 이론가들과 동일한 문제에 답해야만 했다. 정당한 정치적 체제를 전제할 때, 어떻게 개인들이 그에 동의한다고 말하여질 수 있을까? 개인들의 행위의 어떤 측면으로부터 정치적 의무를 추론할 수 있는가?

동의에 관한 논의에서 로크는 명시적 동의가 정치적 의무를 발생시키며 개인을 정부의 신민(subject)으로 만든다는 점을 그 누구도 의심하지

6. 통상 동의어적인 것으로 취급되는 계약과 동의의 구별에 관해서는 G. J. Schochet, *Patriarchalism in Political Thought* (Basil Blackwell, Oxford, 1975), pp. 9, 262를 볼 것.

않는다고 말한다. 동의에 관한 어려움은 '그가 전혀 명시적 동의를 표하지 않은 정부에 대해서' 발생한다.[7] 로크는 공동체의 구성원들이 정부의 보호 아래 평화롭게 일상적으로 교류하는 것으로부터 그들의 암묵적 동의를 추론할 수 있다는 유명한 주장으로서 이 문제를 해결한다. 그러나 누가, 그리고 어떻게, 명시적으로 동의하는가? 로크가 동의를 취급하는 방식은 결코 명료한 모본이 아니며, 이 질문에 대한 가장 그럴듯한 답변은 명시적 동의가 자산을 물려받는――정치적으로 유관한 사회의 구성원들이라고도 불릴 수 있는――개인들에 의해 주어진다는 것이다. 로크는 명시적으로 동의하는 자들을 사회의 '완전한 구성원'이라고 부르며, 그들은――단지 암묵적으로만 동의하는 개인들과는 달리――이민할 권리를 갖지 않는다는 것을 명시한다.[8] 따라서 로크는 차등적인 정치적 의무가 있다는 것을 함축하고 있는 것으로 보인다: 명시적으로 동의하는 자들은 나머지보다 큰 책무를 갖는다.

이런 차등적인 정치적 의무의 암시 속에서 로크는 정치적 의무에 대한 보다 최근의 논의들을 근접하게 예시한다――로크의 다른 논변들에서와 같이 말이다. 그러나 로크의 사회계약 이론과 현대의 논변들 사이에는 굉장히 중요한 차이 또한 있다. 17세기에 로크는 자유주의 국가 시민들의 정치적 의무가 정당한 것으로 여겨진다는 점을 그저 당연하게 받아들일 수는 없었다. 자연 상태에 대한 추측의 역사 속에서 로크는 자기 시대의 사회-경제적 발전이 왕의 신적 권리와 부권주의에 대한 주장을 받아들일 수 없게 만들었다고 주장한다. 자유주의적, 입헌적, 대의제 국가만이 개인의 자산을 보호할 수 있으며, 사회계약 이야기는

7. [로크, 『통치론』, 강정인, 문지영 옮김, 까치, 114쪽.]
8. J. Locke, 'Second Treatise of Government', *Two Treatises of Government*, ed. P. Laslett, 2nd ed., (Cambridge University Press, Cambridge, 1967), II, §116-22. [국역본: 『통치론』, 강정인 옮김, 까치 111-117쪽.]

그러한 국가의 권위에 필수적인 주의주의적 정당화를 제공한다. 로크의 계약은 정치적 권위와 정치적 의무의 문제에 대한 답변이라는 점이 꽤 명백하다는 것을 강조해야만 한다. 가장 최근의 계약 이론의 부흥 안에서는 그런 문제가 용인되지 않는 반면에 말이다——정치적 의무에 대한 오늘날의 다른 논의에서처럼 말이다. 『정의론』에서 롤즈는 자유민주주의 국가가 정당화된 정치적 권위를 그 시민들에 대해 행사한다고 가정한다. '원초적 입장'과 그 '당사자들'의 선택은 자유민주주의에 대한 '우리들의' 숙고된 판단이 합리적이고 받아들일 만한 판단인가 하는 이유를 보여주는 장치이다. 그것은 우리가 시민들과 국가의 관계를 우리가 그렇게 하는 방식으로——정당화된 정치적 의무를 구현하는 것으로——간주하는 것이 어째서 옳은지 보여준다. 롤즈의 계약은 국가의 합리성을 과시한다. 그것은 고전적 사회계약 이론과 달리 국가의 권위가 문제를 제기한다는 입장에서 시작하거나 그 입장을 받아들이거나 하지 않는다. 다시 말해, 자유민주주의 국가는 마치 세계의 자연적 특성인양 오늘날 당연시 여겨지고 있다. 이는 국가가 관습적이라는 고전적 사회계약 이론가들의 관점으로부터의 가장 중요한 전환을 표지한다.

정치적 의무가 더 이상 문제로 여겨지지 않는다는 것은 이제는 동의가 명시적으로 '민주주의 이데올로기의 구성적 요소로서' 취급 받는다는 것을 의미한다.[9] 많은 자유민주주의 이론의 이데올로기적 성격에 대한 비판은 이제 잘 알려져 있다. 나는 여기에서 그것을 추적하진 않겠지만, 한 가지 이데올로기적 가정과 그것이 사회계약론에 대해 갖는 관계는 지적할 만한 가치가 있다.[10] 자유민주주의 이론가들은 자유민주주의적

9. P. H. Partridge, *Consent and Consensus* (Macmillan, London, 1971), p. 23.
10. 자유주의적 사회계약 이론의 유산이 계속적으로 갖는 이데올로기적 중요성은 기묘하게도 맑스주의와 신맑스주의 저자들에 의해 간과되곤 한다. C. B.

투표가 그것이 이론적으로 작동하는 것처럼 실제로도 작동한다고, 보다 구체적으로는 투표가 모든 시민들의 이해를 보호하고 추구한다고 널리 가정한다. 로크는 암묵적 동의를 추론할 수 있었는데, 이는 개인들이 계약 중에 자신들의 '자연적' 자유와 평등을 시민적 자유와 모든 정치적 주체들의 법적 평등으로 교환하기 때문이다. 정부의 목적은 보호하는 데 있으며, 모든 시민들의—로크가 사용하는 용어의 두 가지 의미 모두에서—'자산'은 그들의 새로운 지위 안에서 보호받는다(그렇지 않다면 그들은 계약에 들어서지 않을 것이다). 그 어떤 실질적인 사회적 불평등이 시민들을 갈라놓던 간에 말이다. 따라서 만인이 동의하기를 계속한다고 말해질 수 있다. 로크의 시대 이래로 정치적 주체의 지위는 시민적 자유와 참정권을 행사할 권리를 포함하는 자유민주주의 시민권이라는 공식적으로 평등한 정치적 지위로 변형되었고 제도화되었다. 투표는—그들이 실질적으로 얼마나 불평등하든지 간에—모든 시민들의 이해를 보호해 준다고 주장된다; 따라서 만인이 동의한다고 말할 수 있다.

따라서 동의가 자유민주주의적인 선거 기제를 통해 주어졌다고, 혹은 심지어 그것의 현존과 동일시될 수 있다고 말할 수 있다는 것이 동의에 관한 가장 대중적인 최근의 논변이라는 점은 전혀 놀라운 일이 아니다. 나는 이미 투표와 정치적 의무 사이의 일반적인 개념적 관계가 자유민주

맥퍼슨(Macpherson)은 『소유적 개인주의의 정치적 이론』(*The Political Theory of Possessive Individualism*, Oxford University Press, Oxford, 1962)에서 홉스와 로크를 해석하면서 계약을 무시한 채 시장의 불가피한 법칙에 대한 모든 개인들의 평등한 종속에 의해 자유주의 국가가 정당화된다고 주장한다. 이와 유사하게 하버마스도 '부르주아 입헌국은 합법적인 생산관계 안에서 스스로를 정당화한다'라고 주장한다(J. Habermas, *Legitimation Crisis* (Heinemann, London, 1976), p. 22). 따라서 그들은 직접적으로 정치적인 자유주의 국가의 정당화와 모든 개인들이 시민으로서 공동의 이해를 갖는다는 생각이 갖는 현재의 이데올로기적 강점을 무시한다.

주의적 투표를 통해 실제로 표현된다는 가정에 도전했다(비록 그 일반적인 관계가 이것이 어째서 '당연하게' 보이는지 설명할 수 있게 하지만 말이다). 투표 행위의 경험적 증거에 대한 상당히 피상적인 반성조차도 동의와 자유민주주의적 투표의 단순한 동일시에 대해 즉각적인 의구심을 제기한다. 가령 플라메나츠(Plamenatz)는 선거의 기권자들조차 동의한다고 주장하고, 거워드(Gewirth)는 선거라는 '동의의 방식'은 '누구나 참여할 것을 선택하면 그렇게 할 수 있다'라는 것을 의미하고, 따라서 '개인이 자신의 기회를 개인적으로 사용하든 하지 않든 (…) 책무를 지닌다'라고 진술한다.[11] 이 논변이 민주주의에 대한 경험론적 이론가들이 정치적 무관심에 대해 내리는 결론과 갖는 친밀한 관계는 명백하다. 그리고 그것의 결함 또한 명백하다. [이 논변에서] 무시되고 있는 점은 물론 누가 기권하고 왜 그들이 그렇게 하는지 하는 것이다. 경험적 증거는 사회경제적 하층 집단 및 여성들 가운데서 선거 기권자들이 불균형적으로 나온다는 경향을 보여주고 있다. 그들에게 투표가 가치 있게 보이지 않기 때문에 기권한다는 것 또한 이 증거가 암시하고 있다. 즉, 그들은 자유민주주의 이론이 투표가 성취한다고 주장하는 어떤 것을 그것이 성취한다고 믿지 않는 것이다. 버바(Verba)와 니에(Nie)가 보여주었듯, 투표를 포함한 정치적 참여는 '이미 잘 살고 있는 자들을 돕는다'.[12] 자신들의 불리한 위치를 강화시키는 행위를 개인들이 삼가고 있는데 그들이 동의하고 있다고 고집하는 것은 전혀 이치에 맞지 않는다.

그러나 투표를 하는 자들만큼은 동의하는 것이라고 분명히 말할

11. J. Plamenatz, *Man and Society* (Longmans, London, 1963), vol. 1, pp. 238-40; A. Gewirth, 'Political Justice', *Social justice*, ed. R. B. Brandt (Prentice Hall, Englewood Cliffs, NJ, 1962), p. 138.

12. S. Verba and N. H. Nie, *Participation in America* (Harper & Row, New York, 1972), p. 338.

수 있다는 주장이 가능하다. 투표의 '의미'에 관한 질문은 극도로 복잡한 것이고, 나는 이 주장에 대한 두 가지 주된 반론만을 간략하게 언급할 수 있을 뿐이다. 첫 번째 반론은 남자들과 여자들의 투표와 관련이 있다. 정치학자들은 종종 남자들과 여자들이 투표할 때 무엇인가 다른 것을 하고 있다고 주장한다. 그들은 여성의 투표가 남성의 투표와 '질적으로 다르다'고 주장한다. 훌륭한 자유주의자처럼 행동하는 남자들은 자기 이해로부터 투표를 한다. 여자들은 도덕적인 이유로부터, '선에 대한 일종의 피 흘리지 않는 사랑'으로부터 투표를 한다.[13] 그러나 그것이 사실이라면 여자들의 투표가 남자들의 투표와 동일한 것, 즉, 동의를 의미할 수 있을까? 정치 이론가들은 그들의 남성우월주의적 선입견을 버리거나, 정치적 의무와 투표에 대한 성적으로 차별적인 논변을 구성해야 한다.

두 번째 반론은 '동의'의 유의미한 혹은 진정한 의미의 요구들을 중심으로 한다. 개인이 약속을 할 때 그 또는 그녀는 자신들이 무엇에 헌신되어 있는지 알고, 필요한 경우 책무를 파기하거나 변경할 수 있다. '동의'의 받아들일 만한 의미는 동의하는 자들이 자신들의 행위의 결과에 대한 타당한 지식을 가질 수 있다는 것, 혹은 자신들의 동의를 거부하거나 철회할 수 있다는 것 또한 함축한다. 이 요구가 충족되는 것이 얼마나 어려운지를 예증하는 자유민주주의 선거의 몇 가지 잘 알려진 특성들이 있다. 나는 정치적 세계를 '탈사실화(defactualize)' 하려는 대표자들과 관료들의 시도들과[14] 그들의 체계적인 거짓말로부터 결과하는 문제들은 내버려두고, 첫째, 정당들과 후보자들이 이제는 상업주의적 광고 기술에

13. R. E. Lane, *Political Life* (Free Press, New York, 1959), p. 212.

14. 이 용어는 한나 아렌트의 것이다. H. Arendt, 'Lying in Politics', *Crises of the Republic* (Penguin Books, Harmondsworth, Middlesex, 1973). [국역본: 『공화국의 위기』, 김선욱 옮김, 한길사, 82쪽.]

'팔려'졌으며 시민들은 '이미지들'을 기반으로 투표하도록 촉구된다는 것을——그런데 이미지에 동의하는 것은 어떤 의미에서 가능한가?——지적할 것이다. 두 번째로, 투표와 동의의 투박한 동일시는 자유민주주의적 투표가 하나의 의례에 지나지 않는다는, 혹은 적어도 많은 의례적 요소를 포함한다는 논변들을 무시한다는 것을 지적할 것이다. 분명 많은 시민들은 자신의 투표를 시민권과 연관된 '의무'로 여기며, 또다시 중요한 물음은 이것이 타당하게 자유롭고 의도적으로 주어진 '동의'라 불릴 수 있을 어떤 것을 위한 공간을 얼마나 남겨두느냐 하는 것이다——남겨두기는 한다면 말이다.

정치적 의무의 몇몇 이론가들은 이제 '동의'에 관한 그 어떤 참조도 하지 않게 되었다. 그들은 로크의 암묵적 동의의 학설처럼 보편적 시민권——이는 물론 로크 시대에는 존재하지 않았다——의 일부가 되는 활동들 대신 일상생활에 유의하는, 주의주의적 논변의 다른 형태를 제공한다. 그런 논변들은 책무를 발생시키는 것으로서 개인들이 국가가 주는 이득을 받아들이는 것이나 자유민주주의적 제도에 참여하는 것에 전형적으로 호소한다. 이는 로크의 암묵적 동의처럼 깔끔하게 모든 것을 포괄해 버리는 접근이다——이는 실로 '암묵적 동의'의 단순한 재해석일 뿐이다. 이는 정치적 의무를 추론하면서도 '동의'와 연관된 어려움들을 명시적으로 피해서 가는 또 다른 방식이다. 로크의 이론은 암묵적 동의를 참조하지 않고서도 해석될 수 있으며 몇몇 주석가들은 그것이 가장 적합한 독서라고 주장한다.[15] 로크가 상속이라는 사회적 실천의 이점들을 취한 개인들이 그 실천을 유지시키기 위한 자신들의 역할을 할 책무를 (공정하게) 갖는다는 것을,[16] 또는 고속도로의 이득을

15. 이 해석에 대한 최근의 사례는 A. J. Simmons, 'Tacit Consent and Political Obligation', *Philosophy and Public Affairs*, 5 (1976), pp. 274-91을 볼 것.
16. [국역본, 『통치론』, 71-72쪽.]

취한 자들이 그것을 건설하고 유지하는 정부를 따를 책무가 있다는 것을 주장한다고 여겨질 수 있다.

이 접근이 실제로 조금이라도 논변을 구성하고 있는지는 명백하지 않다. 이는 개념적으로 뻔한 말들의 확장된 집합체에 지나지 않는 것이 아닌지 의심스러워 보인다. 제도나 실천의 현존은 그 안에서 개인들의 참여 또는 협조를 필연적으로 함축한다. 그들 모두가 제도의 유지를 위한 자신의 몫을 다하고('책무를 받게 되고') 있기 때문에 '이득'을 얻는 것이다. 그러나 '이득'은 참여와 별개로 독립적으로 명시될 수는 없고, 후자[참여]는 실천 그 자체이다——혹은 실천 그 자체를 구성한다. 하지만 주의주의의 이러한 형태가 진정한 논변으로 취급 받는다 하더라도, 거기에 대한 몇 가지 기초적인 반론이 있다.

가령 각양각색의 자유민주주의 제도들에 참여하는 결과로 발생하는 책무들이 (만약 그런 게 정말 있다면) 어떻게 정치적 의무와 관련되는 것인지 명확하지 않다. 투표와 동의를 동일시하는 것은 정치적인 활동에 초점을 맞춘다는 장점이 있다. 더 나아가, 그 논변들은 일상생활을 고찰하기 때문에——그 논변들이 뭔가를 보여주고 있다면——그것이 다름 아닌 차별적인 정치적 의무의 현존을 보여준다는 도전에 즉각 노출된다. 나는 관련 문헌에서 '이득'으로 인정되는 것이 무엇인지 명시하고자 하는 시도를 전혀 발견하지 못했지만, 자유민주주의적 제도 전체를 고려해 보면 몇몇 개인들이 다른 이들보다 훨씬 많은 '이득'을 얻는다는 것, 몇몇 개인들 혹은 집단들이 얻는 참여의 결과가 다른 이들이 얻는 것과 매우 다르다는 것은 명백해 보인다. 자유주의 이론의 근본적인 '이득'——개인들이 인신에서 갖고 있는 자산의 보호——을 사례로 들더라도 이는 적용된다. 경험적 연구는 사회의 계급 간 사망률이 다르다는 것을[17], '가난한 자들은 법의 집행자들로부터 부유한 자들이나 중간계급과 동등하게 취급받지 못하며' 이 차별화된 취급이 체계적이고 완전하다는 것을[18], 그리고 여자들이 남자들의 성적인 것을 비롯한 여타의 폭력으로부터 남자들과 동등한 보호를 제공받지 못한다는 것을[19] (여자들이 인신에서 갖고 있는 자산은 남자들의 소유인 것으로 널리 여겨진다는 점도 덧붙일 수 있다) 보여준다. 그렇다면 어째서 대부분의 정치 이론가들이 제도에 참여하거나 이득을 수용한 결과로 여겨지는 책무를 모든——부유하든 가난하든, 노동계급이든 중간계급이든, 남성이든 여성이든——시민들의 동등한 책무로 상정하는 것인가?

흥미롭게도 롤즈는 주의주의 논변의 이 형태에 기초해 시민들이 결코 동등한 책무를 갖지 않는다고 결론 맺는다——사실상 많은 시민들은 정치적 의무를 아예 갖지 않는다고 말이다. 정치적 의무를 갖는 이들은 다만 정치적 삶에서 보다 활동적인 역할을 떠맡기도 하는 '사회에서 보다 나은 지위에 있는 성원들'뿐이다. 인구의 나머지는 단순히 복종의 자연적 의무만을 갖는데, 그것은 '그 적용을 위해서 어떤 자발적인 행위를 필요로 하지 않'는다.[20] 롤즈는 참여와 '이득'에 대한 논변들로부터 논리적인 결론을 이끌어냈지만, 주의주의와 '자발적인 체제'로서 사회적 삶의 이념은 이제 대부분의 인구들에게 있어 내팽개쳐진 것이다.

이것은 주의주의를 보유하면서도 자유민주주의 국가에서의 정치적 의무를 문제없는 것으로 취급하고자 하는 이론가들이 대면하는 딜레마

17. 그 예로 다음을 볼 것. A. Antonovsky, 'Class and the Chance for Life', *Social Problems and Public Policy*, ed. L. Rainwater (Aidine, Chicago, IL, 1974).
18. W. J. Chambliss and R. B. Seidman, *Law Order, and Power* (Addison-Wesley, Boston, MA, 1971), pp. 475.
19. 그 예로 다음을 볼 것. E. Pizzey, *Scream Quietly or the Neighbours Will Hear* (Penguin Books, Harmondsworth, Middlesex, 1974); B. Toner, *The Facts of Rape* (Arrow Books, London, 1977). 또한, 더 타임즈에 보도된 국가 대 홀즈워스(Holdsworth) 사건의 대법원의 판결을 볼 것(*The Times*, 22 June 1977).
20. Rawls, *A Theory of Justice*, pp. 14, 116, 344. [국역본: 48쪽, 170쪽, 451쪽.]

를 부각시킨다. 모든 것을 포괄해버리는 책무를 추론할 수는 있지만('암묵적 동의'), 스스로 떠맡은 책무라는 관념을 무의미한 것으로 환원시키는 대가를 치러야만 한다. 하지만 몇몇 개인들이 다른 이들보다 가진 책무가 덜할 수 있다고, 몇몇은 복종의 '자연적 의무'만을 갖는다고 하는 것을 받아들이는 것은 자유민주주의 이론의 토대를 뒤흔드는 일이거나 어떤 기본적인 자유주의적 원리들을 포기하는 데로 나아가는 길을 따라가는 것이다. 또한 동의와 스스로 떠맡은 책무라는 관념들에 진정한 내용을 부여하려는 그 어떤 시도들이든 대부분의 동시대 이론가들이 피하고자 결심한 것처럼 보이는 자유민주주의 국가에 대한 비판적 질문들에 대해 즉각 자신을 열어놓게 된다.

이론가들이 자못 놀라운 논변을 개진하는 경향의 증가는 시민이 자유민주주의 국가와 맺는 관계에 대한 논변의 현재 상태에 대한 불편함의 증상일지도 모른다.[21] 또한, 그들은 국가가 시민에 대해 정당한 권리를 갖는다고 가정한다고 덧붙여야 할 것이다——그러나 이 가정 아래에서 자신들의 논변이 토대를 깎이기 시작한다. 만약 의무가 동료 시민들에 대해 지는 것이라면, 왜 그리고 어떤 토대 위에서 그것이 국가에 대해서도 정당하게 지는 것이라고 가정되어야만 하는지 하는 질문을 피할 수 없다.

이론가들이 이런 식으로 논변하기 시작했다는 것이 언뜻 보기보다 놀랍지는 않다. 시민들의 일상적인 교류에, 그리고 '이득'과 '참여'에 의존하는 주의주의적 논변들은 책무가 이러한 방식으로 취해진다면

21. 그 예로 다음을 볼 것. M. Walzer, *Obligations* (Simon & Schuster, New York, 1971); B. Zwiebach, *Civility and Disobedience* (Cambridge University Press, Cambridge, 1975); K. Johnson, 'Political Obligation and the Voluntary Association Model of the State', *Ethics*, 86 (1975), pp. 17-29; R. K. Dagger, 'What Is Political Obligation?', *American Political Science Review*, 71(1) (1977), pp. 86-94.

그것은 체제의 동료 구성원들과 사회적 실천들의 동료 참여자들에 대해 지게 되는 것이라는 논리를 따른다. 나는 이것이 무엇이 '정치적' 책무로 인정되는가에 관한 중요한 질문을 제기한다는 점을 이미 지적한 바 있다. 동료 시민들에 대해 '정치적' 책무를 지게 된다면, 정치적인 것의 장소이자 정치적 의무의 대상으로서 국가를 고집하는 자유민주주의적 이론과의 예리한 단절이 요구된다. 내가 이미 주장한 바와 같이 동료 시민들에 대해 지는 것으로서의 정치적 의무라는 관점은 스스로 떠맡은 책무의 관념을 정치적 이념으로서 진지하게 취하는 관점에서 파생한 것이다. 이는 어째서——만약 300년의 자유주의적 논변이 우리에게 장담하고 있는 것처럼 스스로 떠맡은 책무가 중요하다면——우리들이 모든 책무들을 스스로 떠맡고 그 기반 위에서 우리의 정치적 삶을 조직하면 안 되는가 하는 근본적인 질문을 다시 한 번 제기한다.

자유주의 국가의 이론가들은 그 질문에 대한 단 하나의 설득력 있는 답변만을 갖고 있다. 그들은 참여적 민주주의가 경험적으로 실행 가능하지 않다고 주장할 수 있다; 우리가 할 수 있는 최선의 것은 자유민주주의 국가이다. 만약 그 답변이 주어진다면——그 답변은 정치적 의무에 관한 많은 논의에 내포되어 있는데——그 결과들이 낱낱이 설명되어야만 한다. 그 답변은 주의주의가 정치적 삶에 무관하다는 것을 함축한다. 비록 우리가 일상생활에서 책무를 떠맡을 수 있더라도, 그 활동은 사적 영역 바깥에서의 자리가 없다. 요컨대 이는 개인의 자유와 평등 및 그 귀결인 스스로 떠맡은 책무라는 고결한 자유주의적 이념과 '자발적인 체제'로서의 사회적 삶이라는 전망이 아주 부분적으로만 현실화될 수 있다는 것을 인정하는 것이다.

더 나아가, 정치 이론가들이 참여적 혹은 자가 관리 민주주의의 가능성을 일축해 버린다면 그들은 자유민주주의 국가가 진정한 헌신들의 주의주의적 기반에 기초하고 있다고 가장하는 일을 그만해야만 한다. 즉,

그들은 정치적 의무의 자유롭게 만들어진 관계와 관련 있는 것처럼 가장하는 일을 멈춰야 하는데, 왜냐하면 이 관계는 이제는 닿지 않는 곳에 있는 것으로 인정된 정치적 이념의 필수적인 부분이기 때문이다. 그 대신 그들은 자유민주주의 국가의 경험적 필요성과 그것이 다른 형태의 정치 체계에 비해 갖는 장점들을 전제했을 때, 정치적 복종이 타당하지만 주의주의적이지는 않은 어떤 이유들을 갖고 있다는 직접적인 주장을 해야만 한다. 정치적 복종의 자연적 의무라는 롤즈의 개념 혹은 '나의 정치적 신분과 그 의무들'의 동시대적 판본은 이런 목적에서 자신들을 내세우는 것일지도 모른다. 물론 시민들과 자유민주주의 국가의 관계에 대한 공리주의적 설명을 제공하는 정치 이론가들도 있다. 이제 내가 주의주의의 이 명백한 경쟁자를 나의 논변 안에서 무시한 이유가 명확할 것이다. 공리주의적 논변들은—그것이 얼마나 경제적인 논변을 제공할 수 있든 그것이 얼마나 적합하게 보이든—그것들이 자주 제시되곤 하는 방식에도 불구하고 복종에 대한 논변이지 의무에 대한 논변이 아니다. 그러나 이론가들은 '의무' 대신 오직 '복종'이라는 측면에서만 논변할 리 없다. 왜냐하면 그것은 자유민주주의 국가로부터 이 이데올로기적 장막의 대부분을 제거할 것이기 때문이다. 이는 중심적인 자유주의적 관념들이 진지하게 다뤄진다면 자유민주주의 국가 너머로 이끌고 갈 것이라는 사실을 인정하게 되는 것이다.

4
여자와 동의

지난 3세기에 걸친 근대 동의 이론의 역사는 대체로 이론가들이 자기 자신의 주장이 갖는 근본적이고 전복적인 함축을 억제하려고 했던 시도들로 이루어진다. 좀 더 최근에 동의에 대한 저자들은, 이러한 시도에 있어서, 여자와 양성관계가 정치 이론과는 아무런 특별한 관련성도 없다고 하는 동시대적 합의에 의해 조력을 받았다. 하지만 여자와 동의라는 문제[1]에 대한 검토는 여러 세대의 동의 이론가들이 회피하고자 했던 일체의 문제를 부각시킨다.

동시대 동의 이론에는 두 가지 근본적 물음을 위한 여지가 전혀 없다. 첫째, 왜 동의는 자유주의 이론과 실천에서 중심적인 중요성을 갖는가? 둘째, 이론과 실천은 어느 정도까지 일치하며, 또한 자유민주주의 국가의 제도 내에서 진정한 동의는 가능한가? 정치적 의무에 관한 논변 과정에서 동의는 오로지 협소하게 파악된 정치적 맥락에서만 논의되기 마련이다. 대부분의 동의 이론가는 다음과 같은 평결을 받아들이는

1. [the question of women and consent.]

데 동의한다.

> '동의'라는 관념은 민주주의 이데올로기의 구성적 요소로서 살아남았다: 민주주의 체제를 비민주주의 체제와 구별 짓는 민주주의 체제의 본질적 특징의 적시(specification)로서.[2]

자유민주주의는 동의에 기초하고 있다는 단도직입적인 주장은 이론가들이 언제 어떻게 시민들이 이 행위를 수행하는지를 보여주려고 시도할 때 발생하는 '표준적 당혹감'을 회피한다.[3] 이 주장은 또한 누가 동의하는가라는 물음도 회피하며, 따라서 어떤 개인이나 집단이 동의를 할 수 있으며 그리하여 정치적 질서의 완전한 구성원으로 간주될 수 있는지와 관련된——처음부터 동의 이론에 내재하고 있었던——애매성을 얼버무린다. 그렇지만 당혹감은 동의 개념을 무의미함으로 환원함으로써 모면된다. 이데올로기로서의 동의는 습관적인 묵인, 인정, 말없는 반대, 복종 혹은 심지어 강요된 복종과도 구별될 수 없다. 동의의 거절이나 동의의 철회가 실재적 가능성이 아니라면, 우리는 그 어떤 진정한 의미에서도 더 이상 '동의'에 대해 말할 수 없다.[4]

2. P. H. Partridge, *Consent and Consensus* (Macmillan, London, 1971), p. 23. 마이클 왈저(Michael Walzer)의 *Obligations: Essays on Disobedience, War and Citizenship* (Simon & Schuster, New York, 1971)은 이러한 자기만족에 대한 예외다. 왈저는 동의를 가정하지 않을 것이라고 말한다.
3. R. E. Flathman, *Political Obligation* (Atheneum, New York, 1972), p. 209.
4. 동의 이론의 이러한 측면들과 (동의는 투표를 통해 주어진다는 주장을 포함해서) 정치적 의무에 대한 논변들은 C. Pateman, *The Problem of Political Obligation*(정치적 의무의 문제) (Polity Press, Cambridge, 1985; University of California Press, Berkeley, CA, 1985)에서 상세하게 논의된다. 여자들의 시민으로서의 지위와 여자들의 '온당한' 자리에 대한 대중적 믿음 사이의 모순을 보여주는 경험적 증거에 대해서는 M. M. Lee, 'Why So Few Women Hold Public Office: Democracy and Sexual Roles', *Political Science Quarterly*,

일상적 삶에서의 동의가 자유민주주의 국가에 대한 시민들의 (상정된) 동의와 어떤 관계가 있는지는 탐구되지 않은 채 남아 있다. 동의 이론가들은 동의가 개인에게 특별히 중요한 사회적 삶의 영역들을 고려하지 못한다. 하지만 관련된 문제들은 동의 이론의 일반적 곤란과 회피의 일부분을 형성한다. 그리하여——일상적 삶에서의 동의는 특히 여자들과 관련되기에——여자들은 쉽게 무시된다. 여자가 남자와 맺는 가장 내밀한 관계들은 동의에 의해 지배되는 것으로 여겨진다; 여자들은 결혼에 동의하며, 여자의 동의 없는 성교는 강간이라는 형사 범죄를 구성한다. 여자와 동의의 쓰이지 않은 역사를 검토하기 시작하면 동의 이론의 억제된 문제들이 표면으로 드러나게 된다. 여자들은 동의 이론가들이 동의 능력이 없다고 공언했던 개인들을 예시한다. 하지만 동시에 여자들은 언제나 동의하고 있는 것으로 제시되었으며, 여자들의 비동의는 무관한 것으로 취급되거나 '동의'로 재해석되었다.

이런 반대가 있을 수도 있다. 즉 오늘날 자유민주주의 국가에서 여자는 남자와 동등한 시민권을 부여받고 있으며, 따라서 여자들의 동의와 관련된 그 어떤 주요한 난점들도 과거의 일이어야 한다. 남자와 여자의 이와 같은 평등의 외양이 왜 오도적인지를 보여주기 위해서, 근대 동의 이론의 기원으로 돌아가는 게 필요하다. 17세기와 18세기 동의 이론가들은 왜 동의가 국가와 양성 관계 양자 모두에 중요한지에 대해서 분명했다. 초기의 사회계약과 동의 이론의 출발점은 '자연적으로' 자유롭고 평등한 혹은 자유롭고 서로에게 평등하게 태어난 바로서의 개인이라는 특정한 개념이었다. 개인들이 '자연적으로' 자유롭고 평등하다는 관념은 모든 종류의 권위에 대해서 근본적이고 혁명적인 물음을 제기한다. 자유롭고 평등한 개인이 도대체 어떻게 그리고 왜 다른 누군가에 의해 적법하게

91 (1976), pp. 297-314를 볼 것.

지배될 수 있는가라는 물음. 철학적 아나키스트와는 달리 자유민주주의 이론가들은 이 물음이 만족스럽게 답변될 수 있다고 주장한다. 권위의 행사에 대한 정당화를 찾는 것은 가능하다. 하지만 오로지 하나의 수용 가능한 정당화만 있다. 자유롭고 평등한 개인들은, 그들의 자유와 평등이 보존되기 위해서는, 그와 같은 관계에 진입한다는 것을——가령 동의에 의해——자발적으로 확약해야만 한다. 그리하여 동의 이론은 권위와 의무가 개인들의 자발적 행위나 확약(commitments)에 근거해야만 한다고 주장하는 더 넓은 주의주의적 사회 이론의 한 특정한 사례다.

처음부터 동의 이론가들은 주의주의의 혁명적 함축을 피하려고 했다. 그들은 자신들의 주장이 갖는 충격을 중화시키기 위해 두 가지 주요 전략을 채택했다. 첫째, 그들은 가설적 주의주의에 의지했다.[5] 둘째, 그들은 어떤 개인들과 사회관계들을 동의의 영역에서 배제했다. 가설적 주의주의의 가장 친숙한 사례는 로크의 악명 높은 '암묵적 동의'다. 로크가 가설적 사회계약으로부터 논증을 한 것만이 아니라, 그의 '동의'는 단지 특정한 사회적 관행들과 제도들의 실존으로부터의 추론 내지는 그러한 실존에 대한 재해석일 뿐이다. 동의에 대한 대부분의 현대적 논의들은 로크의 주장——(선조들이 맺은 사회계약에 대한) 미래 세대들의 동의는 '그에 대한 아무런 표현도 전혀'[6] 없지만 개인들이 일상적 삶에서 평화롭게 지내고 있을 경우 언제나 주어진 것으로 간주될 수 있다——에 대한 현대화된 판본 이상이 거의 아니다. 어떤 행동을 '동의'로 재해석하는 것은 홉스의 이론에서 극단적 형태로 나타난다. 그는 개인주의를 그 논리적 결론으로까지 가지고 가려 하는데, 그로 인해

5. 나는 『정치적 의무의 문제』에서 이 개념을 상세히 탐구했으며 고전적 계약 이론가들과 그들의 계승자들에게 그것이 갖는 중요성을 논했다.

6. J. Locke, *Two Treatises of Government*, ed. P. Laslett, 2nd ed. (Cambridge University Press, Cambridge, 1967) II, §119.

그는 모든 권위 관계가——심지어 부모와 유아 사이에서도——동의에 기초한다고 주장할 수 있었다. 아이에 대한 부모의 지배는 생식에서 비롯되는 게 아니라 '표현된 것이건 여타의 충분한 선언된 논거들에 의한 것이건, 동의'에서 비롯된다.[7] 홉스에게 압도적인 권력은 충분한 논거이며, 따라서 자연 상태에서 어머니의 지배에 대한 유아의 '동의'가 가정될 수 있다.[8] 홉스의 '동의' 개념은 권력과 복종의 사실을 재해석할 뿐이다. 복종이 자발적인지 위협을 통해——심지어 죽음의 위협을 통해——얻은 것인지는 중요하지 않다. 홉스는 두려움과 자유가 양립 가능하다고 주장한다. 따라서 '동의'는 정복자의 칼에 대한 두려움이나 부모의 유기(遺棄)에 대한 두려움으로 인한 복종에서 생겨나건 아니면 (가설적) 사회계약의 결과이건 동일한 의미를 갖는다.

가설적 주의주의는 현실적 동의로부터 논증하는 일의 '표준적 당혹감'을 회피한다. 자연 상태나 시민사회의 거주자 중 다만 일부만 '자유롭고 평등한 개인들'의 범주에 포함된다면 당혹감을 보다 안전하게 모면한다. 주의주의는 개인들이 합리적이라는 것을, 자유로운 확약이 주어질 수 있도록 해주는 데 필요한 도덕적이고 지성적인 능력을 개인들이 가지고 있거나 개발할 수 있다는 것을 전제한다. '자유롭고 평등한 개인들'은, 로크의 용어법을 이용하자면, 동의를 할 능력을 포함해서 자신의 인신과 속성에서 소유권을 갖는다. 개인은 '그의 동의에 대한 수호자'다.[9] 그렇지만 이 정식화는 문자 그대로 읽혀야 한다. 동의는 **그의** 동의다. 고전적 계약 이론가들도 그들의 계승자들도 여자를 남자와 동일한 자격으로 자신들의 논변 속에 병합시키지 않았다. 계약과 동의 이론은 부분적으로

7. [토마스 홉스, 『리바이어던』, 최공웅·최진원 옮김, 동서문화사, 1988, 203쪽.]
8. T. Hobbes, *Leviathan*, ed C. B. Macpherson (Penguin Books, Harmondsworth, Middlesex, 1968), pp. 253-4. [홉스, 『리바이어던』, 203-204쪽.]
9. Flathman, *Political Obligation*, p. 230.

가부장 이론에 대한 공격으로서 전개되었다. 하지만 정치적 권위는 아버지의 생식력에 '자연적' 기초를 두고 있으며 아들은 '자연적으로' 아버지에게 종속된다는 가부장적 주장에 대한 공격의 제한성을 강조할 필요가 있다. 계약 이론가들은 자신들의 비판을 남자와 여자의 관계로, 혹은 더 특수하게는 (아버지와 어머니이기도 한) 남편과 아내의 관계로 확장하지 않았다.

자연 상태는 으레 가부장적 가족이 거주하는 것으로 그려진다.[10] 또한 가족의 아버지는 아내가 '남편에 의해 결론지어진'[11] 상태에서 사회계약에 진입한다고 널리 주장되었다. 자연 상태에 대한 로크의 추측의 역사 속에서, 아버지는 어른 아들들의 '거의 피할 수 없는' 암묵적 동의와 함께 군주가 된다. 로크는 이 맥락에서 어머니를 언급하지 않는다. 하지만 말하지 않은 그의 가정은 아내와 어머니 또한 남편의 이러한 변형에 '동의'를 제공한다는 것이다. 실로 그러한 '동의'는 결혼 계약의 일부다. 왜냐하면 로크는 남편에 대한 아내의 종속이 '자연 속에 토대'를 가지며 남편의 의지는 '부부의 공동 관심사가 되는 일체의 것들에서 아내의 의지에 앞서' 일어나야 한다는 데 필머와 더불어서 동의했으니까 말이다.[12] 그렇지만 이는 여자들이 동의 이론에서 기본이 되는 '개인'의

---

10. 홉스는 이러한 일반화에 대한 가장 주목할 만한 예외다. 그는 자연 상태에서 성과 무관하게 모든 개인들의 자유와 평등을 옹호할 정도로 개인주의에 있어 일관적이었다. 여성이 언제나 남성의 권위(보호)에 '동의'(복종)할 것이라는 그 어떤 가정도 없다. 이 점에 대해서는, 그리고 자연 상태와 시민사회에서 남편과 아내의 관계에 대한 홉스와 로크의 논변에 대한 더 상세한 설명을 위해서는, T. Brennan and C. Pateman, '"Mere Auxiliaries to the Commonwealth": Women and the Origins of Liberalism', *Political Studies*, 27(2) (1979), pp. 183-200을 볼 것.
11. 이 말은 로크의 친구 타이렐(Tyrrell)의 말이다. G. J. Schocher, *Patriarchalism in Political Thought* (Basil Blackwell, Oxford, 1975), p. 202에서 인용.
12. Locke, *Two Treatises*, II, §75, 76; I, §47-80.

지위로부터 배제된다는 것을 의미한다. 남편에 대한 아내의 종속이 '자연적' 토대를 갖는다면, 아내는 또한 '자연적으로' 자유롭고 평등한 개인으로서 간주될 수 없다. 여자들이 '자유롭고 평등한 개인들'로서 간주되어야만 여자들의 동의는 도대체가 유관한 것이다.

17세기에도 결혼은 계약적 관계로 간주되었다.[13] 오늘날, 남편의 권위는 다만 '자연적'인 것으로서 당연시되는 게 아니라 아내의 동의에 기반하고 있다고 이야기되며, 따라서 여자들은 적어도 일상적 삶에서는 동의를 할 역량이 있는 것으로 간주되지 않느냐는 반대가 있을 수 있다. 이러한 동의의 외양은, 3세기 전이건 오늘날이건, 액면가로 취해져서는 안 된다. 그것은 근본적으로 중요한 어떤 물음을 흐려놓는다: 자유롭고 평등한 여성 개인이 왜 그녀를 언제나 남성 개인에게 예속시키고 종속시키는 계약을 해야 하는가? 논리적으로, 두 자유롭고 평등한 개인들은 자신들의 가족을 공동으로 관리할 것으로 기대되어야 한다. 결혼 계약의 과거와 현재의 내용은 여자들이 자유롭고 평등하지 않다는 기저에 놓인 가정을 드러낸다. 여자들은 자신의 인신과 능력에서 소유권을 갖는 '개인들'이 아니며, 따라서 남자들의 권위에 대한 그들의 '동의'의 문제는 결코 실제로 생겨나지 않는다. 오히려 남편의 권위에 대한 그들의 겉보기의 '동의'는 다만 그들의 '자연적' 종속에 대한 형식적 인정이다. 아버지의 권위하에 있다가 그들은 아들처럼 성숙에서 새로운 지위에 진입하지 않으며, 오히려 아버지가 또 다른 남자에게 '줘버리고' 나면 의존과 예속의 '자연' 상태에 계속 머무른다.

아내는 '가장'인 남편의 권위에 고개를 숙여야만 하고 남편에게 경제적으로 의존해야만 한다는 관례의 함축들은 이전 시대보다 20세기에

13. 결혼 계약과 통치 계약 사이의 유사성은 당시에 많이 논의되었다. M. L. Shanley, 'Marriage Contract and Social Contract in Seventeenth Century English Political Thought', *Western Political Quarterly*, 32 (1979), pp. 79-91을 볼 것.

와서 더 철저하게 흐려진다. 왜냐하면 결혼은 마땅히 두 개인의 동의에만 기초할 수 있다는 것이 이제는 확고하게 여겨지기 때문이다. 하지만 이와 같은 두 개인의 평등의 외양은 결혼 계약을 통해 생겨나는 남편과 아내의 불평등한 지위를 은폐한다. 1980년대에 남편의 권위는 한 '개인'의 겉보기의 '동의'가 전혀 동의가 아니라는 이유에서만 설명될 수 있다. 계약 이론가들이 부권주의(patriarchalism)와 타협한 것의 동시대적 의미는 결혼이 '개인적' 선택의 문제라는 자유주의적 확신 배후에 은폐되어왔다.

아이러니하게도, 계약 이론의 급진적인 함축들을 밀고 나아간 유일한 계약 이론가 루소는 왜 여자들이 그것의 범위로부터 배제되어야만 하는지 그 이유들에 대해서 가장 명시적이다. 루소는 여자들이 남자들에게 '자연적으로' 종속된다는 가부장적 단정을 받아들였다. 그는 양성의 대조적인 '자연적' 성격에 대한 완전한 설명을 제공한다. 그가 주장하기를 그러한 대조는 성적인 이중 잣대[14]로 표현되어야만 한다. 루소는 여자들이 동의할 수 있는 능력이 없다는 주장을 분명하게 진술한다. 그러나 동시에 그는 또한 이를 부인하며, 명시적 비동의를 정반대로 재해석한다. 루소는 홉스와 로크의 계약 논변 판본들의 가설적 주의주의를 노예의 계약이나 마찬가지인 사기라고 공격했다. 하지만 그는 정확히 그와 같은 계약을 양성 관계의 기초로서 옹호했다. 루소의 참여적이고 주의주의적인 정치질서 안에서 여자들은 그들의 '자연적'인 도덕적 성격 때문에, 그리고 그들이 남자들의 도덕과 시민적 덕성에 미치는 해로운 영향 때문에 배제된 채로 남아 있어야만 한다. 유서 깊은 전통에 따라 루소는 여자들을 선한 여자와 방탕한 여자 즉 창녀로 나눈다. 여자들은

14. 성적 이중 잣대('남자들은 여자들에게서 소유권을 갖는다라는 견해의 반영')에 대한 탁월한 논의로는 K. Thomas, 'Double Standard', *Journal of History of Ideas*, 20 (1959), pp. 195-216을 볼 것.

가정생활의 울타리 내부에 머물 때만 선하게 남아 있을 수 있다. 고대 세계를 따라서 제네바는 시민적 덕성의 한 사례를 제공했는데, 왜냐하면 그곳의 서클, 사회적이고 정치적인 클럽들은 성적으로 분리되어 있었기 때문이다. 양성은 함께하는 게 적절한 곳에서만 함께하는 게 허용되었다. 이것은 '자연의 계획인바, 이는 양성에 상이한 취미를 부여한다. 그래서 그들은 그의[원문 그대로] 방식대로 각기 따로 살아간다.' 이 서클들에서 남자들은 시민적 삶을 위해 스스로를 교육할 수 있다. 그들은 여자들로부터의 '조롱에 대한 두려움 없이' 그리고 '여성화'되어 시민으로서 약화되는 것에 대한 두려움 없이 '심각하고 진지한 토론에 전념할 수 있다.'[15]

루소가 『인간 불평등 기원론』과 『사회계약론』에서 보여주고 있는 인간의 의식이나 '자연본성'의 연속적 변형들은 실제로는 남성 의식의 변형들이다.[16] 에밀만이 독립심과 판단력을 배울 수 있는데, 이것들은 동의를 제공하고 정치참여를 통해 더 많은 배움을 이룰 수 있는 시민에게 필수적이다. 소피의 교육은 루소가 남자들에게서 '악덕'이라고 선고하는 특성들──예컨대, 평판에 대한 관심, 의존성, 기만성──을 조성한다. 루소가 선언하기를, 여자들은 '무엇보다도 먼저 속박을 참고 견디도록 훈련되어야 하며, 그렇게 되면… 다른 사람들의 뜻에[즉 남자들의 의지

15. J.-J. Rousseau, *Politics and the Arts*, tr. A. Bloom (Cornell University Press, Ithaca, NY, 1968), pp. 107, 105.

16. 루소의 '진정한' 자연 상태에서, 양성은 자신을 보호할 수 있는 능력에서 동등하다. 루소는 그의 자연 상태의 추측의 역사에서, '행복한 시기'에 '양성의 삶의 방식에서 최초의 차이가', 여자들의 미래의 종속을 요구하는 차이가 '확립되었다'라고 갑자기 주장한다. J.-J. Rousseau, 'Discourse on the Origin and Foundations of Inequality', in *The First and Second Discourse*, ed. R. D. Masters (St Martin's Press, New York, 1964), p. 174. 루소가 여자들의 '자연본성'을 남자들의 시민적 덕목에 대해 필연적으로 전복적이라고 보는 이유는 1장에서 논의된다. 여자들에 대한 그의 일반적 가정은 S. M. Okin, *Women in Western Political Thought* (Princeton University Press, Princeton, NJ, 1979)에서 상세하게 논의된다.

에] 복종할 수 있게 된다.'[17] 여자들의 영향은, 심지어 좋은 여자라도, 언제나 남자들을 타락시킨다. 왜냐하면 '자연적으로' 여자들은 자유롭고 평등한 개인의 지위 혹은 시민의 지위에 도달할 수 없으며, 동의를 제공하는 데 요구되는 능력을 개발할 수 없기 때문이다.

하지만 동시에, 성관계에서 여자들의 '동의'는 막중하다. 더구나 여자들의 동의는 언제나 주어진 것으로 가정될 수 있다――겉보기에 분명 동의를 거부하고 있음에도 불구하고. 루소에 따르면, 남자들은 '자연적인' 성적 공격자들이다. 여자들은 '저항하도록 운명 지어진' 존재다. 루소는 '공격과 방어의 질서가 변한다면 인류는 어떻게 되겠는가?'라고 묻는다.[18] 정숙과 순결은 탁월한 여성적 덕목이다. 하지만 여자들은 또한 열정의 피조물이기에, 정숙을 유지하기 위해서 이중성과 위장이라는 그들의 자연적 기술을 이용해야만 한다. 특히 여자들은 '응'이라고 말하기를 욕망할 때조차도 언제나 '아니'라고 말해야만 한다. 그리고 바로 여기서 루소는 여자와 동의의 문제의 심장부를 드러낸다. 동의에 대한 겉보기의 거부는 여자의 경우 액면가로 취해질 수가 결코 없다.

> 진실을 말하는 것은 그들의 입이 아님에도 불구하고, 어찌하여 당신은 그들의 말에 귀를 기울이는가? … 입술은 항상 '아니'라고 말하며, 또 그것은 당연한 일이다. 그러나 그 억양은 항상 동일하지 않으며, 억양은 거짓말을 하지 못한다. … 여성의 수줍음이 여성을 불행하게 만들어서야 되겠는가? 여성에게는 노골적으로 표현하지 않고도 자신의 심정을 전달할 수 있는 방법이 필요하지 않을까?[19]

17. J.-J. Rousseau, *Emile*, tr. B. Foxley (Dent, London, 1911), p. 332. [장 자크 루소, 『에밀』, 민희식 옮김, 육문사, 2006, 661쪽.]
18. Rousseau, *Politics and the Arts*, p. 84.
19. Rousseau, *Emile*, p. 348. [690-691쪽.]

남자는 로크의 시민사회에서처럼 아무런 분명한 표현도 전혀 없을 때 여자의 '동의'를 해석하는 법을 배워야만 한다.

> 이 묵언의 동의를 끄집어내는 일은 사랑에서 허용되는 모든 폭력을 사용하는 일이다. 그것을 두 눈에서 읽기, 입의 거절에도 불구하고 그것을 태도에서 보기… 그래서 그가 행복을 완성한다면, 그는 조금도 야수 같지 않다. 그는 정중하다. 그는 정숙함을 조금도 능욕하지 않는다. 그는 그것을 존중한다. 그는 그것을 섬긴다. 그는 그것이 저버릴 수도 있었던 것을 여전히 지켜내는 명예를 그것에 남겨놓는다.[20]

남편과 아내의 관계에 대한 루소의 견해는 또한 결혼 계약에서의 동의의 외양과 그 내용의 현실 사이에 있는 모순이 내가 앞서 언급했던 것보다 훨씬 더 심각하다는 것을 보여준다. 가령 루소는 에밀과 결혼할 때 소피는 '네가 너의 호의를 희소하고 값비싼 것으로 만든다면' 사랑으로 지배할 수 있다고 주장한다. 소피의 거절은 변덕스럽지 않아야 하고 그녀의 정숙함을 반영해야만 한다. 그럴 경우 에밀은 '아내의 냉정함에 대해 불평해야 하는 일 없이 아내의 순결함을 존중'할 수 있다.[21] 그렇지만 이러한 충고의 내재적 가치가 무엇이든 간에, 아내가 그 충고를 이행할 수 있을 것 같지는 않다. 결혼 계약에 들어서는 결과, 남편의 성적 요구에 대한 여자의 차후의 '동의'는 법적으로나 사회적으로 전제된다. 결혼 계약에서 여자의 최초 '동의'가 결코 철회될 수 없다는 믿음에 대한 법적 토대는 검토되지 않은 채 남아 있다.[22] 이 사실은──강간법 조항들

20. Rousseau, *Politics and the Arts*, p. 85.
21. Rousseau, *Emile*, p. 443. [874쪽.]
22. J. A. Scutt, 'Consent in Rape: The Problem of the Marriage Contract', *Monash*

을 결혼한 여자에게도 확대하기 위해 강간법을 개정하려는 시도들이 마주하는 어려움들과 더불어서——대중적·법적 견해가 결혼 상태의 강간은 불가능하다는 확신을 고수함에 있어서의 그 완강함을 증언한다.

고전적 계약 이론 시기의 법률 관련 저자들은 아내의 지위와 아내의 '동의'의 지위에 관하여 분명히 했다. 블랙스톤이 그 유명한 『영국법 주해』에서 썼듯이, 아내는 법적인 비-개인(legal non-person)이었다. '혼인에 의해 남편과 아내는 법적으로 하나의 개인이다. 즉 여자의 바로 그 존재 또는 법적 실존은… 중지된다.'[23] '영국의 강간법에 관하여 여전히 가장 많이 인용되는 권위서'[24]인 헤일의 『형사 소송의 역사』에는 이렇게 진술되어 있다. '남편은 그 자신이 합법적인 아내에게 강간을 저질렀다는 죄를 범할 수가 없다. 왜냐하면 상호 간의 결혼 동의와 계약에 의해 아내는 이러한 종류에 있어 남편에게 자신을 넘겨준 것이며, 이를 철회할 수는 없기 때문이다.'[25] 19세기 중반의 여성주의자들이 그토록 빈번하게 아내를 서인도 제도와 미국 남부의 노예에 비교한 것도 전혀 놀랍지 않다. 법적으로나 사회적으로 아내는 남편의 재산으로 간주되었으니 말이다. 아내는 법적으로 결혼한 집 안에 감금될 수도

University Law Review, 3 (1977), pp. 255-88은 이러한 믿음이 주요 판례들(leading cases)에 나오는 판단들에 의해 도전받을 수 있다고 주장한다. 여자들은 성적 열정이 결여되어 있으며 남자들보다 더 '도덕적'이라는 빅토리아 시대의 주장 또한 결혼한 여자가 자신들의 시초적 '동의'를 철회할 수 없다는 믿음의 맥락에서 고려되어야 한다. N. F. Cott, 'Passionlessness: An Interpretation of Victorian Seuxal Ideology, 1790-1850', *Signs*, 4(2) (1978), pp, 219-36, 특히 p. 234에 나오는 탁월한 논의를 볼 것.

23. Sir W. Blackstone, *Commentaries on the Laws of England* (Sweet, Maxwell, London, 1844), p. 442.

24. B. Toner, *The Facts of Rape* (Arrow Books, London, 1977), p. 95.

25. Sir M. Hale, *The History of the Pleas of the Crown* (Emlyn, London, 1778), vol. I, p. 629.

있었고 매를 맞을 수도 있었다. 마음이 움직인 존 스튜어트 밀은 다음과 같은 논평을 하기에 이르렀다.

> 나는 일반적으로 아내가 노예보다 결코 더 좋은 대우를 받지 못한다고 주장하고 있는 게 결코 아니다. 그러나 어떤 노예도 아내만큼 긴 시간을 노예이지 않으며 그 단어의 의미대로 그토록 철저하게 노예이지 않다. (…) 남편은 아내에게 인간으로서 가장 모멸스러운 일을, 즉 본인의 기분과 상반되더라도 동물적 기능의 도구가 되어주는 일을 요구할 수 있고 또 강요할 수 있다.[26]

한 세기 뒤에, 별도의 법적인 인격이 여자들에게 주어졌다. 하지만 여자들의 형식적 법적 지위는 사회적 믿음과 관행에 의해 부정된다. '동의'가 중심적인 법의 어떤 영역들에서, 특히 강간 관련 법에서, 여자를 '자유롭고 평등한 개인들'로 인정하는 데 대한 사회적 저항은 법이 원칙상 선포하는 것을 실천에서 부인한다. 강간은 일상적 삶에서의 여자들과 동의의 문제에서 중심적이다. 강간은 결혼 관계 안에서건 바깥에서건 널리 퍼져 있다. 하지만 모든 나이와 계급의 여자들이 공격을 받음에도 불구하고, 대다수의 강간은 보도되지 않는다.[27] 여기서 나는

26. J. S. Mill, 'The Subjection of Women' in *Essays on Sex Equality*, ed. A. S. Rossi (University of Chicago Press, Chicago, IL, 1970), pp. 159-60. [존 스튜어트 밀, 『여성의 종속』, 서병훈 옮김, 책세상, 2006, 68-69쪽.]

27. 강간과 미보도 강간 양자 모두는 최근에야 관심을 받기 시작했다. 합리적 추정에 의하면, (혼외) 강간의 3분의 1만이 보도되며, 보도되는 강간 비율이 지난 20년간 앵글로-색슨 나라들에서 증가한 것으로 보인다. E. Shorter, 'On Writing the History of Rape', *Signs*, 3(2) (1977), p. 480에 나오는 수치를 볼 것. P. R. Wilson, *The Other Side of Rape* (University of Queensland Press, Brisbane, 1978)은 미보도 강간을 연구한다. 강간의 현실은 깊숙이 자리 잡은 문화적 신화와 고정관념에 의해 은폐된다. 가장 흔한 것 중 하나는 강간이

법원에서의 형법 시행에 집중할 것이다. 증거를 이용할 수 있기 때문이며, 또한 여자들과 동의에 대한 모순적 믿음들이 어떻게 자유민주주의적 사회제도 안에 심어져 있는지를 극적인 방식으로 보여주기 때문이다.

강간법은 최근에 '정의의 패러디'라고 묘사되었다.[28] 이에 대한 많은 이유 가운데 가장 기본적인 것은 피해자의 '동의'가 해석되는——또는 무시되는——방식이다. 이 문제에서 여론과 법원은 홉스적이다. 그들은 강요된 복종을 포함해서 복종을 동의와 동일시한다. 기소된 강간범들은

낯선 사람에 의해 공격을 필시 '재촉한' 여자에게 자행되는 행위라는 것이다. 사실, 나이가 70세이거나 그 이상이건 아니면 아주 어린 소녀이건 아니면 만삭의 여자건, 외모가 어떻건, 가정의 피난처 안에 있건 그렇지 않건, 그 어떤 여자도 면제되어 있지 않다. 보도된 모든 강간의 대략 절반은 친척을 포함해서 피해자가 알고 있는 남자에 의해 저질러진다——B. Smart and C. Smart, 'Accounting for Rape: Reality and Myth in Press Reporting', in *Women, Sexuality and Social Control*, B. Smart and C. Smart (Routledge, London, 1978); L. R. Harris, 'Towards a Consent Standard in the Law of Rape', *University of Chicago Law Review* 43 (1975), pp. 613-45; C. Le Grand, 'Rape and Rape Laws: Sexism in Society and Law', *California Law Review*, 61 (1973), pp. 919-41; S. Brownmiller, *Against Our Will: Men, Women and Rape* (Penguin Books, Harmondsworth, Middlesex, 1976) 등에 나오는 요약들을 볼 것. 여자들은 또한 강간범을 체포해야 할 경찰에 의해 강간당한다. 가령 파리에서 1979년에 세 명의 '평화의 수호자(uardiens de la Paix)'가 열세 살 소녀를 강간하여 유죄 판결을 받았고, 두 명의 순찰 경찰관이 '지루해서' 독일 관광객을 강간하여 유죄 판결을 받았다. (*Guardian Weekly*, 1979년 10월 21일자 보도.)

28. L. Bienen, 'Mistakes', *Philosophy and Public Affairs*, 7(3) (1978), p. 229. 강간은 가해자보다는 피해자가 사회적으로 낙인이 찍히는 범죄다. 강간 피해자는 빈번히 '그것을 자초했다'고 여겨진다(그리고 심리학자들은 실제로 비난을 받아야 할 것은 남자가 아니라 여자라는 믿음을 조성하는 데 일조했다. 이 점에 대해서는 R. S. Albin, 'Psychological Studies of Rape', *Signs*, 3(2) (1977), pp. 423-35). 더 일반적으로, 강간 피해자에 대한 경찰과 법원의 절차와 태도에 대해서는 가령 Toner, *The Facts of Rape*, chaps 7-10장을, 그리고 강간 언론 보도에 대해서는 Smart and Smart, *Women, Sexuality* (1978)을 볼 것.

거의 언제나, 여자가 실제로 동의했다는, 혹은 자신들의 여자가 동의한다고 믿었다는 변론을 제시한다(나는 잠시 후 믿음의 문제로 돌아갈 것이다). 이러한 변론은 왜 그토록 성공적이며 또한 왜 강간 사건 중 그토록 적은 비율만 보도되는 것일까? 그 한 가지 이유는 여자가 육체적으로 심하게 다치지 않을 경우 혹은 저항했다는 것을 입증할 수 없는 경우 자신이 성교에 동의하지 않았다는 것을[29] 공중이나 경찰이나 판사와 배심원 중 어느 하나도 납득시키기 힘들다는 것이다. 그렇지만 저항의 기준 또한 육체적 상해인 경향이 있다. 동의하지 않았음을 입증하기 위해, '단순한 삽입 증거를 넘어서 신체적 상해를 보여주는 것이 거의 법적 기준의 지위를 갖는다.'[30]

저항이 입증되지 않을 경우 복종을 동의와 동일시하는 것은 (여자의 저항에 직면하여 힘으로 수행된) 여자의 '의지에 반하는' 행위들과 '여자의 동의 없이' 이루어진 행위들 사이의 (1985년 형사법 개정안 이전에 달성된) 법적 구분과 역사적으로 밀접한 관련이 있다. 이 구분은 가장(impersonation)이나 속임수를 통해 성교를 획득한 사건들에서 핵심적이었다. 그러한 사건들은 동의와 강간에 대한 법률 관련 저자들을 매혹했다. 한 주석가는 이렇게 진술했다. '1925년 이래로… 드물었던 법적 논의는 [폭력을 통해 자행되지 않고] 사기에 의해 유인된 성교 사건들에 여전히 초점이 맞추어져 있었다.'[31] 예를 들어, 여자가 동의를 했을 남편으로 가장을 해서 폭력이 사용되지 않은 사건들에서, 그 행위는 '그녀의 의지에 반하지' 않았기에 강간이 아니라는 의견이 일반적이었다.[32] 법적 견해는

29. 강간이 관례적으로 음경의 질 삽입으로 정의되지만, 강간은 희생자에게 으레 모멸적이고 굴욕적인 이질적 물건이나 여타의 행위를 빈번히 수반한다.
30. J. A. Scutt, 'The Standard of Consent in Rape', *New Zealand Law Journal*, November (1976), p. 466.
31. Harris, 'Towards a Consent Standard', p. 632.
32. K. L. Koh, 'Consent and Responsibility in Seuxal Offences', *The Criminal*

사기가 동의를 해치는지의 문제를 놓고 여러 해 동안 씨름했다. 그리고 그 쟁점은 여전히 완전히 해결되지 않은 상태다. 1956년 성범죄법(영국)은 남편으로 가장해서 성교를 달성하는 것을 범죄로 삼지만 다른 남자로 가장하는 것에 대해서는 침묵하고 있다.[33] 더구나, 강제된 '복종'을 자발적 '동의'와 구별 짓는 '폭력'이나 '위협'의 사례를 구성하는 행위에 관하여 여전히 광범위한 법적 불확실성의 영역이 존재한다.

1975년 영국의 한 강간 사건에서 판사는 피고에 대해 이렇게 진술했다. '피고가 그 방에 들어가 피고의 의도를 상당히 분명하게 드러냈을 때 이 여자에게 공포심을 심어주었다는 데는 의심의 여지가 있을 수 없다'[34]—하지만 피고는 강간 무죄로 판결이 났다. 법은 살해 위협이나 심각한 신체적 상해를 통해 획득된 복종은 '동의'가 아니라고 하지만, 실제로 '공포심을 심어주'는 위협이나 그보다 덜한 위협들은 법정에서 비동의를 보여주는 것으로 간주되지 않을 수도 있다. 매릴랜드 상소법원은 최근에 강간 유죄 판결을 뒤집었다. 피해자 여자가 어떤 집에 억지로 들어갔으며 '가벼운 목졸림'을 당했음에도 불구하고 '피해자는 위험에 처해 있다고 생각할 충분한 원인이 없었다는 근거에서' 말이다. 법원은 정황상 그녀가 저항할 경우 해를 입게 될 것이라는 '합리적인 두려움'에 대한 근거가 없다고 주장했다.[35] 또한 '동의'와 강간범이 아닌 사람에 의한 위협, 또는 피해자가 아닌 사람(가령 그녀의 아이들이나 친척들)에게 가해지는 위협에 대한 법적 의심 또한 상당하다.[36] 법은 '위협'이나

Law Review, (1968) pp. 81-97, 105-62와 J. A. Scutt, 'Fraudulent Impersonation and Consent in Rape', *The University of Queensland Law Review*, 9(1) (1975), pp. 59-65를 볼 것.

33. Scutt, 'Fraudulent Impersonation', pp. 64-5.
34. Toner, *The Facts of Rape*, p. 9.
35. *Guardian Weekly*, 1979년 11월 4일자 보도, p. 17.
36. J.A. Scutt, 'Consent versus Submission: Threats and the Enement of Fear

'강요'하에 맺어진 계약은 취소 가능하다고 규정한다. 그리고 어떤 사람은 형사 고발에 대한 방어로서 어떤 공격적 행위가 단지 심각한 신체적 상해나 죽음의 위협하에 이루어졌을 뿐이라고 말할 수가 있다. 하지만, 비록 역사적으로 경제적 삶에서의 계약과 성적 관계에서의 동의가 사회적·이론적 발전들의 동일한 복합물로부터 그 중요성을 이끌어내기는 하지만, (비-형사적) 계약법에서의 '강요'에 대한 법적 해석이 강간 사건에서의 '위협'에 대한 해석에 비해 훨씬 더 범위가 넓다는 것이 중요하다. 강간에서의 '동의'의 기준은 범죄 행위 실행에서의 '강요'와 동일한 협소한 한도 내에서 정식화되어왔다.[37]

'성폭행과 성인들 간의 동의하는 성적 관계'[38]를 구별하거나 강요된 복종과 동의를 구별하는 것에 대한 법적 실패는 양성의 '자연적' 성격에 관한 복합적인 믿음들에 근거하고 있다. 대중만이 아니라 탁월한 법률가들조차도 '자연적으로' 성적으로 공격적인 남성은 여자의 거절을 진짜 욕망을 숨기는 대수롭지 않은 제스처로서 무시해야 한다고 확신한다.[39] 강간 피해자들은 '좋은' 여자와 '나쁜' 여자로 나뉜다. 명백히 폭력이 사용된 곳에서조차도 피해자가 '의심스러운 평판'을 가졌다거나 '형편없는' 성도덕을 가졌다고 말할 수 있는 경우에는 '동의'가 제공된 것으로 여겨질 수 있다.[40] 증거를 다루는 표준적 저술들이 여자들은, 특히 '정숙하

in Rape', *University of Western Australia Law Review*, 13(1) (1977), pp. 52-76, 그리고 Harris, 'Towards a Consent Standard', pp. 644-5에 나오는 논의를 볼 것.

37. Scutt, 'Consent v. Submission', p. 61; Harris, 'Towards a Consent Standard', pp. 642-3.

38. Bienen, 'Mistakes', p. 245.

39. Toner, 'The Facts of Rape', p. 104를 볼 것.

40. P. C. Wood('The Victim in a Forcible Rape Case: A Feminsist View', *The American Criminal Law Review*, 11 (1973), pp. 344-5)가 들고 있는 사례들을 볼 것. 법적 개혁의 지지자들은 강간 사건에서 고소인의 이전 성적 개인사,

지 못한' 여자들은 '자연적으로' 부정직하고 (거짓 강간 고발을 포함해) 거짓 진술을 하기 쉽다는 견해를 강화할 때, 여자는 동의하지 않았다는 것을 법정에 납득시키는 일 역시 아주 어렵다.[41] 헤일의 말은 3세기 동안 법정에서 통상적으로 인용되어왔다. '강간은… 쉽게 할 수 있는 고발이며, 입증하기 어려운 고발이며, 아무리 결백해도 고발당한 편에서 방어하기는 더욱 어려운 고발이다.'[42] 하지만 실제로 보고되는 강간 중 높은 비율이 경찰에 의해 '근거 없는' 것으로 거부된다.[43] 증거의 문제를 감안한다고 해도 이러한 관행은 여자들의 '자연적' 성격에 대한 비범한 지각의 직접적 결과가 아니라면 설명하기 어렵다. 동일한 지각이 강간 피해자의 증거가 제공되어야만 한다는 관례적 요구 기저에 놓여 있다. '아이들, 반역죄 재판에서의 공범과 목격자들과 더불어, 오로지 강간 고소인만이 악명 높게도 신뢰할 수 없는 목격자[로 취급된]다.'[44]

그토록 적은 수의 강간 사건만 보고되기 때문에, 그리고 그것들 가운데 그토록 많은 수가 거절되기 때문에, 법정 앞에 서는 범죄들은 통상 가장 사악하고 잔인한 것들뿐이다. '강간에 관한 사실들은 그 무엇보다도 더 파악하기가 어렵다.'[45] 하지만 사건이 기소되는 경우, 파악하기 힘든

옷차림, 일반적 평판 등등에 관한 증거가 통상적으로 이용되어왔던 것에 주목해왔다. Harris('Towards a Consent Standard', p. 617)는 동의에 대한 방어가 필수적인 사실들을 인정하기 때문에 피고측 변호사는 여자가 동의를 했음에 틀림이 없는 '타입'이라는 걸 보여주려고 언제나 변함없이 노력한다는 데 주목한다.

41. Bienen, 'Mistakes', p. 237과 Harris, 'Towards a Consent Standard', p. 626을 볼 것.

42. Hale, *History of the Pleas*, p. 635.

43. 1974-5년 빅토리아에서, 네 곳의 경찰 관할 구역에서, 강간 고소의 50%만이 '근거 있는' 것으로 받아들여졌다. *Royal Commission on Human Relationship* (Australian Government Publishing Service, Canberra, 1977), vol. 5, pt 7, p. 718에 나오는 증거.

44. Toner, *The Facts of Rape*, p. 112.

것은 많지 않다——적어도, '동의'가 여하한 의미를 갖는다면 말이다. 사회적 관례와 기대의 복잡한 문제들을 내포하는 애매한 사건들은 통상 법원까지 가질 못한다. 예를 들어, 법원은 통상 저녁을 먹자고 여자를 데리고 나간 남자에게 여자가 본의 아니게 복종하는 사건들을 재판하지는 않는데, 왜냐하면 그녀가 저녁을 먹은 대가를 '지불'해야 하는 것으로 '기대'되기 때문이다. 고용을 유지하기 위해 고용주나 직공장에게 복종하는 사건도 마찬가지다. 피고가 공판에 회부되는 사건들에서, '동의'는 그 개념의 그 어떤 진정한 의미에서도 쟁점이 되지 않는 게 보통이다.[46] 그렇지만 이는 피해자의 비동의가 그렇기에 진지하게 취해진다는 것을 의미하지 않는다. 그 대신, 여자의 동의에 대한 피고의 믿음은, 비합리적인 믿음이더라도, 종종 법원의 평결을 위해 가장 유관한 '강간에 관한 사실'로서 취급된다.

피고소인의 믿음과 의도는 형사책임을 확정하기 위한 핵심 기준이다. 유죄가 입증되려면 정신적이거나 주관적인 요소, 즉 범의(mens rea)가 있었다는 걸 보여주어야만 한다. 피고가 범죄 행위를 저지르려는 의도가 있었음을 보여주어야만 한다. '중대범죄의 경우 법이 금지하는 행위를 하려는 의도 또는 그와 유사한 것이… 일반적으로 필요하다.'[47] 강간

45. T. C. M. Gibbens, 'More Facts About Rape', *New Society*, 10 February 1977, p. 276.

46. Bienen, 'Mistakes', pp. 242, 244를 볼 것.

47. H. L. A. Hart, *Punishment and Responsibility: Essays in the Philosophy of Law* (Oxford University Press, Oxford, 1968), p. 115. 범의에 필요한 다른 요소는 행위가 자발적으로 수행되었다는 점이다(Hart, p. 90). 강간과 남성의 '자연적인' 성적 특성에 관한 대중적 견해는 강간으로 고소된 남자 중 자신의 행동에 책임이 있는 사람은 거의 없다는 것을 암시할 것이다. 강간은 남자가 '억제할 수 없는 열정'이나 '제어할 수 없는 충동'에 붙잡혀 있어서 진정으로 자발적으로 행동하지 않은 결과라는 것이 널리 믿어지고 있다. 이 신화는 강간에 관한 경험 증거와 뚜렷이 대조된다.

사건에서 문제는 이러한 기준 자체가 아니라 그것이 해석되는 방식이다. 특히 영국의 모건 사건이나 캘리포니아 주의 메이베리 사건이 그렇다.[48] 이들 사건은 강간 '범죄에 대한 전적으로 새로운 변호, 동의에 관한 사실오인이라는 변호'를 창안해냈다.[49] 모건 사건에서 여자의 동의에 대한 남자의 믿음이 합리적일 필요는 없다는 결정이 내려졌으며, 메이베리 사건에서 배심원단은 특히 동의에 대한 합리적이지만 잘못된 믿음의 변호를 거부해야만 한다는 결정이 내려졌다. 이러한 변호의 영향은 앞서 언급된 사건, 남자가 피해자에게 '공포심을 심어주었다'고 한 사건에 의해 예증될 수 있다. 피고가 여자의 아파트에 침입하기는 했지만 여자가 동의한 것으로 진정으로 믿었다고 하는 변론은 성공적으로 제시되었다. 또 다른 한 사건에서, 모건 판결의 기이한 결론들은, 그리고 또한 남편과 아내의 관계에 대한 특이한 법적 견해는 한층 더 강화되었다. 영국에서 남편이 아내 강간으로 기소되는 것은 불가능하다. 그렇지만, 관습법에서 남편은 다른 남자가 그렇게 하는 것을 도왔다는 이유에서 기소될 수 있다. R. 대 코건과 R. 대 리크 사건(1976)에서, 술에 취한 남자가 아내에 대한 처벌로 술 취한 친구와 강제로 성관계를 갖게 했다. 그는 아내에 대한 강간을 도와주고 사주한 것으로 유죄 판결을 받았다. 하지만 친구는 강간죄를 짓지 않은 것으로 판결을 받았다. 친구는 아내가 동의한 것으로 믿었다는 것이 변론이었다. 그러한 믿음에 대한 합리적

48. 기소국장 대 모건 사건(1975)과 그 평결이 토대가 된 선례들은 E. M. Curley, 'Excusing Rape', *Philosophy and Public Affairs*, 5(4) (1976), pp. 325-60에서 상세하게 논의된다. 주민 대 메이베리 사건(1975)은 Bienen, 'Mistake'에서 검토된다. 둘 모두 탁월한 분석이다. Bienen(pp. 238-9)가 주장하기를, 메이베리의 한 가지 결과는 캘리포니아에서 고발된 강간범들이 사실오인 변호를 제시하기 위해 증인석에 설 필요가 없을 것이라는 것이다. 모건의 영향력은 1975년 성범죄 (수정) 법령에 의해 얼마간 제한되었다.

49. Bienen, 'Mistakes', p. 230.

근거가 전혀 없음에도 불구하고 말이다. 항소심 판사는 성관계가 '그녀의 동의 없이' 일어났다고 진술했다.[50]

강간을 다룬 한 저자는 모건 사건에서의 법적 추론은 '강간으로 고발된 남자의 권리가 유지된다면 분명하게 정확하다'라고 주장했다.[51] 하지만 (믿음이 '합리적'이어야만 하는 것으로 간주되는 경우조차도) 그것이 '분명하게 정확하다'라는 것은 결코 명백하지 않다. 모건 사건에서, 판사는 만약 성행위가 여자가 동의한 것으로 남자가 잘못 믿었기에 일어났다면 남자가 부주의한 것일 수는 있어도 강간을 범하지는 않은 것으로 일반적으로 간주될 것이라고 주장했다.[52] 하지만 그것이 그렇게 간주되겠는가? 그리고 그래야 하는가? 분명 많은 법률가들은 그렇게 생각하는 것 같다. 모건 판결은 다음과 같은 근거에서 변호되었다.

> 반대 의견은 남자가… 그러한 믿음을 형성할 때 어리석었다면(비합리적이었다면) 강간 유죄 판결이 내려질 수 있다는 것이었다. 어리석은 남자를 유죄로 선고하는 것은… 고의 없는 부주의——이 남자가 할 수 있는 최선의 것일 수 있으나 이른바 합리적인 남자의 기준에는 미치지 못하는 정직한 행위——로 인해 유죄를 선고하는 것일 터이다. … 부주의한 강간에 대한 법을 갖는다는 것은 잘못된 일일 것이다.[53]

이러한 법률적 견해는 수많은, 어쩌면 대부분의 강간범들이 범죄자나 악당, 또는 다른 사람의 안녕과 진실성과 존중에 대한 관심이 분명

50. Curley, 'Excusing Rape', p. 242와 Scutt, 'Consent in Rape', pp. 259-60을 볼 것.
51. Toner, *The Facts of Rape*, p. 107.
52. Curley, 'Excusing Rape', p. 341을 볼 것.
53. Toner, *The Facts of Rape*, pp. 106-7에서 인용.

결핍된 남자가 아니라 단지 어리석거나 부주의한 것임을 함축한다. 이는 강간에 대한 경험적 증거를 무시한다. 70%나 되는 강간이 사전에 계획된다.[54] 상당수의 강간이 두 명이나 그 이상의 남자들이 한 명의 여자를 공격하는 경우다.[55] '사회적 제도로서의 조직화된 강간의 발생률에 관한 기록'이 있다.[56]

더 나아가, '부주의'나 '어리석음'에 관한 이러한 논변들은 믿음이 형성되는 방식에 아무런 관심도 기울이지 않는다. 여자가 동의했다고 믿었다는 게 남자의 변론이라면, '우리는 그가 그녀가 동의하지 않고 있을 가능성을 고려했으며 이를 거부한 것이라고 가정해야만 한다.'[57] 남자가 그처럼 숙고하여 동의에 대해 정직하지만 잘못된 믿음에 이르게 될 수도 있는 상황은 직접적이거나 단순할 것 같지가 않다——그리고 분명 여자에 의한 명시적이고 지속적인 거절 표명, 남자에 의한 물리적

54. Le Grand, 'Rape and Rape Laws', p. 923.

55. Brownmiller, *Against Our Will*, p. 187.

56. Wilson, *Other Side of Rape*, p. 112. 한 가지 사례는 퀸즐랜드주 잉햄 도심에서 발견된다. 1972년 이래로 '사회적 활동'으로서의 집단강간이 도심에서 조직화되어왔다. 호텔(술집)에서 한 여자가 선택되고 (서른 명에 달할 수도 있는) 남자 집단 사이에 의사 신호가 오고간다. 잉햄의 조직화된 강간의 역사와 사회학은 Wilson, *Other Side of Rape*, pp. 112-25에서 Schultz에 의해 논의된다. 여러 공격자에 의한 공격이 그 자체로는 동의하지 않았다는 여자의 주장을 지지하기에 필연적으로 충분하지는 않다는 점을 주목해야 한다. 한 뉴사우스웨일스 법무차관은 집단강간이 강간이려면 피해자가 '사실상 제정신이 아니거나 공포나 피로에 의해 완전히 압도된 게 아니라면, 자신이 할 수 있는 한 매 행위에 대해 조금이라도 어떤 반대를 표명해야만 한다'라고 썼다; H. A. Snelling, 'What is Non-Consent in Rape?', *The Australian Journal of Forensic Science*, March (1970), p. 106. 좀 더 최근에는, 코네티컷의 한 판사는 집단강간 사건의 한 피고에게 무죄를 선고했다. 그는 '시도한 것을 가지고 누군가를 비난할 수는 없다'라는 말과 함께 '불능(impotence)'을 변명으로 내놓았다. *Ms*. November 1978, p. 20에서 인용.

57. Curley, 'Excusing Rape', p. 348.

폭력의 위협이나 실제적인 물리적 폭력 등은 그러한 상황에서 제외될 것이다. 사실오인 변호는 오인의 '객관적 합리성'에 기초하고 있다. 그것은 '너나 나나 누구나가 사정이 그러할 때 합리적으로 저지를 수도 있는 오인이어야만 한다'.[58] 이러한 변호는 성행위(법정 강간) 사건들에서 이미 인정되고 있다. 대부분의 사람들은 오늘날 남자아이나 여자아이의 나이와 관련해서 진짜 오인이 가능하다는 데 동의할 것이다(그리고 생년월일에 관한 객관적 증거가 제시될 수 있다). 하지만 어떻게 '너나 나'가 여자의 동의에 관하여 그와 같은 오인을 할 수 있는가? 그것은 평범한 인간적 결함에서 결과하는 종류의 실수인가? 그것은 얼마나 자주 도대체 '오인'인가? 대부분의 강간 기소로 이어지는 상황들은, 그리고 계획된 강간의 바로 그 높은 발생률은 여자의 동의가 여하간 고려되었다고 하는 바로 그 가정이 일반적으로 사소한 잘못이기는커녕 가당치도 않은 것임을 시사한다. 대부분의 강간은 어리석거나 부주의한 남자가 여자의 동의에 대해 잘못된 추론을 했기 때문에 발생하는 게 아니라 의도적인 공격의 결과로 발생한다.

그렇지만 이 문제에서, 분명한 논점으로 보이는 것을 진술하는 것으로는 충분하지 않다. 동의에 관한 '합리적 오인'에는 추가적이고도 근본적으로 중요한 문제가 한 가지 있다. 컬리는 강간 사건들에서 '법적 책임의 객관적인 기준의 부과가 항상 정의에 대한 유용성의 승리를 나타내지는 않는다'라고 지적했다.[59] 하지만 남자와 여자의 성적 관계의 현 상태에서는 '합리적인' 행동의 '객관적인 기준'에 도달하는 것은 가능하지 않다.

여자들의 '아니'는 거절을 구성하지 않는다, 남자들은 성 문제에서 적극적이지 않은 여자들에게 다소간의 압력을 가하는 게 '이성적'이다, 그리고 강요된 복종으로부터 동의가 추론되는 게 '이성적'이다라는 믿음

58. Bienen, 'Mistakes', p. 241.
59. Curley, 'Excusing Rape', p. 355.

이 오늘날 널리 퍼져 있다. 요컨대, 심각한 신체적 폭력의 가시적 표지가 동반되지 않을 경우, 강간은 현실적으로 심각한 범죄로—심지어 전혀 범죄로—간주되지 않는다. 강간의 형식적인 법적 지위에도 불구하고 말이다. 이것이 의심스러운 주장처럼 보인다면, 인기 있는 버라이어티 프로그램과 코미디 프로그램에 나오는 강간에 관한 '농담'을 잠시 생각해 보라. 또한 영화와 소설에 나오는 남자 주인공들의 성적 행위를 생각해보라. 또한 R. 대 홀스워스 사건 항소심의 법적 판결을 생각해보라. 아주 심각한 상해를 야기한 성적인 공격을 한 남자에 대한 선고가 그의 경력을 해칠 것이라는 이유에서 파기되었다.[60] 강간은 관례적으로 양성 사이에서 통상적으로 맺어지는 동의적 관계에 완전히 대립되는 유일무이한 행위로서 제시된다. 여자들, 강간, 동의의 문제에 대한 심지어 짧은 고찰에서도 볼 수 있는 가장 비극적인 측면은 강간이 남자와 여자의 '자연스러운' 인정된 관계의 극단적 표현이나 확장으로서 드러난다는 것이다.[61]

강간에서 '객관적 기준'과 '합리적 오인'의 문제는 '동의'와 '비동의'에서 의미가 어느 정도로 텅 비어 있게 되었는지를 부각시킨다. 이 사실이 특별해 보이지 않는다는 것은 자유주의와 부권주의의 3세기에 걸친 조절의 성공을 입증하는 것인데, 이는 여자들과 그들의 동의에 대한 모순적 지각을 강화했으며 오늘날 '개인'으로서의 여자들의 매우 불확실하고 애매한 지위를 낳았다. 여자들의 동의의 겉보기의 중요성에도 불구하고, 그것은 결혼에서 법적으로나 사회적으로나 무관한 것으로 선언되며, 여자의 명시적인 '아니'는 너무나도 자주 '동의'로서 무시되거

60. *The Times*, 22 June, 1977의 보도.

61. P. Foa, 'What's Wrong with Rape', in *Feminism and Philosophy*, ed. M. Vetterling-Braggin, F. A. Elliston and J. English (Littlefield, Adams, Totowa, NJ, 1977) 참조.

나 재해석될 수 있다. 그렇지만 '아니'가 여자에게서 발화될 때 '응'으로 재해석될 수 있는 것이라면, 여자의 '동의'에 대한 일체의 안락한 가정들 또한 혼란에 빠지게 된다. 왜 여자의 '응'은 더 특권화되어야 하며, 여자의 '아니'보다 도대체 무효화의 여지가 덜하다는 것인가?

여자들이 '자유롭고 평등한 개인'으로서, 그들 자신의 동의에 대한 후견인으로서 분명하게 인정될 때까지 이 물음에 대한 답은 있을 수 없다. 현재, 형식적인 시민적 지위에도 불구하고 여자들은 남자의 '자연적' 종속자로서 간주되며, 따라서 동의를 할 능력이 없다고 간주된다. 그러므로 양성의 기존 관계들의 성격에 비추어 볼 때, 우리의 일상적 삶에서 여자들의 동의라는 문제에서 외양과 현실 사이에 그토록 넓은 심연이 벌어져 있다는 것은 놀랍지 않다. 더구나 문제는 우리의 일상적 삶 너머 훨씬 더 멀리까지 확장된다. 여자들과 동의의 문제가 해결되기 위해서는 어떤 근본적인 변화들이 요구된다. 강간법의 필요한 개혁을 훨씬 넘어 자유민주주의 국가의 이론과 실천 심장부에 다다르는 변화들이. 여자들의 동의는, 그리고 강간의 사례는——남자들과 여자들의——동의 문제의 한 가지 차원에 불과한데, 이 동의 문제 그 자체는 자유로운 확약의 이상 내지는 주의주의가 자유민주주의 이론과 실천에서 진지하게 취해질 수 있는가라는 더 근본적인 문제의 일부다.

동의는 개인적 자유와 평등을 유지하는 데 필수적이기 때문에 자유민주주의에서 핵심적이다. 하지만 동의는 개인적 자유와 평등이 또한 동의의 실천을 위한 전제조건이기 때문에 자유민주주의에서 문제다. 강간에서 강요된 복종을 동의와 동일시하는 것은 동등자들에 의한 자유로운 확약과 합의를 지배, 종속화, 불평등과 구별하지 못하는 자유민주주의 이론과 실천의 더 광범위한 실패를 보여주는 극명한 사례다. 동의에 대한 저자들은 '동의', '자유', '평등'을 연결시킨다. 하지만 우리의 성적인 삶과 정치적인 삶에서 권력과 지배의 현실은 무시된다. 현대의 동의 이론은 우리의 제도들을 실제로 동의가 요구하는 대로 존재하는 양 제시하며, 실제로 동등한 사람들의 자유로운 합의를 통해 구성되는 양 제시한다. '동의'를 자유민주주의 이데올로기의 한낱 '구성성분'으로 환원하게 되면 동의 이론가들은 많은 치명적인 물음들을 제기할 수 없는 상태에 놓이게 된다. 그런 물음 가운데는 우리의 사회정치적 제도들의 성격이 남자나 여자에 의해 동의가 그 제도들(의 전부나 일부)에 주어져야 하는 그러한 성격인지에 관한 물음이 포함된다. 대부분의 자유주의 이론가들은 동의가 주어지지 말아야 하는 적어도 하나의 관계가 있다고 주장하고 싶어 할 것이다. 사람은 노예가 되는 것에 결코 동의하지 말아야 한다. 왜냐하면 그것은 개인의 자유와 평등을 전적으로 부정하는 것이고 따라서 자기모순적이게도 개인이 동의할 능력이 있다는 것을 부인하는 것이기 때문이다.[62] 그렇지만 이러한 논변이 받아들여진다면, 동의 이론가들은 유지되고 있다고 주장되는 개인들의 바로 그 지위에 대한 부인이나 부인 경향이 결코 없다는 것을 확인하기 위해, J. S. 밀이 자신의 시대에 결혼을 검토한 것처럼, 기존 제도들을 날카롭게 살펴보아야 하지 않겠는가? 이러한 제안에 있어 문제는 이렇다. 즉 그 제안은 동의에 관한 3세기에 걸친 논변이 전복되어야 한다는 것을, 그리고 이론가들이 남녀 모두를 포함하는 비판적 주의주의 이론을 정식화해야 한다는 것을 요구한다.

오늘날 동의 이론가들은 정치적 의무에 관한 논변들을 위해 대중적 믿음에 의해 제기되는 명백한 문제들과 '개인'으로서의 여자들의 지위조차도 인지하는 데 실패했다. 더 나아가, 남자에 대한 여자의 종속이 고려되지 않는다면, 자유민주주의 국가의 계급 구조도 고려되지 않는다.

62. 동의 문제의 이 측면에 대한, 특히 복종에 대한 약속을 참조하고 있는, 몇몇 추가적인 논평은 C. Pateman, *The Problem of Political Obligation*, pp. 19-20, 169-171에서 볼 수 있다.

동의 이론가들이 결혼 계약을 논의하지 않는다면, 그들은 고용 계약이나 자본주의적 생산의 '전제적 조직화'[63]를 논의하지도 않는다. 여자들의 동의는 무관한 것으로서 취급되며, 남자들의 동의는 '아무런 표현도 전혀' 없어도 정치적 삶과 일상적 삶에서 주어진 것으로 가정된다. 왈저는 동의 혹은 동의의 부재를 진정한 도덕적·정치적 문제로서 취급한 유일한 이론가이다. 그가 결론을 내리기를, 자유민주주의 시민권의 사실들은 '근대 국가의 도덕적 성질에 대한 반영이다. 그것들은 그것의 근본적 재구성을 위해 전적으로 충분한 논변을 구성할 것이다.'[64] 하지만 왈저 또한 여자들과 동의라는 특별한 문제를 고려하는 데 실패한다. 그것 또한 고려에 넣을 때, 우리는 자유주의 국가의 민주적 재구성만이 아니라 우리의 성적인 삶의 동시적 재구성을 위해 전적으로 충분한 논변을 갖게 된다. 실로 이 두 차원은, 우리의 사회적 삶의 민주적 변형이 있기 위해서는, 분리될 수 없다.

이와 같은 재구성을 향하여 작업하는 것은 또한 초기 계약 이론가들의 유산을 변형하기 시작하는 것이다. 자유민주주의 이론에서 동의의 중요성은 3세기 전 근대 이론의 창시자들의 논변들에 비추어 볼 때에만 온전히 이해될 수 있다. 그렇지만 그들의 유산 일부는 '동의'와 '동의

63. 이러한 성격 묘사는 B. Clark and H. L. Gintis, 'Rawlsian Justice and Economic System', *Philosophy and Public Affairs*, 7 (1978), pp. 302-25에 나오는 것이다. 결혼 계약에서 아내의 '동의'의 또 다른 측면이 가정에서의 (무급) 노동을 남편으로부터의 부양과 교환하는 데 있다는 것 또한 주목해야 한다. 결혼 계약의 역사와 내용에 대한 분석으로는 C. Delphy, 'Continuities and Discontinuities in Marriage and Divorce', in *Sexual Divisions and Society: Process and Change*, ed. D.L. Barker and S. Allen (Tavistock, London, 1976)과 D.L. Barker, 'The Regulation of Marriage: Repressive Benevolence', in *Power and the State*, eds. G. Littlejohn, B. Smart, J. Wakeford and N. Yuval-Davis (Croom Helm, London, 1978)를 볼 것.

64. Walzer, *Obligation*, pp. 186-7.

이론'이 주의주의적 정치 이론과 공외연적이라는 가정이다. 자유민주주의 국가의 실제 성격에 대한 올바른 이해를 가로막는 가정. 동의는 자유롭고 평등한 개인들이 상호적으로 확약하거나 의무를 떠맡을 수 있는 가장 중요한 방식이 아니라 다만 한 가지 방식일 뿐이다. 나는 동의와 주의주의 사이의 더 넓은 관계와 그것이 민주주의에 대해 갖는 함축 가운데 몇 가지를 『정치적 의무의 문제』에서 탐구한 적이 있다. 하지만 여자들과 동의에 관한 한 가지 최종적 논점이 여기서 제시되어야 한다. '동의'의 관례적 용법은 양성의 '자연적' 성격에 관한 믿음들과 이 장에서 논의된 성의 이중 잣대를 강화하는 데 일조한다. 동의는 언제나 어떤 것에게 주어져야만 한다. 양성 관계에서 남자들에게 동의하는 것으로 간주되는 것이 언제나 여자들이다. '자연적으로' 우월하고 능동적이고 성적으로 공격적인 남성이 주도권을 행사하거나 계약을 제안하며, '자연적으로' 종속적이고 수동적인 여자는 이에 '동의한다'. 평등주의적인 성적 관계는 이러한 기초에 의지할 수 없다. 그것은 '동의'에 근거 지어질 수 없다. 어쩌면, 여자와 동의의 문제에서 가장 현저한 측면은 다음과 같은 것이다. 즉 두 동등자들이 함께 지속적인 연합을 창조하기로 자유롭게 동의하는 개인적 삶의 형태를 구성함에 있어 우리에게는 도움이 될 언어가 없다.

5

승화와 물화

: 로크, 월린, 그리고 정치적인 것의 자유민주주의적 개념

정치적 삶에 대한 그 어떤 연구에서건 근본적인 물음은 '정치적인 것' 자체의 고유한 개념화에 관한 물음이다. 정치적인 것의 상이한 이론적 개념들로부터 그리고 정치적 삶의 영역이 경험적으로 무엇으로 이루어지며 이루어져야 하는지에 대한 상이한 견해들로부터, 정치적 삶이 지향해야 하는 목적들에 관하여, 정확히 누가 정치적 삶에 참여해야 하며 어떻게 참여해야 하는지에 관하여, 정치적 삶의 토대가 되어야 하는 원리들과 이 원리들을 가장 잘 표현하는 조직 형태들에 관하여 아주 상이한 결론이 도출될 것이다.

가장 최근의 영어권 정치 이론은 기존의 자유민주주의 체계에 대한 정치 이론이었다. 그리고 그 이론은 통상 어떤 특수한 정치적인 것 개념을 아주 당연한 것으로 취해왔다. 자유민주주의와 그 이론가들에 대한—특히 여성해방운동에 몸담은—일부 근본적 비판가들은 이제 이러한 개념에 도전했다. '개인적인 것이 정치적인 것이다'라는 슬로건으로 말끔하게 요약되는 도전. 이 관념은 근대 국가를 통해서 바라본 정치적인 것에 대한 '상식적' 견해에 전적으로 역행하는데, 근대 국가의 자유민주주의 판본은 제한된 입헌 대의 통치/정부[I]라는 자유주의적 개념으로부터 발전했다. 정치적인 것의 자유민주주의적 개념은 삶을 두 개의 분리된 영역으로 나누는 것에 기반하고 있다. 사적인 삶(혹은 더 협소하게는, 개인적 삶)의 영역――여기서 개인들은 정치적 삶에 대한 지나가는 관심 이상을 결코 갖지도 필요로 하지도 않으면서 자신들의 일상적 삶을 지속한다. 정치적 영역, 또는 국가――여기서 특별히 선택된 대표들이 사적 영역의 삶을 보호하기 위해 행동하며, 전체로서의 공동체의 이익 또는 공공의 이익을 겨냥하는 정치적 결단을 내리는 가운데 사적 영역의 충돌하는 이해들을 중재한다.

이 장에서 나의 논변은 정치적인 것의 자유민주주의적 개념을 적절하게 성격규정하는 것과 관련된 두 가지 완전히 대립되는 논변――승화 논변과 물화 논변――을 그 출발점으로 삼는다. 그런데 이 두 논변은 근대 서양의 자본주의 자유주의 사회정치 체계의 한 가지 측면의 발전에 대한 상충적 해석을 내포하고 있기도 하다. 이 논변들 중 하나를 셸던 월린의 『정치와 비전』에서 발견할 수 있는데, 나는 이를 1절에서 논할 것이다. 자유주의의 발전과 더불어 한 사회에 공통적이거나 일반적인 것(what is common or general to a society)에 관여하는 영역이라고 하는 변별적인 정치적인 것 개념이 상실 내지는 승화되었다는 것이 월린의 주장이다.

월린의 테제에서 로크의 정치 이론에 대한 어떤 특수한 해석이 핵심적이다. 나는 2절과 3절에서 로크에 대한 나 자신의 해석을 제시할 것이다. 나의 해석에 따르면 로크는 제한된 대의 통치/정부, 즉 당시 배아적이었던 자유민주주의 국가를 유일한 고유의 **정치적** 통치/정부로 보았다. 이것이 처음에 이상한 주장처럼 들린다면, 지금도 그러한 생각이 로크와

I. ['government'는 '통치'로도 '정부'로도 번역될 수 있으며, 이 중 어느 것으로 고정하기가 쉽지 않다. 그래서 양자를 병기하여 '통치/정부'로 번역한다.]

더불어 죽은 게 아니라는 사실에 주목하는 것이 좋을 것이다. 오늘날, 자유민주주의 이론에 그 특유의 정치적 요소를 제공한 것이 바로 자유주의라고 주장하는 저자들이 있을 뿐 아니라,[2] 가령 버나드 크릭은 『정치를 옹호하여』에서 자유민주주의적 개념만이 실로 정치적이라고 주장하기에 이른다. 이것은 적어도 그 책의 암묵적 주장이다. 명시적으로 크릭은 어떤 추상물을, '정치'를 논한다. 하지만 그의 주장은 자유민주주의를 통해서만 의미가 통한다. 또한 '정치'가 무엇에 관여하는지에 대한 그의 구체적 참조들——상이한 이익들의 조정, 대의, 책임정당정치, 정기선거——은 자유민주주의 국가를 분명하게 가리킨다.[3] 크릭에 따르면, 고유한 의미에서 '정치'는 전통적이거나 임의적인 규칙으로는 더 이상 충분치 않을 때 부상한다. 그것은 특히 서유럽 경험에 기원을 두고 있으며, '발전되고 복합적인 사회가 아닌 곳에서는 알려져 있지 않다'.[4]

로크의 자유민주주의 계승자들이 제시한 정치적인 것 개념의 본성을 이해하기 위해서는 로크의 '온건하고 양식 있는'[5] 이론에 대한 평가가 중요하다. 나는 로크의 이론처럼 그들의 이론에서도, 정치적인 것의 물화된 개념이 내가 시민권의 허구라고 부를 것 위에 건축된다고 주장할 것이다. 정치적인 것의 자유민주주의적 관념에 대한 이 두 번째 성격규정은 맑스에 의해 그 고전적 표현이 주어졌다. 맑스는 이렇게 썼다.

2. G. Sartori, *Democratic Theory* (Wayne State University Press, Detroit, 1962), pp. 362, 370.

3. B. Crick, *In Defence of Politics* (Penguin Books, Harmondsworth, Middlesex, 1964), revised ed., pp. 29, 145, 164. 이러한 제도적 맥락 없이는, 161쪽에 나오는 것과 같은 크릭의 서술들을 이해하기는 어렵다. Cf. B. M. Barry, *Sociologists, Economists and Democracy* (Macmillan, London, 1970) p. 59 (각주): '입헌 정부에 대한 "다원주의" 이론. (…) 때로는 "자유민주주의"라 불린다. (…) 크릭[은] 혼동스럽게도 동일한 현상을 "정치"라고 부른다.'

4. Crick, *In Defence of Politics*, pp. 17, 24.

5. J. Plamenatz, *Man and Society* (Longmans, London, 1963), vol. I, p. 241.

정치적 국가가 진정한 발달에 도달한 곳에서, 인간은—사고에서, 의식에서만이 아니라 현실에서, 삶에서—이중적 삶을, 천상의 삶과 지상의 삶을 영위한다. 정치적 공동체에서의 삶—그곳에서 그는 자신을 공동존재로서 간주한다. 그리고 시민사회에서의 삶—그곳에서 그는 사적인 인간으로서 활동하며, 다른 사람을 수단으로서 여기며, 자기 자신을 수단으로 전락시키며, 낯선 힘들의 노리개가 된다. 정치적 국가는 하늘이 땅에 대해 정신적인 만큼 시민사회에 대해 정신적이다. … 종교적 인간과 정치적 인간 사이에 있는 모순은 부르주아와 공민(citoyen), 시민사회의 구성원과 그의 정치적 사자모피 사이에 있는 모순과 동일하다.[6]

오늘날 자유민주주의 이론, 완전히 발달된 근대 '정치적 국가'에 대한 이론은 정치적인 것을 일상적 삶의 사회적 관계들로부터 추상된 어떤 것으로서, 그러한 관계들로부터 자율적이거나 분리된 것으로서 계속 제시한다. 사회적 삶의 사적 영역의 불평등주의적 관계들, 상충하는 이익들 위에 서 있으면서 국가는 사회의 모든 구성원들에게 공통적인 것의 수호자로 나타난다. 이 장의 한 가지 목적은 이러한 정치적인 것 개념의 몇 가지 측면들의 자유주의적 배경을 좀 더 상세하게 조사하는 것이다. 앞으로 주장하게 될 것인바, 이러한 개념은 명백하거나 상식적인 견해이기는커녕 어떤 핵심적이고 피할 수 없는 역설에 의존하고 있으며, 자유민주주의적인 사회-정치적 체계의 현실들과 그것의 시민권의 본성을 흐려놓는 데 복무한다.

6. K. Marx, 'On the Jewish Question', in *Writings of the Young Marx on Philosophy and Society*, ed. L. D. Esaton and K. M. Guddat (Anchor Books, New York, 1967), pp. 225-6 (강조는 원문).

최근 몇 년 동안 정치학자들은 정치적인 것 및 그것을 구성하고 있는 것에 대한 '비정통적' 정의들을 실로 제출해왔다. 그 가운데 가장 잘 알려진 것은 이스턴('사회를 위한 권위적인 가치 할당')[7]과 달('정치적 체계는 권력, 통치, 권위를 의미심장한 정도로까지 내포하는 여하한 지속적인 인간관계 패턴이다')의 정의다. 달은 '어쩌면 심지어 가족'도 정치적 체계로 볼 수 있을 것이라고 말한다.[8] 그렇지만 이러한 정의들은 정치적 삶에 대한 논의에서 심지어 그것들을 정식화한 사람들에 의해서도 좀처럼 진지하게 취해지지 않았다. 왜냐하면 '사적인' 연합들과 조직들이 정치적인 것으로 간주될 경우 이것이 자유민주주의에 대해 갖는 의미와 관련해 제기되어야 할 실질적 물음들은 대부분의 정치학자들이 취하고 있는 것보다 더 비판적인 태도를 요구할 테니 말이다. 실로 자유민주주의에 대한 철저한 비판은, 정확히, 그와 같은 물음이 제기되어야 한다는 것을 요구한다. 자유민주주의 체계의 이론과 제도들을 정치적인 것 자체에 대한 자유민주주의적 개념이 제공하는 관점 내부에서 바라보는 내내, 그 개념이 의존하고 있는 정치적 삶, 시민권, 민주적 가치에 관한 가정들의 전 범위가 암묵적으로 수용되고 있다. 자유주의를 넘어서 비자유주의적 민주주의 이론으로 나아가는 결정적인 조치를 취하기 위해서는, 정치적인 것에 대한 재개념화를 향한 어떤 시작(beginning)이 이루어져야 한다. 여하한 비자유주의적, 참여적, 민주적 정치 실천은 비자유주의적 민주주의 이론의 발전을 요구한다. 그리고 그러한 이론은 정치적인 것의 적절한 개념을 포함하고 있어야 한다. 그렇기에, 여기서 논의되는 복잡하고도 다소 난해해(esoteric) 보일 수도 있는 문제들과 대면하려는 시도가 있어야 하는 것이다.

7. D. Easton, *The Political System*, 2nd ed. (Knopf, New York, 1971), p. 134.
8. R. A. Dahl, *Modern Political Analysis* (Prentice Hall, Englewood Cliffs, NJ. 1963), p. 6.

월린과 정치적인 것의 승화

『정치와 비전』의 일반적 주장은, 근대 시기에 변별적이고 자율적인 정치적인 것 개념은 상실되었거나 승화되었다는 것이다. '정치사상에서의 주류는, 민족적이거나 이데올로기적인 변이들과는 관계없이, 동일한 목적—즉 변별적으로 정치적인 것의 침식—을 위해 작업해왔다.'[9] 월린은 이 과정의 전개에서 로크를 핵심 인물로 본다.

나는 정치적인 것의 '승화'라는 월린의 개념이 전적으로 분명하다고 보지는 않는다. 그는 또한, 방금 인용한 구절처럼, 정치적인 것의 침식을 언급하며, 또한 가령 그것의 상실, 파편화, 전이, 흡수를 언급한다.[10] 하지만 나는 이어지는 내용이 비록 짧기는 하지만 그의 주장에 대한 공정한 설명이기를 희망한다. 월린이 강조하기를, 고대 시대부터 정치적인 것은 공적인 것, 공동체 전체에 공통적이고 일반적인 것에 관계하는 영역으로 간주되어왔으며, 또한 사적 영역과는 분명한 대조를 이루며 그로부터 변별적이고 자율적인 것으로 간주되어왔다. 전통적으로 정치적인 것은 사회의 실존에 필수적인 것으로 간주되어왔으며, 정치적 참여와 시민권은 유일무이하고 자기충족적인 활동으로 간주되어왔다. 근대 시기에, 자유주의 이론(특히 로크의 이론)의 발달과 더불어서, 이 전통적인 정치적인 것 개념은 상실되기 시작했다. 상실된 이유는 (로크의 자연 상태처럼) 실질적으로 자기 조절되는 영역으로서 '사회적인' 것의 영역이라는 개념이 출현했기 때문이다. 20세기에 이르러 '사회에 대한 찬양'[11]의 결과는, 월린에 따르면, '정치적인 것의 정체성을 모호하게

9. S. Wolin, *Politics and Vision: Continuity and Innovation in Western Political Thought* (Allen & Unwin, London, 1961), p. 260. [셸던 월린, 『정치와 비전 2』, 강정인 · 이지윤 옮김, 후마니타스, 2009, 158쪽.]

10. ['흡수'는 253쪽, '파편화'는 374쪽에 나온다. '전이(transference)'는 253쪽과 254쪽에 각각 '이전'과 '전환'으로 번역되어 나온다. 하지만 '정치적인 것의 상실'이라는 표현은 나오지 않는다.]

하고 그 위상을 하락시키는'[12] 것이다. 정치적인 것에는 단지 잔여적 의미만 남게 되었으며, 시민권은 의미를 박탈당했으며, 정치적 참여는 방어적 활동으로 평가 절하되었다. 정치적인 것은 사회의 '필수적인 전제 조건'이 아니라 한낱 '상부구조'가 되었다.[13]

월린은 이 과정을 성격규정하기 위해 '승화'라는 용어를 사용하는데, 그의 이러한 사용은 내가 그 용어의 정신분석적 함의라고 간주하는 것(내가 가진 사전에 나와 있기를, '성적 충동을 어떤 비성적 활동으로 무의식적으로 향하게 하다')을 따르고 있다. 어떤 사람에 대한 돌려받지 못한 열정을 가령 열심히 일하는 것으로 '승화'하는 것은 겉보기에 무관해 보이는 가령 심신증 같은 현시들로 이어질 수 있다. 마찬가지로, 변별적이고 자율적인 정치적인 것 개념의 승화는, 근대 정치 이론에서, 이전에 사적이거나 비정치적인 것으로 간주된 여타 사회 영역들에서 그것이 재출현하거나 아니면 적어도 그 개념을 그러한 영역들에 재적용하는 것으로 이어진다. 월린은 모든 근대 이론가들이 '정치적인 것을 대신하는 대체 사랑대상'[14]을 추구한다고 본다. 예컨대 그들 중 일부는 산업을 정치적인 것으로 취급하기에 이르며, 그리하여——월린이 주장하기를——'일련의 막다른 궁지'와 정치적 인간의 '토막 내기'로 이어진다. 사회는 '빽빽이 들어찬 일련의 섬들'로서 보이게 되는데, '각각의 섬은… 보다 포괄적인 통일체와 아무런 자연적 제휴관계 없이 존재한다.'[15]

로크의 이론은 정치적인 것의 승화 과정에서 결정적 단계를 형성하는데, 이는 로크의 이론에 대한 월린의 해석에서 로크가 사회적일 뿐

---

11. 같은 책, p. 363. [268쪽.]
12. 같은 책, p. 305. [181쪽.]
13. 같은 책, p. 306. [182쪽.]
14. 같은 책, p. 368. [275쪽.]
15. 같은 책, pp. 430-2. [372('일련의 막다른 궁지'), 370('토막 내기'), 371쪽.]

아니라 정치적이기도 한 자연 상태를 상정함으로써 시민사회의 변별적인 정치적 지위를 흐려놓기 때문이다. 월린이 주장하기를, 로크의 자연 상태는 정치권력이 '모든 구성원 사이에 분산된' 채로 있는 '이상적'인 정치적 사회다.[16] 왜 로크의 개인들은 이 '이상적' 상태가 주어졌을 때 자연 상태를 떠나야 하는가, 그리고 왜 로크는 전쟁 상태에 대한 그의 참조가 주어졌을 때 홉스적인 결론을 피할 수 있는가라는 두 가지 수수께끼에 대한 대답으로 월린은 로크가 그의 자연 상태 안으로 '제3의 상태'를 끼워 넣었다고 주장한다. 이는 시민사회를 위한 토대를 형성하며, 월린은 이를 '타락한 자연 상태'라고 부른다. '불편들'로 가득한 것은 바로 이러한 상태다. 불편들과 그에 대한 치유책들은, 월린이 주장하기를, '오직 이상적 상태에 구현된 규범들에 비추어서만 인식될 수' 있다. 따라서 로크의 시민사회에서 실제로 '새로운' 유일한 정치적 요소는 공통 규칙들을 받아들이고 다수의 결정을 따르겠다는 명시적 합의다.[17] 정치적 질서는 '피할 곳 없는 자들이 필사적으로 세운 피난처라기보다는 이미 집 소유주인 자들을 위한 더 나은 거처 같은 것'이 된다.[18]

이러한 해석에서 로크의 이론은 자유민주주의 이론의 선구자로 볼 수 없을 것이다——내가 그것을 간략하게 성격규정한 대로는 말이다. 하지만 그렇다면 월린은 아마도 또한 자유민주주의 이론에 대해——그가 특별히 그것을 논하고 있지는 않지만——다르게 설명할 것이다. 왜냐하면 그는 정치적인 것의 승화가 오늘날 모든 정치 이론의 주된 특징이라고 주장하기 때문이다. 『정치와 비전』의 논변의 끝은 '일반적인 정치적 차원의 재단언'에 대한 요청이다.[19]

16. 같은 책, p. 306. [182쪽.]
17. 같은 책, pp. 307-8. [184-5쪽.]
18. 같은 책, p. 306. [182쪽.]
19. 같은 책, p. 434. [375쪽.]

로크의 정치적인 것 개념

로크의 정치적인 것 개념은 그의 이론의 다른 측면에 비해 덜 언급되었다. 아마 20세기 자유민주주의 정치철학자들에게 그것은 사회-정치적 세계를 바라보는 우리 자신의 방식에 대한 너무 솔직하고 양식 있는, 너무 합리적이고 배아적인 진술처럼 보인다는 바로 그 이유 때문일 것이다. 월린의 논의가 여러 가지 방식에서 해명적이 되는 것은 그가 로크 이론의 바로 이러한 측면을 강조하기 때문이다. 로크에 대한 이어지는 나 자신의 해석에서 내가 비판적으로 말해야만 하는 것에도 불구하고 그렇다.

로크에 대한 그 어떤 논의에서건, 월린의 말을 이용하자면, '로크의 자유주의가 전통주의에 대한 공격인 만큼이나 전적으로 급진적 민주주의에 대항한 방어였다'[20]는 것을 염두에 두는 게 중요하다. 로크의 정치적인 것 개념에 특별히 유관한 이 방어의 한 가지 측면은 로크의 정치 이론이 그의 최초 저술에서부터(그리고 분명한 동의에 대한 그의 참조에도 불구하고) 정치적 영역은 개인의 '사적 판단'의 행사를 위한 그 어떤 자리도 아니라는 전제에 기초하고 있다는 것이다. 두 번째 중요한 점은 적법한 통치/정부 형태에 대한 로크의 논변들이 역사적인 사회-경제적 발달에 대한 어떤 평가에 기초하고 있다는 것이다. 로크의 자연 상태에 대한 오해 중 다수는 로크의 설명이 양면적이라는 것을 깨닫지 못하는 데서 생겨났다. 그의 논의는, 애쉬크래프트가 지적했듯이, '인간의 도덕적 상태'에 대한 논변을 포함하며, 또한 선-정치적 통치/정부 형태들의 기원과 단점을 포함하여 '인간의 역사적 상태'에 대한 추측적 설명을 포함한다.[21]

---

20. 같은 책, p. 294. [164쪽.]

21. R. Ashcraft, 'Locke's State of Nature: Historical Fact or Moral Fiction', *American Political Review*, 62(3) (1968), pp. 898-915.

인간의 도덕적 상태에 대한 로크의 기술은 월린의 '이상적인 자연 상태'[22]다. 그것은 인간에 대한 신의 목적이라는 맥락에 놓여 있는 순전히 형식적인 기술이다. 이 점이 핵심적인데, 왜냐하면 그것은 로크의 이론이 개인의 사적 판단은 결코 완전히 무제약적이지 않다는 가정에 기초하고 있다는 것을 의미하기 때문이다. 각 개인의 판단은 신이 제공한 자연법에 의해 도덕적으로 제한되고 제약된다. 이는 모든 개인들, 자연법 앞에 평등한 모든 이들이 평등한 자유를 갖는다는 것을 보장한다. 법이 없다면, 방종, 즉 자의적이고 무제약적인 만인의 만인에 대항한 행동만 있을 뿐인데, 이는 전혀 자유가 아니다. 그리하여 로크의 개인들은 자연법에 의해 상호관계의 체계 속으로, '사회' 속으로 묶이게 된다. 애쉬크래프트가 주장했듯이, 로크의 논변은 '신은 인간이 복종할 규칙들을 내놓고 그런 다음 자신들의 가장 자연적인 상태에서 필연적으로 그 규칙들을 따를 수 없는 존재를 창조했을 리가 없다는 신학적 확신에 근거하고' 있다.[23]

자연법은 개인의 판단을 제한할 수 있다. 하지만 로크의 자연 상태의 문제들의 뿌리는 각 개인의 판단——그리고 행동——을 통하는 길을 제외하면 자연법을 '참조하고' 자연법을 해석하고 시행할 길이 전혀 없다는 것이다. 그리하여 각 개인이 자연법을 집행할 수 있는 자연적 권능을 갖는다는 로크의 '이상한 교의'[§9]가 나온다. 로크가 우리에게 말하기를, 자연 상태는 '사람들이 그들 간의 분쟁에 대해서 재판할 공통된 우월자를 지상에 가지지 못한 채 이성에 따라 사는 것'이다(§19).[24] 자연

22. [월린, 『정치와 비전 2』, 182쪽.]

23. 같은 책, pp. 900-1.

24. 본문의 괄호 속 단락 참조는 로크의 『통치론』에 대한 것이다. J. Locke, *Two Treatises of Government*, ed. P. Laslett, 2nd ed., (Cambridge University Press, Cambridge, 1967), II.

상태에서는 사적 판단을 피할 수 없기 때문에, 어떤 개인들이 자연법을 참조해야 할 의무에서 실패하거나 자연법을 올바로 해석하거나 시행하지 못할 가능성이 언제나 열려 있다. 이는 필연적으로 개인적 사악함을 함축하지는 않는다. 오히려 그것은 의지의 나태함과 나약함이라는 '자연적인' 도덕적 실패로부터, 그리고 특히 개인들이 자기 자신이 관련된 사건에 대해 갖는 편파성으로부터 생겨난다. 로크는 바로 이러한 이유에서 그의 '이상한 교의'에 대해서 반론이 제기될 것이라고 지적한다(§13).

그리하여 개인적 판단의 오류 가능성으로부터 자연 상태의 '불편'이 생겨난다. 하지만 이러한 불편이 전쟁 상태와 동일하지 않다는 걸 강조하는 게 중요하다. 전쟁 상태는 '다른 사람의 인신에 가해지는 힘이나 선포된 힘 사용 의도'가 있을 때마다 존재한다. 그리고 힘이란, 로크에 따르면, '다른 사람의 생명을 노리는 차분하고 안정된 의도'이며, '격정적이고 성급한' 말이나 행동이 아니다. 즉 그것은 일상적인 도덕적 실수로부터 '자연적으로' 생겨날 수 있는 종류의 '불편'이 아니다(§16, 19). 의도적으로 힘을 사용하기로 하는 것은, 도덕적 나약함이기는커녕, 자신의 도덕적 본성[자연]을 부인하는 것이다. 그 위반자가 사적인 개인이건 지배자이건 말이다. 로크는 시민사회를 확립해야 하는 '커다란' 이유는 전쟁 상태를 피하는 것이라고 진술한다. 하지만 왜 자연 상태는 다만 (결국은 견딜 만하다고 생각될) '불편' 상태가 아니라 또한 전쟁 상태인가? 월린처럼 '타락한 자연 상태'[25]를 가정하는 것은 단지 문제를 바꾸어 말하는 것일 뿐인데, 왜냐하면 그럴 경우 왜 '타락'이 발생했는지에 대한 물음이 생겨나기 때문이다. 이 수수께끼에 답하기 위해서는 로크가 말하는 자연 상태의 추측의 역사로 돌아갈 필요가 있다. 로크의 논의는 복잡하다. 그리고 그의 정치적인 것 개념을 고찰하기 위해서는 두 가지

25. [월린, 『정치와 비전 2』, 184쪽.]

측면을 볼 필요가 있다. 그의 소유권 이론과 통치/정부의 기원들에 대한 이론.

사적 소유권에 대한 로크의 정당화는 두 단계로 나뉜다. 역사적 발전의 초기 단계에, '노동을 섞는 것'에 기초하는 개인적 전유는 폭넓은 평등의 상황으로 귀결된다. 자연법에 따라 아무도 신이 만인을 위해 제공한 것을 썩히거나 낭비하지 않으면서 사용할 수 있는 것 이상의 소유물을 전유할 수 있는 자격이 없다. 이 단계에서는 또한 개인의 욕망은 단순하고 쉽게 충족될 것이다. '욕망을 각자의 작은 재산의 협소한 영역 내로 한정시킨, 소박하고 가난한 생활의 평등은 분쟁을 거의 낳지 않았다'(§107). '권리에 대한 의혹이나 분쟁의 여지란 있을 수 없었다'(§39. 또한 §31, §51). '황금시대'(§111)의 종언과 자연 상태의 제2단계로 이어졌던 발명은 돈이다.[26] 화폐는 썩거나 낭비되지 않으며, 저장될 수 있다. 그것은 자연법을 전혀 침해하지 않으면서도 개인 자신의 사용에 꼭 필요한 것 너머로 재산 축적이 확대될 수 있게 해준다. 로크는 또한 화폐의 발명을 욕망의 확장과도 연결시킨다. '어떤 사람이든 이웃 사람들 중에서 화폐의 용도와 가치를 가진 것을 발견했다고 상상해보자. 그러면 그것을 발견한 사람이 곧바로 그의 소유물을 확대해나가는 것을 보게 될 것이다'(§49. 또한 §48).

화폐를 도입하는 것에 묵시적으로 동의할 때 '토지를 불균등하고 불평등하게 소유하는 데 합의했다는 점은 확실하다'(§50). 개인들이 아주 불평등한 재산 보유물을 (자연법을 침해하지 않으면서) 적법하게 축적할 수 있는 역사적 발전의 제2단계에서는, 비록 로크가 자신의 설명에서 대부분 암묵적인 상태로 남겨놓기는 하지만, 아마도 분쟁들이

26. 로크의 논변에서 돈의 발명이 갖는 중요성에 관해서는 다음을 참조할 것. C. B. Macpherson, *The Political Theory of Possessive Individualism* (Oxford University Press, Oxford, 1962), pp. 203-11, 233-5.

더 빈번해질 것이고, 도덕적 실수와 편파성이 증가할 것이고, 자연법 위반자들에게는 벌칙을 회피하려는 유인이 커질 것이다. '불편들'은, 특히 재산이 많은 사람들에게는, 압박을 가할 것이다. 그리고 신속한 욕망 확장 및 야심 증대와 더불어서, 어떤 개인들은 자신들이 욕망하는 것을 얻기 위해 힘을 사용하기 시작할 것이다. 전쟁 상태가 자연 상태 안으로 들어올 것이다(전쟁 상태는 자연 상태에 대한 '제3의 묘사'가 아니라 오히려 자연 상태의 역사적 발전에서의 한 단계다). 홉스적인 전쟁 상태는 없을 것이다. 위태로워질 부와 재산의 안전을 위해 힘의 사용을 '의도'할 준비가 된 충분한 개인들이 있게 될 것이다.[27] 그리하여 로크는 시민——또는 정치적——사회의 확립에 대한 정당화를 갖게 된다.

로크의 추측의 역사에서 고려할 필요가 있는 다른 측면은 통치/정부의 기원들에 대한 그의 설명이다. '통치/정부의 기원들'에 대해 말한다는 것은 로크가 실제로 자연 상태가 정치적 상태이기를 뜻했다는 것을 곧바로 시사한다. 또한 로크의 주석가들에게는, 발달된 상업 경제가 비-정치적 상황에서 실존할 수 있다는 것이 이상하게 보였다. 그렇지만 그것은 아무런 통치/정부도 없다는 말이 아니다. 로크는 자연 상태를 비-정치적 상태로 간주하지만 통치/정부가 없는 상태로 보지는 않는다; 그는 '통치/정부'와 '정치적'을 동의어로 취급하지 않는다. 로크는 '사회', '시민사회', '정치적 사회', '통치/정부' 같은 용어의 사용에서 전적으

27. 맥퍼슨(Macpherson)은 『소유적 개인주의』(*Possessive Individualism*) 242쪽에서 '쾌적'하고 '불쾌'한 자연 상태에 대한 그림이——둘 다 시민사회 직전 시기에 나타난다는 것을 근거 삼아——화폐 이전과 이후 단계에 상응하는 것이라는 논변을 보여주고 있다. 그러나 전제적 통치/정부에 대한 로크의 저항 이론은 사회 구성원들 간 신뢰의 유대들과 상호적 의무들('쾌적'한 또는 공식적 그림)이 결코 사라지지 않을 것을 요구한다. 자연 상태의 두 번째 단계 또는 시민사회의 전제적 통치자로 인한 어려움들에도 불구하고 '사회'는 계속된다.

로 일관적이지는 않다(§101). 그렇지만 그는 고유하게 정치적인 사회에 대한 그의 일반적 논변에서는 상당히 일관적이다.

통치/정부의 기원들에 대한 로크의 추측은 필머에 대한 공격의 일환이다. 그리고 『제2론』의 중심 주장 중 하나는 부성적 권위와 정치적 권위를 구분하는 것과 관련되어 있다.[28] 실로 이 구분은 합리적이고 자유로우며 도덕적인 동등자라고 하는 인간의 자연 상태에 대한 로크의 정의로부터 따라 나온다. 아이들은 아직 성숙에 이르지 못했으며 따라서 합리성과 도덕적 평등은 성년이 되어야 생긴다. 부모는 아이들에게—그들이 아이들인 동안—자연적인 권위를 적법하게 행사한다. 어른들에게 행사되는 통치적 내지는 정치적 권위는, 적법하게는, 오직 동의와 더불어 있을 수 있다(§104, 112, 119). 하지만 로크는 또한 통치/정부가 신에 의해 '임명'되었다고(§13), 따라서 또한 '자연적'이어야만 한다고 주장한다. 이는 왜 로크가 통치/정부의 권위는 아이들에 대한 아버지의 권위에서 기원했다고 주장하는지를 설명하는 데 도움이 된다.

최초의 통치/정부는 일인 지배 또는 군주제였다. 로크가 말하기를, 이는 아버지의 권위가 아이들을 '일인 지배에 익숙하게 했으며, 또한 일인 지배가 신중하고 능숙하게, 그러한 지배하에 있는 사람들에 대한 애정과 사랑으로 행사되는 곳에서 일인 지배는 사람들이 사회에서 추구하는 모든 정치적 행복을 그들에게 조달해주고 보존해주기에 충분하다는 것을 그들에게 가르쳤기'(§107) 때문이었다. 그렇지만 로크는 더 나아가서 또한 아버지들이 '감지할 수 없는 변화에 의해서'(§76) 실제로

28. 로크의 이론이 갖는 이 측면에 관한 탁월한 논의로는 다음을 참조. G. J. Schochet, 'The Family and the Origins of the State in Locke's Political Philosophy', in *John Locke: Problems and Perspectives* (Cambridge University Press, Cambridge, 1969). 88쪽에서 스코쳇은 로크의 용어 혼동을 지적하지만 '정치적'인 것과 '통치/정부' 사이의 구별은 간과하고 있다.

지배자가 된다고 주장한다. 이는 아이들이 성년에 이를 때 발생한다. 로크가 주장하기를, 일단 성인들이 연루되는 경우, '모종의 통치/정부가 없이는 그들이 함께 살기는 어려울 것이다.' 그래서 (이제는 성인이 된) 아이들이 아버지에게 자연 상태에서 모든 개인에게 속하는 자연법 집행권을 행사하도록 허용하고 그래서 그에게 '군주적 권력'을 주는 것보다 더 자연스러운 게 무엇이겠는가? 다시 말해서 모든 사람은 아버지의 자연적 권위가 지배자의 관습적 권위로 변형되는 것에 암묵적으로 동의한다(§74-5, 105).

이 초기 지배자들의 권력에는 아무런 명시적 제약도 필요 없었다. '공공선과 안전을 위해서 또한 로크가 가부장적 은유를 이용해서 덧붙이는바, 그와 같은 '자상하고 공공복리에 신경을 쓰는 보살피는 아버지들'이 없다면 이 초기 사회들은 살아남지 못했을 것이다(§110). 이 최초의 신민들은, 아이들이 아버지에게 의지할 수 있는 것과 마찬가지로, 그들이 동의를 보낸 사람의 '정직함과 신중함'에 의지할 수 있었다(§112).

그렇지만 이러한 통치/정부 형태의 단순성과 편익은 결국은 역사적 발전에 의해 추월당한다. 그것은 역사적 자연 상태의 첫 단계——화폐 이전 단계——에 가장 적합한 통치/정부 형태다. 바로 이러한 '순수한 시대'(§94)에 지배자의 '정직함과 신중함'은 신뢰될 수 있는 것이다. 화폐 경제의 발달과 재산 보유의 큰 불평등과 더불어서, 군주가 '공공선'을 위해 자신의 권위를 사용하는 행위를 신뢰하는 것은 점차 불가능해진다. 사적 개인들만이 아니라 지배자들도 욕망의 확대에 의해, '야망과 사치심'에 의해 영향을 받게 되는데, 이는 지배자의 경우 '아첨의 도움'을 받는다. 군주는 '자신들의 백성과 구분되는 별도의 이해관계'를 발달시키며, 로크의 시대에는 군주가 신권에 의해 통치한다고 주장되기에 이르렀다(§111-12). 그래서 필머 같은 이론가들에 직면하여, 다시 통치/정부의 기원을 검토하는 것은 필수적이 되었다. 비록 로크는 '아무리 잘 해보아도, 여태껏 그래왔던 것에서 의당 그래야 하는 것으로 넘어가는 논변은 그다지 설득력이 없다'(§103)고 아주 신중하게 덧붙이고는 있지만 말이다.

그렇지만, 로크가 통치/정부의 기원에 관한 추측들로부터 이끌어낼 수 있는 결론은 거의 없다고 주장할 수는 있겠지만, 그렇다고 해서 그것은 자연 상태의 역사적 발전에 대한 설명이 '기술적이거나 도덕적으로 중립적인 인류학'[29]이거나 아니면 로크의 논변에 '논리적으로' 본질적이라기보다는 단순히 '해설적이고 논쟁적'이라고[30] 말하는 것은 아니다. 인간의 도덕적 상태에 대한 형식적 설명과 더불어서, 역사적 설명은 로크의 도덕적이고 정치적인 논변(로크 자신의 사회의 성격이 주어졌을 때, 즉 배아적인 자본주의 시장 경제의 사회적 관계들이 주어졌을 때, 오로지 한 가지 적법한 통치/정부 형태만 있다——그리고 그것은 시민적 또는 정치적 형태다)에 있어 본질적이다. 로크의 추측의 역사는 어떤 특수한 통치/정부 형태에 대한 그의 정당화의 핵심적 부분이다.[31]

로크가 주장하기를, 일인 지배는 결코 정치적 내지는 시민적 통치/정부일 수 없는 통치/정부 형태다. 절대군주제는 '실로 시민사회와는 일관되지 않으며, 따라서 결코 시민적 통치/정부 형태일 수 없다'(§90). 비일관적인 이유는 그것이 결코 자연 상태의 근본적 '불편', 즉 개인적

29. Schochet, 'Origins of the State', p. 92.

30. J. Dunn, *The Political Thought of John Locke* (Cambridge University Press, Cambridge, 1969), p. 106.

31. 로크가 '자본주의 사회의 긍정적인 도덕적 기반'(p. 221)을 제공한다는 주장에 동의하기 위해서 차별적 합리성에 대한 맥퍼슨의 주장까지 받아들일 필요는 없다. 로크가 그 일에 '착수'했는지 여부는 다른 문제이다. Dunn, *The Political Thought of John Locke*, 15-17장의 논변들을 참고할 것. 노동자에 대한 로크의 태도에 관해서는 E. J. Hundert, 'The Making of Homo Faber: John Locke Between Ideology and History', Journal of the History of Ideas, 33 (1972), pp. 3-22를 볼 것.

판단에 대한 의존을 극복할 수 없기 때문이다. 비정치적인 자연 상태에서 '다수를 장악하고 있는 한 사람이 그 자신의 사건에서 재판관이 될 자유를 갖는다.'(§13) 정직함과 신중함을 신뢰할 수 있으며 로크가 적절한 '심판관'[§75]이라고 지칭하는 최초의 아버지-지배자의 경우에도, 여전히 자연법은 도덕적으로 틀릴 수 있는 한 개인의 사적 판단에 의해 해석되고 있는 것이며, 이는——어떤 '순진한(innocent)' 역사적 시기 동안 실로 충분했다고 할지라도——결코 사회적 질서를 위한 안전한 토대일 수 없다.

부와 재산이 불평등한 상황에서, 믿음과 이해관계가 다양한 상황에서, 정치적 통치/정부 형태, 즉 개인적인 사적 판단을 배제하는 형태가 적법한 동시에 효과적이었다. 로크가 진술하기를, 사람들은 '입법부가 인간의 집단적 기구——그것이 귀족원(senate)으로 불리거나 의회로 불리거나 기타 무엇으로 불리든 상관없이——에 맡겨지기 전에는 결코 시민사회에 있다고 생각할 수' 없었다(§94). 시민사회 또는 정치적 사회가 형성될 때, 사회계약이 이루어질 때, 각 개인은 자연법을 해석하고 집행할 권리를 포기하고 공동체로 넘긴다. 그런 다음 공동체는 그것을 공동체의 대표들에게 넘기며, 그때 그들 자신은 그들이 만드는 법에 의해 구속된다 (그리고 모든 사람은 여전히 자연법에 의해 구속된다): '그리하여 특정한 모든 구성원의 사적 판단이 배제된 채로, 공동체는 정해진 지속적 규칙에 의해 모든 당사자에게 무사공평한 심판관이 된다. 그리고 이러한 규칙의 집행을 위한 권위를 공동체로부터 위임받은 사람들에 의해…'(§87. 강조는 나의 것).

더 정확히 말해서, 공동체를 대신하여 '심판관'이 되는 것은 바로 그 대표들이다. 그들은 자신들의 사적 판단을 행사하는 게 아니라 정치적 판단을 행사한다. 로크는 계속해서 다수결에 의한 결정의 경험적 필요성을 주장하며, 그리하여 태동하는 자유민주주의 국가를 유일하게 고유한 정치적 통치/정부로서 정당화하는——그리고 이러한 정치적인 것 개념을 태동하는 자본주의 사회경제 체계에 적합한 것으로서 정당화하는——작업을 완결 짓는다. 월린의 주장처럼 시민사회의 정치적 본성을 '흐려놓기'보다는 오히려 로크는 그것에게 그리고 오로지 그것에게만 '시민' 또는 '정치적' 사회라고 불릴 수 있는 자격을 부여하는 결정적으로 중요한 '새로운 요소'에 대한 전적으로 명시적이었다.

물화와 정치적인 것의 역설

고유하게 정치적인 통치/정부는 오로지 시민적 통치/정부라고 하는 로크의 주장은 한 가지 극복하기 힘든 곤란을 겪는다. 로크의 자연 상태는, 월린의 주장처럼, 정치적 상태여야 한다. 실로 이는 자연 상태에 대한 로크의 형식적 설명으로부터 따라 나온다. 그것의 변별적 자질이 되는 것은 시민적 통치/정부의 정치적 본성 그 자체가 아니라 그것이 특별한 정치적인 것 개념을 체현한다는 사실이다: 내가 주장하는바, 물화된 정치적인 것의 개념.

로크에 따르면, 자연 상태에서 모든 적법한 통치/정부는 개인들의 자연법을 해석하고 집행할 그들의 자연적 권리를 양도하고 지배자가 모든 사람을 대신해서 그것을 집행하는 데 동의하기 때문에 생겨난다. 그러므로 모든 개인들은 그들의 다른 자연적 권리들과 더불어서 자연적인 정치적 권리를 가지고 있어야만 한다. 도덕적 평등의 상황으로부터, 피통치자에 대한 통치자의 이 '새로운' 정치적 권위가 기원할 수 있는 다른 길은 없다: 그것이 마법적으로 나타나거나, 아니면 개인들이 그것을 가지고 있다가 양도하거나이다. 개인들이 이 자연적인 정치적 권위를 가지고 있지 않다면, 그들의 도덕적 자기의 이러한 측면이 또한 신에 의해 주어지지 않는다면, 로크에게서 정치적 권위 같은 것은 도대체 생겨날 수가 없을 것이다. 사실 로크는 한 지점에서 명시적으로 이렇게 말한다. '정치권력은 모든 사람이 자연 상태에서 가지고 있다가 [시민]사회의 수중에 양도한, 그리고 거기서 사회가 자기 자신 위에 놓은 통치자에게 양도한 권력이다'(§171. 또한 §9를 볼 것). 그리고 양도된 권력은 또한 '이상한 교의'의 권력 내지는 권리다.

왜 이것은 정치적 권리인가? 자연 상태에 대한 로크의 형식적 설명에서, '자연법'은 '사회'가 도대체 존재하기 위해서 요구되는 상호부조와 상호 관용의 기본적인 최소한의 규칙들로 볼 수 있다. 그렇지만, 자연 상태에는 자연법을 해석하고 집행할 오로지 개인들만 단독적으로 있다. 다시 말해서, 역사적으로 군주에 의해 수행되었거나 시민사회에서 대의 통치/정부에 의해 수행된 과제, 사회적 삶이 질서 잡히고 평화로운 방식으로 지속되기 위해서는 반드시 필요한 규칙들을 해석하고 집행하고 '결정'하는 과제를 각 개인이 수행해야 한다. 로크는 이러한 자연적 권리에 대해서, 그것은 '전 인류를 보존하고… 그 목적을 위해서… 모든 합당한 일을 할 수 있는'(§11) 개인의 권력을 가리킨다고 말한다. 즉 그것은 개인으로서의 개인의 보존이 아니라 사회의 구성원으로서 간주되는, 타인들과 함께하는 개인의 보존을 가리킨다. 자연적인 정치적 권리의 행사는 각 개인이 공동의 삶을 보존하기 위해 무엇이 행해야 할 올바르고 좋은 것인지를 '직접적으로' 판단할 것을 요구한다.[32] 각 개인은 자연법에 의해 제공되는 틀구조 내에서 '직접적인' 정치적 물음을 던져야만 한다. 하지만 그 틀구조의 이상한 점은 그것이 어디에서도 공공연하게 알려지거나 전시되지 않으며 전적으로 개인들의 '사적 판단'에 의존한다는 데 있다——그리하여 자연 상태는 '불편'한 것이다.

자연적인 정치적 권리가 자연 상태에 대한 형식적 기술의 일부를

32. '직접적인' 정치적 판단에 관해서는 H. C. Mansfield Jr, 'Hobbes and the Science of Indirect Government', *American Political Science Review*, 65 (1971), pp. 97-110을 볼 것.

형성한다는 것을 강조하는 게 중요하다. 추측의 역사에 비추어 볼 때, 정치적 권리는 '사라진다'. 통치/정부 또한 '자연적'이며, 아이들의 '첫' 세대가 성인이 되자마자, 그들과 그들의 부모는 정치적 사회를 형성한다. 자연적인 정치적 권리는 아버지에게로 양도되게 되는데, 그는 최초의 통치자이며 그들 모두를 대신해서 권리를 행사한다——그리고 오직 그만이 그것을 행사한다. 그리하여, 로크의 정치 이론에는, 그리고 이어서 전개된 자유민주주의 이론에는 정치적인 것과 관련하여 본질적인 역설이 있다. 역설은 개인의 정치적 권리, 생명과 자유와 자산에 대한 다른 자연적 권리와 함께 있는 '자연적' 권리가 그 다른 권리들과는 달리 언제나 양도된다는 것이다.

이러한 역설은 어떤 중요한 함축들을 갖는다. 그 가운데 가장 중요한 것은, 개인들이 정치적 권리와는 다른 자연적 권리를 보유한다는 것과 전자가 양도된다는 것을 아우르기 위해서, 사회적 삶이 두 분리된 또는 자율적인 영역——사적 영역과 정치적 영역——으로 나뉜다는 것이다. 이 역설은 또한 로크에게 있어서 그리고 나중에 자유민주주의 이론에게 있어서 정치적인 것의 물화에서 근본적이며, '급진 민주주의'에 대항한 자유주의적이고 자유민주주의적인 방어에서 핵심적이다.

이 지점에서 명백한 물음은 이렇다. 자연적인 정치적 권리는 왜 양도되어야만 하는가? 부분적으로 그 답변은 이미 주어져 있다. 로크는 통치/정부가 신에 의해 주어지며 통치/정부는 다른 모든 사람을 대신해서 한 사람이나 소수의 사람이 권리를 행사하는 것이라고 주장한다. 답변의 나머지 부분은 좀 더 복잡하다. 자연 상태의 두 번째 역사적 단계, 즉 근대의 자유주의 시장 사회의 발전은 또한 자유주의적 개인주의의 발전을, 즉 '개인들'과 그들의 사회적 관계에 대한 일정한 개념을 내포한다.[33]

33. S. Lukes, *Individualism* (Blackwell, Oxford, 1973)을 볼 것.

더 이상 전근대적이고 신이 부여한 위계적 사회질서 안에 묶여 있지 않은바 이제 개인들은 종교를 포함해서 그들 삶의 모든 영역들에서 양심적으로 스스로 결정할 수 있고 자기 자신의 사적 판단을 행사할 수 있는 자유로운 존재로 간주된다. 로크는 『관용에 대한 편지』에서 이를 아주 분명히 한다. 거기서 그는 자산과 가사의 관리에서처럼 종교에서도 국가나 교회의 간섭 없이 '모든 사람은 그 자신의 편익을 고려하고 자신이 가장 좋다고 판단하는 방침을 따를 수 있는 자격을 지닌다'고 주장한다.[34]

전근대 세계에서 개인과 개인의 양심은 신의 세계 계획에 대한 공통된 믿음으로부터 도출되는 공통 원리에 의해 질서 지어진 사회 안에 제약되어 있었다. 근대의 자유주의 세계 안에는 그와 같은 공통된 믿음이나 원리가 더 이상 존재하지 않았다. 그것들은 사회적 세계에 대한 각 개인의 판단과 그 안에서의 그들 자신의 '이익'에 의해 대체되었다. 세계에 대한 개인의 견해는, 세계의 모든 측면에 있어서, 사유화되거나 내면화된다. 그리고 이러한 발전은 근대적 형태로는 종교개혁과 더불어 출현했던 개인의 양심이라는 관념이 '이익'이라는 관념으로 변형 내지는 포함되는 것과 관련이 있다. 월린이 주장하듯, '자유주의의 후원 아래 가장 거대한 변화가 이루어졌다. 곧 '개인적 이익'이 개인적 양심을 대체했던 것이다. 이익은 양심이 종교에서 했던 것과 동일한 역할을 정치적이고 사회적인 사유에서 점차 수행하게 되었다.'[35]

34. J. Locke, *A Letter on Toleration* (Oxford University Press, Oxford, 1968), ed. J. W. Gough, p. 89.

35. Wolin, *Politics and Vision*, p. 338. [231쪽.] 이런 언급들이 암시하는 것 이상으로 로크의 이론에서 종교는 큰 역할을 하고 있다. 그런 의미에서 홉스의 이론보다 로크의 것이 덜 근대적이다. R. Ashcraft, 'Faith and Knowledge in Locke's Philosophy', in *John Locke: Problems and Perspectives*, ed. J. W. Yolton (Cambridge University Press, Cambridge, 1969).

개인들의 판단들과 이익들은 욕망들이 팽창하고 있고 재산의 불평등이 큰 상황에서 충돌하기 쉬웠다. 그와 같은 사회에 내재하는 사회적 질서의 문제에 대한 자유주의적 해답은 사회적 삶을 두 영역으로 나누는 것이었으며, 충돌하는 개별적 이익들을 중재하고 '공적 이익'에 대해 결정을 내리는 '정치적 방법' 내지는 절차로써 공유된 원리들을 대체하는 것이었다.[36] 사회적 삶의 사적 영역에서는 개인들의 비정치적인 자연권에 표현이 주어진다. 이것은 개인들이 자신들의 사적 판단을 행사하고 자신들의 이익을 추구하기 위한 고유의 영역이다. 정치적 영역에서 개인의 사적 판단은 배제되며, 자연적인 정치적 권리는 양도되며, 개인들을 대신하여 특별하게 선출된 대표들이 결정을 내린다.

자연적인 정치적 권리의 '양도'에 대해 말하는 것은, 한 가지 의미에서, 다소 오도적이다. 개인들이 양도해야 할 그것을――행사할 특권이 있는 다른 자연적인 권리들을 그들이 갖는 것처럼――실제로 갖는다는 함축이 있으니까 말이다. 자연적인 정치적 권리의 경우 전혀 그렇지가 않다. 정치적 권위를 정당화하기 위해 로크는 개인들이 자신들의 자기에 실로 자연적인 정치적 측면을 갖는다는 것을 허용해야만 한다. 그렇지만, 내가 이미 강조했듯이, 이것은 순전히 형식적인 진술이다(아마도 바로 그렇기에 로크는 그의 교의를 '이상한' 것이라고 했을 것이다). 이는 개인의 정치적 권리가 단지 어떤 종류의 정치적 권위를 특정 방식으로 정당화하기 위해서만 정립된 허구라는 것을 의미한다. 개인의 정치적 권리는 자연 상태(의 추정적 역사) 안에서건 시민사회 안에서건 아무런 현실적 표현도 갖지 않는다. 그것은――모든 개인들의 '자연적인' 자유와 평등이라는 자유주의적 출발점이 주어졌을 때――한 사람 또는 소수의 대표들에 의한 정치적 권위의 행사를 정당화하는 데 복무하는 개념적

36. J. A. Schumpeter, *Capitalism, Socialism and Democracy* (Allen & Unwin, London, 1943), 12장에서의 민주적인 '정치적 방법'에 관한 부분을 참조.

가설이다.

이 시점에서, 양도된 권리가 허구라고 하더라도 교환 속에서 구체적인 어떤 것, 즉 (로크가 말하는 넓은 의미에서의) 소유권(property)의 보호와 안전을 수여받는 것 아니겠냐는 주장이 있을 수 있다. 바로 그렇기에 역사적 발전의 일정한 단계에서 시민적 통치/정부에 대해 마땅히 동의가 주어지는 것이고, 바로 그렇기에 개인들은 사회계약이라는 매개를 통해 시민사회에 진입해야 하는 것이다. 계약은 개인의 정치적 판단 권리 그 자체의 양도를 정당화하기 위해서 필요한 게 아니라(그것은 자연상태에서 양도된다), 그것을 (불평등한) 소유권을 효과적으로 보호할 수 있는 특수한 통치/정부 형태에 양도하는 것을 정당화하기 위해 필요하다. 그렇지만 사회계약의 도입은 허구에 허구를 더하는 것이다. 누구도 그것이 실제 사건으로서 간주되어야 한다거나 간주될 수 있다고 제안하지 않으니까 말이다. 하지만 사회계약 개념은 무엇에 관한 허구인가? 이 물음에 대한 답은 로크에게 있어 그리고 정치적인 것의 자유민주주의적 물화에 있어 핵심적이다. 사회계약은 시민권에 관한 허구다.

로크의 이론에서, 소유권은 공정한 법이 알려진 절차에 따라 대표들에 의해 공적으로 만들어지고 공정하고 유효하게 집행되는 통치/정부 형태 아래서 보호된다. (대표들을 포함해서) 모든 사람은 법 아래 형식적으로 평등하다. 극빈자도 수천 에이커의 영국 전원 소유자도. 각자는 자신의 불평등한 '이익'에 대해 평등한 보호를 받는다. 그리고 나의 주장에 대한 비판가는 이 지점에서 이렇게 제안할 수 있을 것이다. 계약을 통해, 양도된 허구적 권리에 대한 교환으로, 다른 무언가를――실로, 권리가 완전한 허구는 아니라는, 혹은 적어도 오늘날은 그렇다는 것을 보여주는 무언가를――받는다고 말이다. 형식적인 법적 평등과 더불어서, 시민권의 형식적이고 평등한 정치적 지위 또한 확립된다. 그것은 보호받기 너머로 확장되는 평등이다. 정치적 평등은 이론적으로 어떤 활동을 하고 있는 개인들을 내포한다. 정치적 역량에서의 활동, 즉 사적 개인으로서가 아니라 시민으로서의 활동. 이 활동은 자신들의 '보호를 보호'[37]하기 위한 것이다. 즉 그들은 시민으로서 보호를 확실히 해줄 적절한 대표들을 위해 투표한다. 다시금 이것은 로크의 이론에서 다만 배아적 형태로 나타난다. 개인으로서의 실체적 불평등 위에 있는, 시민권의 형식적 평등, 유권자로서 모든 사람(모든 성인)의 형식적인 정치적 평등은 자유주의적 대의 통치/정부 이론이 보통선거권의 도입과 더불어 자유민주주의적이 될 때에만 확립된다.

그렇지만 개인의 정치적 권리의 이러한 겉보기의 귀환은 다만 겉보기일 뿐이다. 시민권은 여전히 허구로 남아 있다. 우선 주목할 것은 정치적인 것의 역설이 이 지점에서 즉각 재-등장한다는 것이다. 시민들은 대표들에게 투표한다. 하지만 그들은 정확히 대표들이 그들 대신 정치적 결정을 내릴 수 있도록 그렇게 한다. 다시금 정치적 판단의 권리는 양도되고 있다. 대표들은 이제 공동체 구성원들의 이른바 정치적 자기들, 시민 자기들의 체현물이 된다.[38] 그렇다면 이 자기들은 그 구성원들에 의해 별도의 자율적인 영역, 정치적 영역에 있는 것으로 '보일' 수 있다. 대표들의 과제는 정확히 모든 시민들의 이익을 대표하는 것, 즉 개인들의 충돌하는 개별적 이익이 아니라 정치적이거나 공적인 이익을 대표하는 것이다. 다시 말해서 대표들은, 정치적 영역에 입장할 때, 그들 나름의 '정치적 사자모피'를 입는다. 로크가 강조하듯이, 사적 판단은 이제 배제

....

37. M. Walzer, *Obligations: Essays on Disobedience, War and Citizenship* (Simon & Schuster, New York, 1971), 10장에서의 논의를 볼 것. 이 구절은 홉스의 『리바이어던』에서 온 것이다. *Leviathan*, ed. C. B. Macpherson (Penguin Books, Harmondsworth, Middlesex, 1968), chap. XXIX, p. 375.

38. E. M. Wood, *Mind and Politics: An Approach to the Meaning of Liberal and Socialist Individualism* (University of California Press, Berkeley, 1972), p. 156.

된다. 대표들은 사적으로 판단하지 않고 정치적으로 판단한다. 그들은 원리의 문제라기보다는 절차나 기술적 전문지식의 문제인 정치적 결정을 내린다. 시장의 게임에서 충돌하는 이익에 대한 심판(umpire)의 판정.[39] 하지만 오로지 형식적 지위에 의해 함께 묶이는 시민들의 집단적, 정치적 이익이란 무엇인가? 이것은 대답하기――불가능하지 않더라도――어렵다.

사적 개인들에 의한 허구적인 정치적 권리의 양도는 정치적 영역에 아무런 구체적이거나 현실적인 공동체 내 체현물도 남겨놓지 않는다. 개인들은 그들을 함께 묶어줄 공통적인 그 무엇도 갖지 않는다. 따라서 사회에 '공통적인' 것, 즉 정치적인 것에 대한 월린의 '전통적' 개념은 오로지 사회 위에 있는 어떤 것, 사적 개인들의 현실적 사회적 관계들로부터 추상된 어떤 것으로서만, 공통적 허구적 지위의 '자율적'이고 외적인 체현물로서만 간주될 수 있다.[40] 시민들은 그와 같은 정치적인 영역을 바라볼 수만 있으며 그 안에서 행위할 수는 없다. 다시 말해서 로크와 자유민주주의 이론에서 정치적인 것의 개념은 물화된 개념이다. 정치적

39. 자유주의에 대한 월린의 비판들 가운데 한 가지는 통치/정부가――또는 정치적 의사결정이――'노동 분업의 원칙 아래' 포섭되었다는, 즉 그것이 원칙에 입각한 숙고가 아닌 직업적 혹은 기술적 전문 영역이 되어버린다는 것이다. 다음의 논변 또한 참고할 것. J. Habermas, 'Technology and Science as "Ideology"', in *Towards a Rational Society* (Heinemann, London, 1971). 비록 내가 볼 때 정당성 또는 이데올로기가 변화했다는 하버마스의 논변이 자유민주주의 이론이 국가와 정치적인 것에 대한 이론으로서 살아남을 수 있는 정도와 기술관료제 국가가 자유주의의 기원에서부터 이미 거기에 포함되어 있는 정도를 간과하고 있기는 하지만 말이다. Cf. 보다 효율적인 수단들이 발견될 수 있다면 정치는 '없어도 된다'라는 제임스 밀(James Mill)의 정치이론에 대한 A. 라이언(Ryan)의 평가는 다음에서 확인 가능하다. 'Two Concepts of Politics and Democracy', in *Machiavelli and the Nature of Political Thought*, ed. M. Fleischer (Atheneum, New York, 1972), p. 110.

40. Cf. Wood, Mind and Politics, pp. 152-3.

인 영역은 대상화되고 사회의 구성원들에게 외적인 '사물'—'국가'—로서 나타난다.

또한 자유민주주의적인 정치적 영역이 물화된 추상이 아닌 다른 것으로서 간주될 수 있고 사적 영역과 정치적 영역의 분리에 다리를 놓을 수 있는 그 어떤 길도 없다. 정치적 영역은, 언제나 시민들의 손에 닿지 않는 채로, 물화된 존재자로 남아 있게 되어 있다. 왜냐하면 형식적으로 시민권은 정치적 지위이고 시민들은 정치적 행위자로서 투표하기에 그 두 영역이 이론적으로는 민주주의 선거권이 행사되는 동안 한데 묶이지만, 현실적으로는 이런 일이 결코 발생하지 않으며 발생할 수 없기 때문이다.[41] 자유민주주의 시민은 정치적 행위자로서 투표하는 게 아니라 사적 이익을 방어하기 위해 투표하는데, 이는 자유주의에 대한 월린의 비판 중 하나다.

시민권은 사적인 삶을 자연 거주지로 삼는 개인들을 일시적으로 덮는 '정치적 사자모피'다. 달이 정치적 사회에 입장하기로 동의한 로크의 개인에 대한 오늘날의 등가물인 호모 키비쿠스(Homo civicus)에 대해 그토록 생생하게 말했듯이, 호모 키비쿠스는 '본성상 정치적 동물이 아니다'.[42] 그는 저 역설적 피조물, '사적 시민'이며, 이는 한 가지 역설을 더 드러낸다. 자유민주주의적인 '정치적 국가'가 완전하게 발달하고 보통선거권이 도입될 때 사적 판단이 배제되는 게 아니라, 재등장하는 게 바로 사적 판단이다. 사적 시민은 허구적인 정치적 권리의 상징적 양도를 덮고 있는 사자모피 이면의 사적 이익들에 근거해서만 투표할

41. 맑스는 헤겔의 정치 이론에 대한 초기 논의에서 참정권을 시민사회와 국가의 분리를 초월할 수 있는 수단으로 여겼다. K. Marx, *Critique of Hegel's 'Philosophy of Right'* (Cambridge University Press, Cambridge, 1970), ed. J. O'Malley, p. 121.

42. R. A. Dahl, *Who Governs?* (Yale University Press, New Haven, 1961), pp. 223-5.

수 있다. 만일 시민들이 형식적인 정치적 지위가 그렇게 해야 한다고 제안하는 방식으로 실제로 행위한다면, '급진 민주주의'에 대항한 자유민주주의의 방어물——개인들은 사적 영역에서 모든 문제들을 스스로 판단할 수 있고 판단해야 하는 반면에 정치적 삶에서는 그것이 가능하지 않다는 가정——은 분해되고 말 것이다. 고유하게 정치적인 사회에서 정치적 결정들은 정기적으로 선출되는 대표들에 의해 내려져야만 한다.

개념들과 정치적 삶

로크와 그 이후의 자유민주주의 이론에 대한 그와 같은 두 상이한 해석을 조망하기 위해서는 몇 가지 추가적인 논의가 필요하다. 첫째, 나는 로크에 대한 월린의 해석을 다른 관점에서 보고자 한다.

로크가 정치적인 자연 상태를 상정한 것이 잘못이라면, 정치적인 영역이 어떻게 비정치적인 자연 상태로부터 출현하는지의 문제가 생겨난다. 그것이 사회의 '불가결한 전제 조건'[43]이라면, 그것은 이를테면 어디에서 오는가? 비정치적인 사회적 질서 위에 외적 영역으로서 (누구에 의해? 어떻게?) 부과되는가? 더구나, 정치적 질서의 부재가 개인들을, 월린의 생생한 표현으로, 필사적인 집 없음의 상태로 남겨놓는다면,[44] 우리는 심지어 '사회적 질서'에 대해 말할 수 있는가? 우리가 단순히 무연의 추상적인 원자화된 '개인들'의 집합을 상정함으로써 논변을 시작한다면, '정치적 사회'는 고사하고 어떻게 '사회'가 구상될 수 있는지의 문제가 생겨난다——홉스의 이론이 예증하듯이 말이다.[45] '인간의 도덕

43. [182쪽.]
44. [182쪽.]
45. 루소는 이 문제를 잘 알고 있었다. 『인간 불평등 기원론』(*The Discourse on Inequality*) 1부에서 루소는 특히 홉스에 반대하여 주장하는데, 자연 상태의 비-사회적인 '개인들'은 모든 식별 가능한 인간적 특질들을 상실한 상태일 것이라고 주장했다. 루소는 그러한 상황이 어떻게 극복되었고 사회가 '제도화'

적 상태'에 대한 로크의 형식적 설명은 내가 다른 곳에서 '개념적 논변'[46] 이라고 불렀던 것의 한 판본으로 볼 수 있다. 즉 '사회'의 일관된 개념은 '권리', '의무', '규칙', '권위' 같은 개념들, 로크의 '자연법'에서 요약되는 개념들을 전제한다는 논변. 그리고 '권위'가 '사회'의 필수불가결한 부분이라면(이 장 서두에 인용된 달 참조), 모든 사회는 정치적 사회다. 이것은 정치적인 것을 근대 국가의 관점에서 볼 때만, 사회적 삶의 나머지로부터 분리된 자율적인 영역으로서 볼 때만 이상해 보인다.[47] 그렇다고 한다면, 로크의 시민적 통치/정부는 정치적인 자연 상태에 의해 예견되는바 보기보다 덜 독특한 것 같다.

그럼에도 불구하고 자연 상태에 대한 로크의 설명은 양면적이다. 그의 정치적인 것 개념에 있어 유관한 대조는 시민적 통치/정부와 자연 상태(월린의 '이상적' 자연 상태[48])에 대한 형식적 설명(개념적 논변) 사이의 대조가 아니라 사적 영역의 현실적인 사회적 관계들과 그것들 위에 얹히는 자유주의 국가 사이의 대조다. 자연 상태는 무관하다는 말이 아니다. 전혀 그렇지 않다. 이 사회적 관계들 또한 자연 상태의 추측의 역사 안에서 예견되었는데, 그 추측의 역사 안에서 로크는 개인의 자연본성에 대한 몇 가지 경험적 가설을 제출한다. 예를 들어, 개인의 자연본성은 일단 화폐가 도입되면 욕망이 (무한히?) 확장되도록 되어

되었는가 설명하려 하지 않는다. 2부에서 그는 개인들의 사회적 본성을 가정하고 통치/정부의 기원에 대한——로크의 추측의 역사와는 효과적으로 대비되는——추측의 역사를 제공한다.

46. C. Pateman, 'Political Obligation and Conceptual Analysis', *Political Studies*, 21 (1973), pp. 199-218.

47. 이는 비-국가적 '원시' 사회의 지위에 대한 문제들을 제기했다. '가장 "원시적인" 사회들에서조차 조직화된 통치/정부가 현존했으며 중요했다는 최근의 발견은 다시 한 번 통치/정부 일반과 구체적인 정치 시스템 사이의 상당한 혼동을 불러일으켰다(Crick, *In Defence of Politics*, p. 180).

48. [182쪽.]

있으며, 또한 통치/정부가 자연적으로 필요하게 되어 있다(즉 정치적 판단의 권리는 '자연적으로' 포기되어야만 한다). 그리하여 로크는 그 자신의 시대의 태동하는 자본주의 체계의 사회적 관계들(사적 영역)과 우리 자신의 시대의 자유민주주의 국가로 발전한──고유하게 정치적인──통치/정부에 대한 정당화를 제공한다.

이 가운데 그 무엇도 놀랍지 않다. 정치 이론은 순수하게 개념적인 문제이지 않으며 그런 문제일 수도 없다. 개념들은 무시간적 공백 속에 존재하는 게 아니라 사회적 삶의 필수불가결한 부분이며, 구체적 형태의 사회적 관계들로부터의 고립된 추상 속에서 취급될 수 없다. 내가 주장하고자 하는바, 정치적인 것의 승화에 대한 월린의 논변 기저에 놓인 것은 추상적으로 개념적인 초점맞춤이다. 그것은 정치적인 것의 일반적인 개념, '전통적'인 개념, 무시간적이고 추상적인 개념을 자유민주주의 국가의 오늘날의 현실들에 재적용하는 것이 가능해야만 한다는 것을 주장하는 초점맞춤이다. 월린 그 자신이 『정치와 비전』의 도입부에서 정치적인 것은 언제나 '창조된' 영역이었다고 진술함에도 불구하고 말이다.[49]

월린 논변의 수수께끼 같은 특질은 공통적이고 일반적인 전통적인 정치적인 것 개념이 실재적 용어로, 현실적인 제도들과 관계들의 용어로 무엇을 의미할 수 있는가하는 것이다. 월린은 '승화'가 실제로 발생했는지를, 혹은 그것이 순전히 정치 이론가들의 정치적인 것 개념의 문제인지를 결코 실제로 분명히 하지 않는다. 하지만 후자는 그의 논변의 주된 추동력을 형성한다. 질문되어야 할 것은 이렇다. 즉 월린의 '자율적인' 정치적 영역이 무엇으로 이루어지는가? 답은 다음과 같아 보인다. 근대(자유민주주의) 국가. 그의 논변은 이 점에 관해서 불투명하다. 하지만

49. Wolin, *Politics and Vision*, p. 5.

한 가지 명시적 참조는 맑스와 뒤르켐의 이론에 대한 비판 중 '국가를 거부하는 것은 정치적인 것의 핵심적 참조물을 부인하는 것을 의미한다'[50] 라는 그의 논평이다. 아이러니하게도 『정치와 비전』 마지막 장에서 '전체주의'에 대한 월린의 참조들은 그의 요건을 충족시킬 것은 특별히 자유민주주의적인 국가 개념이라는 것을 시사한다. 자유민주주의 이론은 월린이 승화되어 시야에서 사라졌다고 주장하는 바로 그 '자율적인' 정치적인 것 개념을 여전히 ('재-단언'에 대한 아무런 필요 없이) 제공한다.

내가 주장하고자 하는바, 월린이 이러한 가능성을 고려하지 못하는 것은 자유민주주의 이론을 그 이론의 시작에서부터 오해했기 때문이다. 로크에 대한 그의 해석이 예증하듯이, 그는 이미 그것을, 그 초기 형태에서, 정치적인 것에 대한 '승화된' 견해로서 기각했다. 이러한 오해에서 핵심적인 것은 정치적인 영역이 처음부터 자율적인 것으로서 나타난다는 월린의 견해다. 그것은 '자연적인' 인간관계에 뿌리를 둘 수 없는데, 왜냐하면 후자는 '피할 곳 없는' 상태이기 때문이다. 그리하여 월린은 '자율적인' 정치적 영역을 혹은 적어도 그러한 것의 개념을 계속해서 요구한다. 근대 세계에—또는 적어도 근대 정치 이론가들에게—결핍되어 있다고 그가 주장한, 사회를 위한 '포괄적인 통합'[51]을 제공하기 위해서 말이다. 그는 자유민주주의 국가 그 자체가 '전통적' 방식으로는 아니더라도 그 과제를 수행하고 있을 수도 있다는 가능성을 간과하는 동시에 자유민주주의 이론이 분명 자유민주주의 국가를 그렇게 하고 있는 것으로서 제시한다는 사실을 간과한다.

월린이 동시대 자유주의 국가의 실제 역할과 본성이나 자유민주주의 이론에서 그것이 제시되는 방식을 고려하지 못한다는 것은 산업 같은 '사적' 영역들을 열심히 뒤지면서 그것들을 '정치적'이라고 부르는 동시

50. 같은 책, p. 417.

51. [371쪽.]

대 정치 이론가들의 활동이 다만 기이해 보이기만 할 뿐이라는 것을 의미한다. 승화/물화에 걸려 있는 것은 바로 자유민주주의의 바로 지금 여기서 어떻게 정치적인 영역이 성격규정되어야 하는가 하는 것인데, 『정치와 비전』의 관점은 이 사실을 흐려놓는다. 또는, 다른 방식으로 말해보자면, 로크가 자신의 '양식 있는' 이론을 정식화한 이래로 발생하고 있었던 거대한 역사적 변형이 '정치적' 영역에 대해, 또는 더 특정하게는, 민주주의적 정치 이론 및 실천에 대해 갖는 의미라는 중요한 문제가 흐려지는 것이다. 시장 경제의 출현(또는, '정치적인' 것의 승화가 아니라 발전을 위해 필수적이었다고 크릭이 주장하는바, '사회적인' 것의 부상)과 국가관리 자본주의로의 그것의 차후 변형은 또한 로크의 자율적 대의적 '심판' 시민 통치/정부의 변형이기도 하다. 심판(umpire)은 경기자 중 한 명이다. 자유민주주의 국가는 이제 사회적 삶의 모든 영역에, 특히 물론 경제적 영역에 대규모로 개입하며, 또한──동일한 과정의 이면인바──사회적 삶의 경제적 영역 및 여타 영역들은 국가 장치의 거대한 군대-산업-정치-이데올로기 복합체 안으로 엮이어 들어가게 되었다.[52]

『인간의 조건』에서 근대 자본주의 세계의 발달에 대한 한나 아렌트의 설명은 월린의 논변과 흥미로운 대조를 이룬다. 아렌트의 논의는 사적 영역과 공적 내지는 정치적 영역의 고대적('전통적') 개념과 반정립이 얼마나 철저하게 변형되었는지를 강조한다. 그녀가 진술하기를, '사회적 영역의 출현은… 근대의 출현과 일치했으며 민족국가에서 그 정치적 형식을 발견했다.'[53] 근대 세계에서 경제적 활동은 사적인 가정의 고대적

52. R. Miliband, *The State in Capitalist Society* (Weidenfeld & Nicholson, London, 1969)에서의 논의를 볼 것.

53. H. Arendt, *The Human Condition* (Anchor Books, New York, 1959), p. 27. [한나 아렌트, 『인간의 조건』, 이진우 · 태정호 옮김, 한길사, 1996, 80쪽.]

제한으로부터 자유로워졌으며 '공적 의미'를 획득했다. 그리하여 그것은 정치적 삶의 개념을, 그리고 그것이 사적 영역과 맺고 있는 관계를 변화시켰다. 경제적 활동은 노동력에 기초한 자본 축적이 되었으며 '사회'는 통치/정부로부터의 보호를 요구하는 사적인 재산소유자와 직업인의 조직화로서 출현했다. 동시대적 결과는, 아렌트가 주장하기를, 정치적 영역이 이제 범국가적 '살림(housekeeping)'을 위한 관리 기관으로서 나타난다는 것이다.[54] 아렌트는 근대 자유주의 세계의 경제적이고 정치적인 변형들에 직면하여 정치적인 것의 '전통적' 개념이 여하간 직접적으로 재단언될 수 있다고 제안하지는 않지만, 사적 영역과 정치적 영역 양쪽 모두가 사회적 영역 안으로 잠기고(submerged) 있다고 주장한다.[55] 승화에 대한 월린의 주장에 평행하는 것처럼 보이는 주장.

그렇지만 아렌트의 논변은 순전히 개념적인 것이 아니다. 그녀는 그녀의 저술에서 역사적 변화를 언급하는 동시에 추가적인 발전의 가능성을 언급한다. 특히, 미래를 위해 중요한 것으로서, 지난 세기에 걸친 혁명들의 놀라운 특징, 즉 자주관리적 평의회의 등장에 관심을 두었다.[56] 자유민주주의 국가의 동시대적 역할에 비추어, 승화 논변은 추가적인 경험적 주석이 주어질 때 더 그럴듯해 보일 수도 있다. 하지만 이러한 그럴듯함은 본질적으로 자율적인 영역으로서의 정치적인 것 개념에 여전히 의존하고 있는데(아렌트가 지지하는 개념),[57] 오늘날 그것의 자율

54. 같은 책, p. 55. [114쪽.]
55. 같은 책, p. 61. [123쪽.]
56. H. Arendt, *On Revolution* (Penguin Books, Harmondsworth, Middlesex, 1973), 6장 및 'Thoughts on Politics and Revolution' in *Crises of the Republic* (Penguin Books, Harmondsworth, Middlesex, 1973)을 볼 것.
57. 아렌트가 『혁명론』(*On Revolution*)에서 평의회는 '정치적' 집합이어야 하기 때문에 공장평의회가 오도되었으며 실패였다고 서술하고 있다(그러나 그녀가 이 입장을 'Thoughts on Politics'에서 고수하고 있는지는 불분명하다; pp. 189-90을 볼 것). 그러나 나는 아렌트를 보다 광범위한 논의에서 배제했는

성은 사회적 삶 속에서 '상실'되었거나 승화되었거나 잠기게 되었다. 이러한 출발점이 없을 때 '승화'에 관한 아무런 문제도 실제로 없다. 또는 적어도 월린이 그토록 중시하는 문제는 없다. 동시대의 자유민주주의들과 그것들의 국가관리 자본주의에서 정치적 영역의 역할, 본성 및 고유한 성격규정과 관련하여 여전히 많은 문제들이 남아 있다. 그리고 나는 그것들의 가장자리를 조금 건드리기 시작했을 뿐이다.[58] 또한, 정치적인 것의 이 특정한 개념의 부재 속에서, 내가 이 장을 시작하면서 언급한 바 있는 정치적인 것에 대한 정치학자들의 비정통적 정의들은 '일련의 막다른 궁지'인 것이 아니다. 오히려 그것들은 동시대의 자유민주주의 국가의 현실을 인정하려는 시도로 볼 수 있다.

앞의 문단은 더 이전의 논변, 즉 정치적인 것의 자유민주주의 개념은 물화되고 자율적인 영역에 관한 것이고 이는 자유민주주의 국가에 대한 승화보다 더 적절한 성격규정이라는 논변과 상충되는 것처럼 보일 수도 있다. 여기서 개념들과 사회-정치적 삶의 상호관계와 그 관계의 복잡성이 재-강조될 필요가 있다. 자유민주주의 국가는 사실상 사회적 삶의 나머지로부터 '자율적'이지 않다고 주장하는 것, 로크와 월린의 '상부구조'라는 형태에서 그것은 (정말로 그것이 그 형태로 존재했다고 한다면) 오래전에 한물갔다고 주장하는 것은 자유민주주의 이론에서 '정치적인' 것이 제시되는 방식에 대해 아무것도 말하지 않는다. 사회학과 철학의 통찰들은 정치적 제도들이 개인들의 사회적 상호작용으로부터 독립적이

데, 왜냐하면 아렌트의 입장은 월린의 것보다 훨씬 더 복잡하며 그녀는 정치적인 것의 '자율성'에 대한 고집에도 불구하고 자유주의 및 자유민주주의에 대해 예리하게 비판적이기 때문이다.

58. 이 문제에 대한 논의를 다음에서 볼 것. A. Wolfe, 'New Directions in the Marxist Theory of Politics', *Politics and Society*, 4(2) (1974), 특히 pp. 146-51. 울프는 맑스의 상품 분석을 자유주의 국가에 대한 그의 평가들과 유용하게 비교해 주고 있다.

지(또는 자율적이지) 않다는 것을 우리에게 가르쳐주었다. 그리고 자유주의 이론과 자유민주주의 이론 그 자체로부터, 개인들의 정치적 권리는 '자연적' 권리이며 정치적 관계는 '자연적'인 사회적 관계에 기초를 둔다는 주장이 나올 수 있다. 하지만 이 가운데 그 무엇도 저 정치적 제도들이 정치 이론에 의해 '자율적'인 것으로서 제시될 수 없다고 말하는 것은 아니며, 또한 정치적 상호작용의 패턴들(정치적 제도들)은 시민들의 통제에 외적이거나 그 통제를 벗어나 보이고 또한 실제로도 그러할 만큼 그렇게 잘 확립될 수 없다고 말하는 것은 아니다. 자유주의 이론은, 로크의 논의가 예증하듯이, 아무런 현실적 표현도 갖지 않는 '자연적인' 정치적 권리의 역설에 기초하고 있다. 그리고 이는 자유민주주의 국가라는 맑스의 '천국'에서 물화되는 이른바 '자율적인' 정치적 영역의 정당화를 위한 토대를 형성한다. 그리하여 한편으로 자유민주주의 이론은 정치적 삶의 현실을 신비화한다. 다른 한편으로 그 이론은 또한, 자신 안에 파묻힌 채로, 자유민주주의 국가와 현대의 시민권에 관한 중요한 진리――즉 그것은 허구라는 것, 국가는 사실상 시민들에게 외적이며 시민들의 통제 바깥에 있다는 것――를 봉쇄한다. 바로 이러한 이유 때문에, 월린이 정치적인 것의 승화와 연결 짓는 정치적 참여의 평가절하와 '정치적 인간의 토막 내기'[59]라는 월린의 문제들은 자유민주주의 이론과 실천 그 자체에 필수불가결한 문제들이다. 해결책은 자유민주주의 국가 안에서 그리고 정치적인 것의 자유민주주의적인 개념 안에서 발견되기 힘들 것이다.

정치적인 것의 참여적 개념을 향하여: 몇 가지 논평

시민권의 허구와 언제나 포기되어야만 하는 '자연적' 권리의 역설은

59. [370쪽.]

정치적인 것의 자유민주주의적 개념에 있어 그리고 자유민주주의의 '급진 민주주의에 대항한 방어'에 있어 필수불가결하다. 시민권이 '사자 모피' 이상의 것이려면, 그것이 월린의 바람처럼 유의미하고 자기충족적인 활동이려면, 자유주의 이론이 인정하는 개인의 '자연적'인 정치적 권리에는(그러한 인정이 아무리 모호하게 이루어진다고 해도) 현실적 표현이 주어져야 한다. 이 표현은 자유민주주의 국가 너머를 바라보는 비-자유주의적 민주주의 이론과 실천을 전제한다. 최근에 한 정치인류학자는 '국가가 오랫동안 정치 이론가들에게 행사해왔던 주문(spell)'에 대해 언급했다.[60] 그리고 오로지 몇 안 되는 정치 이론가들만이 국가에 대한 이론가가 아니었다.[61] 자유민주주의 이론의 주된 경쟁자인 맑스주의는 정치적인 것을 동일한 방식으로 보았으며, 아주 묘하게도 자본주의 경제 질서의 자유민주주의 국가를 고유하게 혹은 '완전하게 발전된' 유일한 정치적 국가와 동일시하는 데 역시 기여했다. 맑스의 다음과 같은 선언을 보라. '발전 과정 속에서 계급적 차이들이 소멸되[면], 공권력은 그 정치적 성격을 상실하게 될 것이다.'[62]

로크의 이론에서 개인의 정치적인 권리는 개념적 가설로 남아 있다. 그렇지만 사회계약은 '정치적' 대의 자유주의 통치/정부에게로의 상징적인 권리 양도가 일어나는 지점이다. 그리고 로크의 사회계약 판본을 더 자세히 들여다보면 시민들에 의한 정치적 판단과 활동에 대한 '자연적'

60. G. Balandier, *Political Anthropology* (Penguin Books, Harmondsworth, Middlesex, 1972), p. 187.

61. T. Skillen, 'The Statist Conception of Politics', *Radical Philosophy*, 2 (1972), pp. 2-6을 볼 것.

62. K. Marx and F. Engels, 'The Communist Manifesto', in *Selected Works*, vol. I (Lawrence & Wishart, London, 1968), p. 53. [칼 맑스 · 프리드리히 엥겔스, 「공산주의당 선언」, 『칼 맑스 · 프리드리히 엥겔스 저작 선집 1』, 1991, 420-421쪽.]

권리의 보유와 양립 가능한 정치적인 것 개념에 대한 어떤 폭넓고 일반적인 지시를 얻을 것이다. 루소의 이론과의 비교 또한 여기서 적실하다.[63] 루소의 자연 상태의 추측의 역사는 자유주의적 사회계약을 개인들이 자발적으로 자기 자신을 속박하게 하는 속임수로서 비난한다. 『사회계약론』에서 그는 시민들이 자신들의 정치적 권리를 대표들에게 양도하지 않고 참여적이거나 '급진적인' 민주주의 안에서 스스로 그 권리를 보유하는 대안적인 사회계약 이야기 판본을 제공한다.

로크의 2단계 사회계약은 첫째, 사회의 형성과 둘째, 정치적 사회의 형성을 내포하는 것으로서 종종 제시되곤 한다. 이 해석은 로크의 자연 상태가 비사회적이라고 하는 잘못된 견해에 의존한다. 계약의 첫 단계에서 자연 상태의 '분산된' 정치적 사회로부터 새로운 정치적 공동체가 창조된다. 즉 개인들은 자신들의 정치적 권리를 공동체에 양도한다. 여기서 제기되어야 하는 물음은 이렇다. 이것은 어떤 종류의 '양도'인가? 루소가 말하기를, 그것은 정치적 권리가 소수의 대표들에게로 넘어가는 계약의 둘째 단계의 양도와는 아주 다르다. 새로운 정치적 공동체는 계약을 맺는 개인들로 이루어지며(다른 누구겠는가?), 따라서 '양도'는 자신들에게로 이루어진다. 그들은 자신들의 개인적인 '자연적' 정치적 권리를 어떤 다른 역량에서, 새로운 정치적 공동체의 시민으로서의 집단적 역량에서 자신들에게로 '양도한다'.

> 결합 행위는 집단과 개인들 간의 상호 계약으로 이루어져 있다 … 또한 각 개인은 이를테면 자기 자신과 계약을 하는 것이기에 이중으로, 즉 개인들에 대해서는 주군자의 구성원으로서, 주권자에 대해서는 국가[정치적 공동체]의 구성원으로서 계약이 맺어져 있다.[64]

63. 루소에 대한 우드(Wood)의 논의 또한 참조할 것. *Mind and Politics*, p. 152 및 pp. 162-73.

단일 단계의 참여적 사회계약 이후에, 개인들은 그들의 참여민주주의 안에서 시민으로서 행위할 때마다, 즉 그들의 공동체의 정치적 선을 결정하고 시행하는 데 집단적으로 함께 행위할 때마다, 그들의 정치적 권리를 '되찾는다'. 그리하여 '자연적인' 개인적 정치적 권리는 더 이상 역설적 허구, 한낱 형식적인 지위가 아니며, 현실적 표현을 얻는다. 참여민주주의 안의 정치적 영역은 더 이상 사회적 삶의 나머지 위에 그리고 외부에 따로 분리되어 자율적으로 있는 물화된 추상이 아니다. 오히려 그것은 시민들이 정치적 결정을 내리기 위해 함께 모일 때마다 존재하게 된다. 그리하여 정치적 삶은 전체로서의 사회적 삶 속에 뿌리를 내리며 그것의 필수적인 부분을 형성한다. 그것은 사회적 삶의 사적 국면들과 구별되는데, 그러한 국면들 속에서 개인들은 단독적으로 행위한다. 그렇지만 그것은 더 이상, 자유주의 이론에서처럼, 사회적 삶의 사적 영역에 이원론적으로 대립해 있지 않다. 그 대신 그것은 그것과 변증법적으로 상호 연계되어 있다.

이 아주 간략한 소묘에 대한 로크적인, 자유민주주의적인 응답은 다음과 같을 것이리라. 그것이 정치적인 것에 대한 대안적인 민주적 개념화를 발전시키기 위한 토대의 시작을 형성할 수 있을 것이라고 제안해 보아야 소용이 없는데, 왜냐하면 경험적으로 그것의 함축들은 무의미하기 때문이다. 자유롭고 정의롭고 평등한 민주적 정치 공동체가 있으려면 계약에 그 어떤 둘째 단계도, 자유주의적 의미에서의 그 어떤 대표들도, 따라서 그 어떤 자유민주주의적 국가도 있을 수 없다는 루소의 주장은 경험적으로 터무니없는 것이다. 그렇지만, 이러한 응답의 그럴듯

64. J.-J. Rousseau, *The Social Contract*, tr. M. Cranston (Penguin Books, Harmondsworth, Middlesex, 1968), I. chap. 7, p. 62. [장 자크 루소, 『사회계약론』, 펭귄클래식코리아, 2010, 48-9쪽.]

함은 근대 국가가 걸어놓은 '주문'에 의해 크게 증대된다. 급진 민주주의에 대한 반대자들은 정치 공동체를 오로지 하나의 단위를 통해서만, 국가를 통해서만 본다. 그렇다면 대안은 (명백히 부조리한) 수백만의 회합이거나, 아니면 (명백한 현실주의적인) 결정을 내리기 위한 회합하는 소수의 대표들, 공동체의 정치적 이익을 구현하는 대표들에게 시민의 정치적 권리를 양도하는 것이 된다.[65]

따라서 정치적인 것의 대안 개념의 발전은 자유민주주의 국가를 넘어 다중적인 참여적이거나 자주관리적인 (아마도 위원회라고 불리게 될) 단위들로 이루어진 정치적 공동체로 나아가는 것의 가능성에 대한 경험적 논변들과 병합된다. 이러한 체계 안에서 정치적 권위는 '위로부터 움직이지도 않고 아래로부터 움직이지도 않고 오히려 수평적으로 방향 지어지며, 그리하여 연방을 이룬 단위들은 자신들의 권력을 상호 점검하고 통제한다.'[66] 하지만 여기서, 분명 그러한 자주관리 민주주의조차도 사회계약의 둘째 단계로부터 도피할 수는 없을 것이라는 주장이, 분명 참여적 단위들 내부에서 대표들은 필요할 것이고 따라서 '자연적인' 정치적 권리는 역설적 성격을 잃을 수 없다는 주장이 제기될 것이다.

65. 때때로 자유민주주의 국가가 기술을 통해 참여민주주의 국가로 전환될 수 있다는 주장이 제기되곤 한다. 모든 정치적 안건들에 대해 즉각적인 국민투표가 진행될 수 있도록 각 가구마다 투표하는 장치를 설치함으로써 말이다. (예를 들어 R. P. Wolff, *In Defense of Anarchism* (Harper & Row, New York, 1970), pp. 34-7과 P. Singer, *Democracy and Disobedience* (Oxford University Press, Oxford, 1973), pp. 106-7을 볼 것.) 그러나 이 제안은 '사적 시민권'의 문제들을 넘어서지는 않는다. 이 논변에 대한 보다 논리적인 결론은 『지구는 아직 넓다』(*Earth is Room Enough*)에서의 아시모프(Asimov)의 이야기 '선거권(Franchise)'에서 볼 수 있는데(Panther Books, London, 1960), 거기에서는 한 명의 '대표' 투표자가 컴퓨터에 의해 선택된 뒤 그가 나머지 사람들 모두를 위해 투표하게끔 전기 장치에 연결된다. (나는 이 참조를 나의 동료 데니스 앨트먼에 빚지고 있다.)

66. Arendt, 'Thoughts on Politics', p. 188. [『공화국의 위기』, 304쪽.]

이러한 반대는 또한 '대표'가 자유주의 국가 안에서의 대의와 그토록 잘 동일시되기 때문에 힘을 얻는다. 혹은, 이를 다른 방식으로 말하자면, 오래전에 우리는 '주권자'와 '정부'에 대한 루소의 구분을 진지하게 고려할 가치가 있는 것으로 취급하기를 멈추었다. 루소에게 '정부', 즉 참여적 단위의 시민들('주권자')의 대행자나 관료인 대표들은 '신민[개인]과 주권자[시민] 사이에 상호 연결을 위해 확립된 일종의 매개체'다.[67] 이 대표들은 시민들의 소외된 정치적 권리의 담지자가 아니며, 또한 계약에 대한 당사자도 아니다. 즉 둘째 단계란 없다. 둘째 단계로 나아가면 계약을 '그 두 당사자 사이에 한쪽은 명령할 의무를 다른 한쪽은 복종할 의무를 지는 조건을 규정하는' 계약으로 변질시킬 것인데, '그것이야말로 괴상한 방식의 계약임을 사람들은 인정하리라 나는 믿는다'.[68] 자주관리 민주주의 및 그것에 적합한 정치적인 것 개념과 양립 가능한 '대표들'은 '인민의 주인이 아니'다. 특정한 영역에서 특정한 시기 동안 정치적 공동체를 위해 '그들은… 시민으로서의 의무를 다하는 것일 뿐 전혀 그 조건에 관해 논쟁할 권리가 없다.' 이 대표들은 자신들이 하는 일에 대해 엄격한 책임이 있다. 집합적으로 시민들만이 정치적 결정을 내릴 권리를 갖는다. 따라서 그들은 다만 그들의 대표들에 대한 관객에 불과한 것이 아니라 그들 자신의 정치적 삶의 능동적 창조자이자 통제자다.[69]

---

67. Rousseau, *The Social Contract*, III, chap. 1, p. 102. [『사회계약론』, 93쪽.]
68. 같은 책, chap. 16, p. 144. [『사회계약론』, 138쪽.]
69. 같은 책, chap. 18, p. 146. [『사회계약론』, 141쪽.] 비교: '꼬뮌은 의회 단체가 아니라 행정과 입법의 업무를 겸하는 단체이어야 했다… [모든] 공직[은]… 선출되고 책임이 있고 해임될 수 있게 되었다… 보통선거권은… 꼬뮌을 구성하는 인민에게 봉사해야 하는데, 이것은 마치 다른 모든 고용주의 경우에 개인적 선택권이 자신 사업에서 노동자, 감독관, 경리를 찾는 데 봉사하는 것과 마찬가지이다.' K. Marx, 'The Civil War in France', *Selected Works*, pp. 291-2. [국역본: 「프랑스에서의 내전」, 『맑스・엥겔스 저작 선집 4』, 박종철출판사, 1995, 64-66.] 자유민주주의적 대의에 대한 추가적인 평가들은

자주관리 민주주의의 경험적 가능성이 적어도 열린 문제라는 것이 인정된다고 할 때, 이 장의 주제들과 관련된 두 가지 추가적인 반대가 십중팔구 제기될 것이다. 첫째는 월린의 반대다. 즉 '국가를 부인'하고 그것을 참여적 평의회들의 탈중심화된 연방으로 대체하는 것은 정치적인 것의 승화와 자유주의의 발전과 더불어 시작된 '정치적 인간의 토막내기'를 향한 경향성을 더욱더 강화할 것이다. 이러한 반대는 자유민주주의 시민권이 허구 이상의 어떤 것이고 개인에게 어떤 유의미하고 일반적이고 통합적인 참조점을 실로 제공한다는 것을 당연하게 여긴다. 사실 자유민주주의의 '사적 시민'은 자신의 다양한 역할들과 역량들을 분리되고 파편화된 것으로서, 상이하고 종종 경쟁하는 '이익들'을 구현하는 것으로서 보도록 장려받는다. 가정주부, 어머니, 소비자, 공장 노동자, 비서, 운전자, 친구, 연인…. '사적 시민권'은 이것들을 어떻게 함께 묶는가? 반대로, 다중적인 참여적 단위들 속에서의 확대되고 현실적인 시민권은 상이한 사회적 영역, 역할, 역량들 사이의 상호관계의 복잡성에 대한 구체적 경험을 제공할 수 있을 것이다.

두 번째 반대는 수많은 '사적' 조직들과 영역들을 공적 삶 안으로 끌어들임으로써, 가령 기업을 참여민주주의의 자주관리 단위 중 하나로 취급함으로써, 개인의 '자연적' 권리나 자유는 확대되지 않고 감소될 것이라는 것이다. 나는 여기서 자유를 순전히 부정적인 자유로 보는 자유주의적 견해에 반대하는 논변을 되풀이하고 싶지는 않다. 오히려 나는 나의 논변을 내가 이 글을 시작하면서 인용한 '개인적인 것이 정치적인 것이다'라는 슬로건과 구별 짓기 위해 이 점을 제기한다.

이는 그것이 유효한 슬로건이 아니라고 말하는 게 아니라(자유민주주의는 로크의 '자신의 인신에서의 소유권'에 대해서, 여자들이 그것이

내가 쓴 'A Contribution to the Political Theory of Organizational Democracy', *Administration and Society*, 7(1) (1975), especially pp. 15-18에서 확인 가능하다.

자신들의 신체에도 적용되어야 한다고 주장할 때, 별다른 관심을 기울이지 않는다), 오히려 그것이 슬로건 이상으로 간주되지 말아야 한다고 주장하는 것이다. 자유민주주의적인 정치적인 것 개념에 대한 대안으로서 그것은 그것의 적수를 거울반사할 뿐이다. 그것은 사적인 삶과 정치적 삶의 이분법적 구분에 그 두 영역의 동화를 맞세움으로써 그러한 구분을 끝장내려고 한다. 개인적인 영역과 정치적인 영역의 상호관계는 인정될 수 있다. 그 어떤 관계라도 일정한 상황에서 정치적 효과를 가질 수 있다는 사실이 인정될 수 있듯이 말이다. 하지만 이는 시민으로서의 상호작용과 결정 내리기를 질서 짓는 기준과 원리가 친구나 연인과의 관계 기저에 놓여 있어야 하는 기준과 원리와 정확히 동일하다고 주장하는 것과는 같지 않다. 그것은 개인적인 것의 도덕이 우리에게 필요한 전부라고 주장함으로써 '일군의 공적 도덕 가치들을 체계적으로 벗겨놓은 정치체'[70]의 기술관료적이고 절차적인 '정치적 방법'을 변형하고자 한다. 공적이거나 정치적인 도덕, 자주관리 민주주의의 구성원들이 자신들의 정치적 실천을 질서 짓기 위해 자기의식적으로 의지할 수 있는 정치적 권리의 원리들 또한 참여적인 정치적인 것 개념과 더불어서 발전되어야만 한다. 더구나 '개인적인 것'은 시민권의 허구나 정치적인 것의 물화와 마찬가지로 자유민주주의의 일부분이다. 자유민주주의의 변형은 사회적 삶의 두 영역 모두의 변형을 요구하며, 그것들의 변증법적 상호관계 내부에서의 그것들의 구별됨에 대한 인정을 요구한다.

한나 아렌트는 자주관리 평의회에 대해서 '이 체계가 순수한 유토피아인지… 나는 말할 수 없다'라고 말했다.[71] 지금까지 평의회는 국가에

70. J. B. Elshtain, 'Moral Woman and Immoral Man: A Consideration of the Public-Private Split and its Political Ramification', *Politics and Society*, 4(4) (1974), p. 471. 이 탁월한 논의는 또한 앞서 제기된 문제들 중 몇 가지를 다른 출발점에서 다루고 있다.

의해 패배당했으며 국가의 이론가들과 역사가들에 의해 매장되었다. 자주관리 참여민주주의는 실로 유토피아일까? 정치 이론만으로는 이 물음에 답할 수 없다. 하지만 루소의 마지막 말을 들어보자. 우리는 결코 이 말을 잊지 말아야 한다. '도덕적[사회적] 문제에서 가능성의 한계는 생각보다 좁지가 않다. 그것을 축소시키는 것은 우리의 유약함과 악습과 편견이다.'[72]

71. Arendt, 'Thought on Politics', p. 189.

72. Rousseau, *The Social Contract*, III, chap. 12, p. 136. [『사회계약론』, 129쪽.]

6

공과 사의 이분법에 대한 여성주의적 비판들

사적인 것과 공적인 것의 이분법은 거의 두 세기에 걸친 여성주의적 글쓰기와 정치투쟁에서 중심적이다. 궁극적으로 여성주의 운동은 그에 관한 것이다. 어떤 여성주의자들은 이 이분법을 인간 실존의 보편적, 초역사적, 초문화적 특성으로 취급하지만, 그럼에도 불구하고 여성주의 비판은 자유주의 이론과 실천에서의 공적 영역과 사적 영역의 분리와 대립을 우선적으로 겨냥하고 있다.

여성주의와 자유주의의 관계는 극도로 가까우면서도 극도로 복잡하다. 두 교설 모두 사회적 삶의 일반 이론으로서 개인주의의 출현에 뿌리를 둔다. 자유주의도 여성주의도 전통사회의 귀속적, 위계적 유대로부터 해방된 자유롭고 평등한 존재로서의 개인이라고 하는 어떤 개념 없이는 생각할 수 없다. 그러나 자유주의와 여성주의가 공통의 기원을 공유하고 있더라도, 양쪽 지지자들은 지난 이백 년에 걸쳐 자주 대립해왔다. 공과 사의 자유주의적 개념에 대한 여성주의 비판의 방향과 범위는 여성주의 운동의 상이한 시기마다 크게 달라졌다. 이 비판에 대한 분석이 보다 복잡해지는 것은 '공'과 '사'에 대해 자유주의가 본질적으로 애매하기 때문이며, 또한 두 영역 간의 구분선이 어디에 그리고 왜 그어져야 하는지, 혹은 어떤 동시대 여성주의 논변에 따르면, 경계선이 도대체 그어져야 하는지를 놓고 여성주의자들과 자유주의자들이 의견이 다르기 때문이다.

여성주의는 흔히 자유주의 혁명 내지는 부르주아 혁명의 완수에 지나지 않는 것으로, 즉 자유주의적 원리들과 권리들을 남자들뿐 아니라 여자들에게도 확장하는 것으로 여겨진다. 물론 평등한 권리들에 대한 요구는 언제나 여성주의의 중요한 부분이었다. 그러나 자유주의를 보편화하려는 시도는 흔히 인식되는 것보다 더 광범위한 결과들을 가져온다. 왜냐하면 그것이 결국에는 불가피하게 자유주의 그 자체에 도전하기 때문이다.[1] 자유주의 여성주의는 급진적 함의를 갖는다. 특히 자유주의 이론과 실천에 근본적인 사적 영역과 공적 영역의 분리와 대립에 도전한다는 점에 그렇다. 공과 사의 자유주의적인 대비는 두 종류의 사회적 활동의 구별 이상의 것이다. 공적 영역과 그것을 지배하는 원리들은 사적 영역에서의 관계들과 분리되어 있거나 독립적인 것으로 간주된다. 이 주장에 대한 익숙한 예증은 참여에 관한 자유주의 정치학자와 급진주의 정치학자 사이의 오래된 논쟁이다——급진주의자들은 사적 영역의 사회적 불평등이 공적 영역의 정치적 평등, 보통선거권 및 관련된 시민적 자유에 관한 질문들과 무관하다는 자유주의적 주장을 부인해왔다.

그렇지만 모든 여성주의자들이 자유주의자인 것은 아니다; '여성주의'는 자유주의 여성주의 너머로 멀리 나아간다. 다른 여성주의자들은 명시적으로 공과 사의 자유주의적 개념을 거부하고, 자유주의의 사회구조를 평등한 권리가 주장될 수 있는 출발점으로 간주하지 않고 정치적 문제로 간주한다. 그들은 (벤과 가우스의 용어를 사용하자면[2]) '유기적'

1. 자유주의 여성주의의 전복적 성격은 최근 Z. Eisenstein, *The Radical Future of Liberal Feminism* (Longman, New York, 1981)에서 밝혀진 바 있다.

이론들에 의존하는 급진적이고 사회주의적인 자유주의 비판가들과 많은 것을 공유한다. 그러나 자유주의 국가에 대한 분석에서 그들은 예리하게 구별된다. 요컨대 여성주의자들은 여타의 급진주의자들과는 달리 자유주의의 가부장적 특성이라는 일반적으로 도외시되어 온 문제를 제기한다.

자유주의와 부권주의

공과 사의 자유주의적 개념에 대한 벤과 가우스의 설명은 자유주의 이론의 몇 가지 주요한 문제들을 아주 훌륭하게 예증한다. 그들은 사적인 것과 공적인 것이 자유주의의 중심 범주라는 것을 받아들이지만, 왜 이 두 용어가 중차대한지 혹은 왜 사적 영역이 '정치적' 영역 대신 '공적' 영역과 대비되고 대립하는지 설명하지 않는다. 이와 유사하게 그들은 자유주의적 논변들이 시민사회가 사적인지 공적인지 분명하지 않게 내버려둔다는 것에는 주목하지만, 그들의 두 가지 자유주의적 모형 모두에서 가족이 전형적으로 사적인 것이라고 주장하고 있음에도 불구하고, 왜 이 경우에 자유주의자들이 시민사회 또한 으레 사적인 것으로 여기는지 하는 물음을 추구하는 데 실패한다. 자유주의에 대한 벤과 가우스의 설명은 그것의 추상적이고 탈역사적인 특성 또한 예증하며, 누락되고 당연시되는 것에서 오늘날 여성주의자들이 예리하게 비판하고 있는 이론적 논의들의 좋은 사례를 제공한다. 그 설명은 '공적인 삶과 사적인 삶의 이데올로기'가 '공적인 삶과 사적인 삶의 구분'을 '부르주아 국가의 가부장적 질서화가 아니라 부르주아 자유주의 국가의 발전을 반영하는 것으로서' 변함없이 제시한다는 아이젠스타인의 주장을 증명한다.[3]

2. S. Benn and G. Gaus (eds), *Public and Private in Social Life* (Croom Helm, London and New York, 1983), chap. 2.

공과 사의 자유주의적 개념이 가진 극심한 애매성은 그것의 도움으로 구성되는 사회적 현실을 흐려놓고 신비화하기에, 여기서 '이데올로기'라는 용어는 적절하다. 여성주의자들은 자유주의가 계급 관계들뿐 아니라 가부장적 관계들에 의해 구조화된다고 주장하며, 또한 사적인 것과 공적인 것의 이분법이 겉보기에 보편적이고 평등주의적이고 개인주의적인 질서 안에서의 남자들에 대한 여자들의 종속을 흐려놓는다고 주장한다. 벤과 가우스의 설명은 자유주의 개념들이 우리의 사회적 삶의 현실을 거의 충분하게 포착한다고 가정한다. 그들은 '자유주의'가 가부장적 자유주의라는 것과 공적 영역과 사적 영역 사이의 분리와 대립이 여자들과 남자들 사이의 불평등한 대립이라는 것을 인지하지 못한다. 그렇기에 그들은——사회계약 이론가들이 부권주의자들을 공격했던 시기부터, 자유주의 이론가들이 그들의 겉보기에 보편적인 논변의 범위로부터 여자들을 배제했음에도 불구하고——자유주의 이론에서의 '개인들'에 대한 이야기를 액면가로 받아들인다.[4] 이러한 배제가 간과되는 이유 중 하나는 자유주의 이론 안에서 사적인 것과 공적인 것의 분리가 마치

3. Eisenstein, *The Radical Future*, p. 223.

4. 이 일반화에서 J. S. 밀은 예외적이지만, 벤과 가우스는 『여자들의 종속』을 언급하지 않는다. 가령 B. 보상케(Bosanquet)가 『철학적 국가론』(*The Philosophical Theory of the State*)에서 한 가족의 '머리인 두 사람'을 언급했다고 반론할 수 있을 것이다(10장, 6). 그러나 보상케는 헤겔을 논하고 있는데, 그는 헤겔의 철학이 가족의 머리 혹은 시민사회나 국가에의 참여에서 여자들의 명시적이고 철학적으로 정당화된 배제 위에 근거하고 있다는 것에 대한 이해를 보여주지 않는다. 따라서 '두 사람'에 대한 보상케의 참조는 헤겔에 대한 단순한 설명 대신 주된 비판을 요구한다. 자유주의적 논변들은 '남자들' 대신 '남자들과 여자들'이라는 형식적인 참조를 통해 보편화될 수 없다. 헤겔에 관해서는 다음을 참조. P. Mills, 'Hegel and "The Woman Question": Recognition and Intersubjectivity', *The Sexism of Social and Political Theory*, ed. L. Clark and L. Lange (University of Toronto Press, Toronto, 1979). (나는 보상케의 언급들에 관심을 갖게 해준 제리 가우스에게 감사한다.)

모든 개인들에게 동일한 방식으로 적용되는 것처럼 제시되는 것에 있다. 오늘날에는 반-여성주의자들이, 그러나 19세기에는 대다수가 '분리된 영역'의 교설을 받아들인 여성주의자들이, 두 영역은 분리되어 있지만 동등하게 중요하고 가치 있다고 종종 주장한다. 여자들과 남자들이 사적인 삶과 공적인 세계 안에서 구별적으로 위치 지어져 있는 방식은, 내가 앞으로 지적하겠지만, 복잡한 문제이다. 그러나 복잡한 현실 기저에는 여자들이 본성상 남자들에게 고유하게 종속되어 있으며 그들의 고유한 장소가 사적인 가정 영역 안이라는 믿음이 있다. 남자들은 두 영역 모두에 고유하게 거주하며 그 안에서 지배한다. 핵심적인 여성주의적 주장은 '분리되었지만 평등하다'라는 교설이, 그리고 자유주의 이론이 갖는 표면적인 개인주의와 평등주의가, 불평등한 사회적 구조의 가부장적 현실과 여자들에 대한 남자들의 지배를 흐려놓는다는 것이다.

이론상 자유주의와 부권주의는 돌이킬 수 없을 정도로 서로 대립하고 있다. 자유주의는 개인주의적, 평등주의적, 관습주의적 교설이다; 부권주의는 위계적 예속 관계가 남자들과 여자들의 자연적 특성들로부터 필연적으로 결과한다고 주장한다. 사실상 두 교설은 17세기 계약 이론가들이 자유롭고 평등하다고 간주되는 개인들은 누구인가 하는 전복적인 질문에 제공한 답을 통해서 성공적으로 화해를 이루었다. 부권주의자들과의 갈등은 여자들이나 부부 관계까지 확장되지는 않았다; 개인주의적 논변들에서 후자는 배제되었으며, 전투는 아버지들에 대한 성인 아들들의 관계를 둘러싸고 벌어졌다.

로크의 『통치론 제2논고』는 공적인 것과 사적인 것의 자유주의적 분리에 대한 이론적 근거를 제공했다. 그는 필머에 대항하여 정치적 권력이 관습적이며 자유롭고 평등한 성인 개인들에게 오로지 그들의 동의에 의해서만 정당하게 행사될 수 있다고 주장했다. 정치적 권력은 사적인 가족의 영역에서의 아이들에 대한 아버지의 권력과 혼동되어서는 안 되는데, 아버지의 권력은 (남자) 아이들의 성숙——그리고 그에 따른 그들의 자유와 평등——에서 끝나는 자연적 관계다. 통상 주석가들은 가족과 정치적인 것에 대한 로크의 구분이 성적인 구분이기도 하다는 것을 알아차리는 데 실패한다. 로크는 남자들 간의 자연적인——나이나 재능과 같은——차이들이 그들의 정치적 평등과 무관하다는 것을 주장했음에도 불구하고 남녀의 자연적 차이들이 남자들에 대한 여자들의, 혹은 보다 구체적으로는, 남편들에 대한 아내들의 종속을 수반한다는 필머의 가부장적인 주장에는 동의한다. 실로 로크는 『제2논고』 서두에서 정치적 권력이 왜 변별적인지 보여줄 것이라고 진술하면서도, 아내들에 대한 남편들의 지배가 권력의 다른 (비정치적) 형태에 포함되는 것을 당연시 한다. 로크는 남편에 대한 아내의 종속이 '자연 안에 토대'를 갖고 있다는 점과 남편이 자연적으로 '좀 더 유능하고 힘이 센' 쪽이므로 그의 의지가 집안에 만연해야 한다는 점에서 필머에 명시적으로 동의하고 있다.[5] 그러나 자연적 종속자가 동시에 자유롭고 평등할 수는 없다. 따라서 여자들(아내들)은 '개인'의 지위에서 배제되며, 그렇기에 평등, 동의, 관습의 공적인 세계에 참여하는 것에서 배제된다.

부성적 권력과 정치적 권력에 대한 로크의 분리가 사적인 것과 공적인 것의 분리로서 특징지어질 수 있는 것처럼 보일 수도 있다. 어떤 의미에서는 그러하다; 공적인 영역은 가정적 삶과 떨어진 모든 사회적 삶을 아우르는 것으로 간주될 수 있다. 로크의 이론은 또한 사적 영역과 공적 영역이 어떻게 여자들과 남자들의 상충하는 지위가 예시하는 대립

---

5. J. Locke, *Two Treatises of Government,* ed. P. Laslett, 2nd ed. (Cambridge University Press, .Cambridge, 1967), I, §47; II §82. [국역본: 80쪽.] 사회계약 이론가들과 부권주의자들 사이의 갈등에 관해서는 T. Brennan and C. Pateman, 'Mere Auxiliaries to the Commonwealth': Women and the Origins of Liberalism, *Political Studies*, 27 (1979), pp. 183-200에서 보다 완전하게 논의되고 있다.

적 연합 원리들에 근거하고 있는지 보여준다; 자연적 종속이 자유로운 개인주의에 대립하여 있다. 가족은 정서적이고 혈연적인 자연적 유대와 아내와 남편(어머니와 아버지)의 성적으로 귀속된 지위에 근거한다. 공적 영역에의 참여는 성취, 이익, 권리, 평등, 재산 등의 보편적, 비개인적, 관습적 기준에 의해 관리된다——남자들에게만 적용 가능한바, 자유주의적 기준. 공과 사의 이러한 개념의 중요한 결과는 자유주의 이론에서(실은 거의 대부분의 정치 이론에서) 공적인 세계, 즉 시민사회가 사적인 가정 영역으로부터 추상되거나 분리된 채 개념화되고 논의된다는 것이다.

공과 사의 이분법에 대한 동시대 여성주의적 비판이 그 두 범주들에 대한 바로 그 동일한 로크적인 견해에 근거한다는 것을 이 지점에서 강조하는 것이 중요하다; 가정적 삶은 여성주의자들에게 로크의 이론(에 대한 이 해석)에서 그러하듯 전형적으로 사적이다. 그러나 여성주의자들은 공적인 것과 사적인 것의 분리가 양성의 자연적 특성들로부터 불가피하게 따라 나온다는 주장을 거부한다. 그들은 분리되고 대립하는 것으로 여겨지는 두 영역인 가정(사적 영역)과 시민사회(공적 영역)가 서로 불가분하게 상호 연관되어 있다는 것을 받아들여야만 자유주의적인 사회적 삶에 대한 올바른 이해가 가능하다고 주장한다; 그것들은 자유주의 부권주의라는 단일한 동전의 양면인 것이다.

한 가지 이론적 수준에서 여성주의자들과 자유주의자들이 공과 사의 공유된 개념을 두고 갈등 관계에 있는 한편, 또 다른 수준에서는 그들은 바로 그 범주들 자체에 대해 다투고 있다. 사적인 것과 공적인 것이 로크가 말하는 부성적 권력과 정치적 권력의 동의어가 결코 아닌 또 다른 의미가 있다. 자유주의가 시민사회를 귀속적인 가정적 삶으로부터 추상해서 개념화한다는 바로 그 이유에서 후자[가정적 삶]는 이론적 논의에서 '잊힌' 채로 있다. 그리하여 공과 사의 분리는 시민사회 그 자체 내부의—남자들의 세계 내부의—구분으로서 재확립된다. 그런 뒤 그 분리는 여러 가지 상이한 방식으로 표현되는데, 공과 사뿐만 아니라, 가령 '사회'와 '국가', '경제'와 '정치', '자유'와 '강제', 내지는 '사회적'과 '정치적' 등으로 표현된다.[6] 더 나아가 공과 사 분리의 이 판본에서 한 범주, 즉 사적인 것이 (이번 한번만은 J. L. 오스틴의 가부장적 은유를 적절한 맥락 안에 적용해 보면) 바지를 입기 시작한다.[7] 가령 월린이 『정치와 비전』에서 지적하듯, 시민사회의 공적인 혹은 정치적인 측면은 상실되는 경향이 있다.[8]

공적인 영역의 불확실한 자리가 발달하는 데에는 유력한 이유가

6. 롤즈의 정의의 두 원칙들이 이 분리에 대한 사례를 제공한다. 그는 그 원칙들이 '사회 구조는 두 가지 다소 상이한 부분을 갖는 것으로 간주'된다고 진술한다. 그는 이러한 것들을 공과 사라고 부르지는 않지만, '평등한 기본적 자유'는 통상 '정치적' 자유라 불리고 두 번째 부분의 '사회적 · 경제적 불평등'은 통상 '사적' 영역의 일부분으로 여겨진다. 롤즈의 최종적 정식화에서 원리들이 시민사회에 대한 참조라는 것과 가족이 그 영역 바깥에 있다는 것은 명백하다. 두 번째 원칙의 (b) 부분인 기회의 평등은 가족에 적용될 수 없으며, (a) 부분, 차이의 원리는 적용되지 않을 수도 있다. 영리한 아들은 다른 가족 성원들의 희생으로 대학에 보내질 수 있다. (나는 이 마지막 요점에 대해 나의 학생인 드보라 컨즈(Deborah Kearns)에 빚지고 있다.) John Rawls, *A Theory of Justice* (Harvard University Press, Cambridge, MA, 1971), pp. 61, 302. [국역본: 106쪽, 400쪽.]

7. [J. L. 오스틴은 Sense and Sensibilia에서 '바지를 입는다'라는 표현을 독립적이라는 뜻으로 사용한다. 가령 통상적으로 우리는 'real'이라는 단어가 우선이고 그것의 부정적 사용인 'not real'이 그것에 의존한다고 생각한다. 하지만 오스틴은 'real'의 경우 '바지를 입는 것은 부정적 사용이다'라고 말한다. 오스틴이 노골적으로 바지와 치마를 대조하고 있지는 않지만, 치마를 입는다는 말은 그에게 의존적이라는 뜻이 될 것이다.]

8. S. Wolin, *Politics and Vision* (Allen & Unwin, London, 1961). [국역본은 세 권으로 출간되었다. 셸던 월린, 『정치와 비전 1』, 강정인 · 이지윤 · 공진성 옮김, 후마니타스, 2007. 『정치와 비전 2』, 강정인 · 이지윤 옮김, 후마니타스, 2009. 『정치와 비전 3』, 강정인 · 김용찬 · 박동천 · 이지윤 · 장동진 · 홍태영 옮김, 후마니타스, 2013.]

있다; 시민사회를 지배하는 겉보기에 보편적인 기준들은 남성 개인에 대한 자유주의적 개념, 즉 고유한 개인(*the* individual)이라고 하는 개념과 연관된 것들이다. 개인은 자신의 인신에서 재산의 소유자이다. 다시 말해 개인은 귀속적 가족 관계들과 동료 인간들과의 관계로부터 추상된 것으로 여겨진다. 그는 '사적' 개인이다. 하지만 그는 자신의 권리와 기회를 행사할 수 있는 영역, 자신의 (사적) 이익을 추구하며 자신의 재산을 보호하고 증식시킬 수 있는 영역을 필요로 한다. 만약 모든 남자들('개인들')이 질서정연하게 그렇게 행동하고자 한다면, 로크가 인지하듯, (숨겨진——사적인?——손이 아니라) 공적인 '심판관' 내지는 대의적 자유주의 국가가 공적으로 알려진 공정한 법을 만들고 집행할 필요가 있다. 벤과 가우스의 말대로 개인주의는 '자유주의 이론과 담화의 지배적인 양식'이다. 그렇기 때문에 사적인 것과 공적인 것이 '명백한' 자유주의적 범주 쌍으로 나타난다는 것과 공적인 것이 바지가 벗겨지고 시민사회가——다른 어떤 것보다도——사적 이익, 사적 사업, 사적 개인들의 영역으로 여겨진다는 것은 놀랍지 않다.[9]

20세기 후반 자본주의 경제와 국가 사이의 관계는 더 이상 로크의 심판관과 시민사회 사이의 관계처럼 보이지 않으며, 공과 사의 경계에 대한 혼동이 무성하다. 그러나 그 혼동은 자기가 공과 사의 또 다른 경계를 포함하고 있다는 것을 '잊는' 이론 안에서 해결될 리 없다. 한

9. 이는 또한 사생활(privacy)의 영역이기도 하다. J. Reiman, 'Privacy, Intimacy, and Personhood', *Philosophy and Public Affairs*, 6 (1976), p. 39. 레이맨은 신체를 '소유하는 것'을 '자아'의 관념에 연결시키며 사생활이 필요한 이유를 주장한다. 텍스트에서의 나의 논평들은 왜 자유주의 이론가들이 정치적인 것 대신에 사적인 것과 공적인 것에 대해 저술하곤 하는지 설명하지 않는다. 공적인 것과 정치적인 것에 대한 자유주의적 애매성의 완전한 검토 안에서만 설명이 발견될 수 있는데, 그것은 이 장의 목적에서 너무 벗어나게 한다. 비록 아래의 '개인적인 것이 정치적인 것'이라는 여성주의적 슬로건의 맥락에서 문제가 다시 나타나지만 말이다.

가지 해결책은 공적인 삶 안으로 정치적인 것을 복귀시키는 것이다. 이는 월린의 응답이다. 혹은 시민들이 합리적인 정치적 판단들을 형성할 수 있는 공적 영역의 '원리'에 대한 다소 모호한 논의에서, 하버마스의 응답이다.[10] 이 이론가들과 달리 여성주의적 비판들은 자유주의적 개념에 대한 대안이 공적인 삶과 가정의 삶의 관계 또한 아울러야 할 것이라고 주장한다. 여성주의자들이 제기하는 질문은, 탈정치화된 공적 영역을 사적인 삶으로부터 분리하는 것의 가부장적 성격이 왜 이토록 쉽게 '잊히는가' 하는 것이다. 왜 두 세계의 분리가 시민사회 내부에 위치하는 것이며, 그리하여 공적 삶은 암묵적으로 남자들의 영역으로서 개념화되는 것인가?

이 질문에 대한 답은 생산이 가계로부터 분리된 것과 가족이 전형적으로 사적인 것으로서 출현하게 된 것의 관계에 대한 역사를 검토함으로써만 찾아질 수 있다. 로크가 부권주의(의 한 측면)를 공격했을 때, 남편들은 가정의 우두머리였지만, 그들의 아내들은 생산의 여러 분야에서 능동적이고 독립적인 역할을 하고 있었다. 그러나 자본주의가 발달하고 자본주의 특유의 계급 분업 및 성적 분업 형태가 발달함에 따라 아내들은 몇몇 낮은 지위의 고용 영역으로 떠밀리거나, 아니면 경제적 삶으로부터 전적으로 배제되었으며, 사적이고 가족적인 영역 안에 있는 그들의 '자연적'이고 의존적인 자리로 좌천되었다.[11] 오늘날, 대규모의 시민평등

10. J. Habermas, 'The Public Sphere', *New German Critique*, 6(3) (1974), pp. 49-55. 그러나 하버마스는 다른 저자들과 마찬가지로 여자들이 이치를 따지는 데 결핍이 있으며 따라서 정치체에 참여하기에 적합하지 않다고 관습적으로 여겨진다는 점을 무시한다.

11. 현재의 맥락에서 이러한 언급들은 매우 압축적이어야만 한다. 확장을 위해서는 다음을 볼 것. Brennan and Pateman, '"Mere Auxiliaries to the Commonwealth"', in R. Hamilton, *The Liberation of Women: A Study of Patriarchy and Capitalism* (Allen & Unwin, London, 1978); H. Hartmann, 'Capitalism, Patriarchy and Job Segregation by Sex', *Signs*, 1(3), pt 2 (Supp. Spring 1976) pp. 137-70;

에도 불구하고, 생계를 남편에게 의존하고 있다는 바로 그 이유 때문에 아내들이 종속적인 것은 자연스럽게 보이며, 또한 자유주의적 사회적 삶은 종속의 영역, 자연적 관계들과 여자들의 영역에 대한 참조 없이 이해될 수 있다는 것이 당연시되고 있다. 따라서 자연과 여자들의 본성에 근거한 낡은 가부장적 논변은 그것이 근대화되고 자유주의 자본주의로 통합됨에 따라 변형되었다. 공적 영역 혹은 시민사회—'사회적인 것' 혹은 '경제'—에 배타적으로 이론적이고 실천적인 관심이 집중되었고, 가정적 삶은 사회·정치 이론과는 무관한 것으로, 혹은 사업가(men of affairs)의 관심사와는 무관한 것으로 여겨졌다. 부권주의가 자유주의 이론과 실천의 본질적이고 실로 구성적인 부분이라는 사실은 시민사회 그 자체 안에 있는 공과 사 사이의 겉보기에 비개인적이고 보편적인 이분법에 의해서 흐려진다.

사적인 것과 자연적인 것의 친밀한 관계는 벤과 가우스의 설명에서처럼 사적인 것과 공적인 것이 그것들의 역사적 발전으로부터, 그리고 또한 자유주의 안에서의 이러한 근본적인 구조적 분리를 표현하는 다른 방법들로부터도 추상되어 논의될 때 흐려진다. 내가 이미 말했듯이 그 분리가 시민사회 안에 위치 지어지면, 공과 사의 이분법은 다양한 방식으로 지칭된다(그리고 자유주의에 대한 완전한 설명이라면 이러한 [용어] 변이들을 설명해야 할 것이다). 이와 유사하게, 사적인 것과 공적인 것에 대한 여성주의적 이해는, 그리고 그것들의 분리와 대립에 대한 여성주의적 비판은 때때로 이러한 용어들로 제시된다. 그러나 논변은 또한 자연과 문화, 개인적인 것과 정치적인 것, 도덕성과 권력, 그리고 물론 여자들과 남자들, 여성과 남성이라는 범주들을 사용해서도 정식화된다. 대중적인 (그리고 학문적인) 의식 안에서 여성과 남성의 이원성은

A. Oakley, *Housewife* (Allen Lane, London, 1974), 2장, 3장.

종종 자유주의적 분리들과 대립들의 계열(혹은 원환)을 응축하거나 표상하는 데 복무한다. 여성, 혹은—자연, 개인적인 것, 감정, 사랑, 사적인 것, 직관, 도덕성, 귀속, 특수한 것, 종속. 남성, 혹은—문화, 정치적인 것, 이성, 정의, 공적인 것, 철학, 권력, 성취, 보편적인 것, 자유. 이 대립들 중 가장 근본적이고 일반적인 것은 여자들을 자연과 연관시키며 남자들을 문화와 연관시킨다. 그리고 몇몇 동시대 여성주의자들은 자신들의 비판들을 이러한 용어들로 틀지어왔다.

자연과 문화

부권주의는 자연에 대한 호소에 의존하며, 출산이라는 여자들의 자연적 기능이 사물의 질서 안에서의 여자들의 가정적이고 종속적인 자리를 규정한다는 주장에 의존한다. J. S. 밀은 19세기에 자연에 대한 호소를 둘러싼 감정들의 깊이가 '낡은 제도와 관습을 보호하려고 모여드는 그 모든 것들 중에서 가장 강렬하고 뿌리 깊은 것'이라고 쓰고 있다.[12] 1980년대에 자유민주주의 국가들에서 여자들이 시민권과 남자들과의 대규모 법적 평등을 쟁취했을 때, 조직적인 반-여성주의 운동의 논변들은 자연에의 호소가 그 공명(共鳴)을 전혀 잃지 않았음을 예증한다. 17세기부터 하나의 물음이 지속적으로 몇몇 여성 목소리들에 의해 제기되었다. '모든 남자들이 자유롭게 태어났다면, 모든 여자들이 노예로 태어난 것은 어째서인가?'[13] 통상적인 답변은—1792년 『여권의 옹호』에서 메리 울스턴크래프트가 강력하게 제시했으며, 또한 오늘날 아동도서,

12. J. S. Mill, 'The Subjection of Women' in *Essays on Sex Equality*, ed. A. Rossi, (University of Chicago Press, Chicago, IL, 1970), pp. 125-242, at p. 126. [국역본: 『여성의 종속』, 서병훈 옮김, 책세상, 2006, 14쪽.]

13. M. Astell, 'Reflections on Marriage' (published 1706), cited in L. Stone, *The Family, Sex and Marriage in England: 1500-1800* (Weidenfeld & Nicholson, London, 1977), p. 240.

학교 교육, 미디어의 성차별에 대한 여성주의적 비판이 제시하는 바——여자들의 자연적 특성이라고 불리는 것들이 사실은, 울스턴크래프트의 구절을 빌려, '인공적'이며, 여자들의 교육 또는 교육 결여의 산물이라는 것이다. 그러나 교육적 실천에서의 가장 급진적인 변화들조차도 출산이라는 여자들의 자연적이고 생물학적인 능력에 영향을 끼치지는 않을 것이다. 양성의 이러한 차이는 역사와 문화로부터 독립적인 것이며, 따라서 자연적 차이 및 (여자들의) 자연과 (남자들의) 문화의 대립이 여자들의 명백히 보편적인 종속을 설명하려는 몇몇 잘 알려진 여성주의 시도들에 핵심적이었다는 것은 놀랍지 않은 일이다. 자연/문화에 초점을 둔 논변들은 두 가지 넓은 범주——인류학적인 것과 급진적 여성주의적인 것——로 나뉜다.[14]

가장 영향력 있는 인류학적 논의들 가운데 하나에서 오트너는 여자들이 '모든 문화가 그 자신보다 낮은 실존 질서에 속하는 것으로 정의하는' 모든 것의 '상징'이라고 하는 것이 여자들과 그들의 활동들에 보편적으로 할당된 가치가 남자들과 그들의 추구들에 할당된 가치보다 낮은 이유를 설명하는 유일한 방법이라고 주장한다.[15] 즉, 여자들과 가정의 삶은 자연을 상징한다. 인류는 순전히 자연적인 실존을 초월하려고 시도하며,

14. '급진적 여성주의자'는 여성주의자들을 남성-여성의 대립이 여자들의 억압의 원인이라고 주장하는 '자유주의 여성주의자'와 '사회주의 여성주의자'로부터 구별하기 위해 사용되는 용어이다.

15. S. B. Ortner, 'Is Female to Male as Nature is to Culture?', in *Women, Culture and Society*, ed. M. Z. Rosaldo and L. Lamphere (Stanford University Press, Stanford, 1974), p. 72. 오트너는 자연을 찬미하고 문화를 악과 불평등의 원인으로 여긴 지난 두 세기 동안의 저자들에 관해 아무 말도 하지 않는다. 그러나 이 논변들에서 '자연'의 의미는 매우 복잡하며 여자들이 자연에 대해 맺는 관계는 전혀 명확하지 않다. 가령 루소는 여자들과 남자들을 가정생활 안에서조차 분리하는데, 이는 여자들의 본성이 시민적 삶(문화)의 위협으로 보이기 때문이다. 이 문제에 대한 몇 가지 언급을 위해서 1장을 볼 것.

그래서 자연은 언제나 문화보다 낮은 질서인 것처럼 보인다. 문화는 남자들의 창조물, 남자들의 세계와 동일시된다. 왜냐하면 여자들의 생물학과 신체가 그들을 남자들보다 자연에 가깝게 위치시키기 때문이고, 또한 사회화되지 않은 유아들을 다루고 날 재료를 다루는 양육과 가정의 일들이 그들을 자연과 보다 가깝게 접촉시키기 때문이다. 따라서 여자들과 가정 영역은 문화적 영역과 남성 활동들에 비해 열등한 것처럼 보이고, 여자들은 남자들에게 필연적으로 종속적인 것으로 여겨진다.

오트너가 여자들의 가정 활동이 자연을 상징한다고 주장하는 것인지 자연의 일부라고 주장하는 것인지 아니면 여자들을 자연과 문화를 매개하는 자리에 위치시킨다고 주장하는 것인지는 불분명하다. 그녀는 여자들/자연과 남자들/문화 사이의 대립이 그 자체 문화적 구성물이며 자연적으로 주어진 것은 아니라고 주장한다; '여자가 '현실에서' 남자보다 조금이라도 자연과 더 가까운(혹은 더 먼) 것은 아니다——양자 모두 의식이 있으며, 양자 모두 필멸의 존재이다. 그러나 물론 여자가 그렇게 보이는 데에는 이유가 있다.'[16] 하지만 오트너는 남자들과 여자들이 사회적이고 문화적인 존재라는 근본적인 사실에, 또는 그것의 귀결로서 '자연'이 언제나 사회적 의미——더 나아가서는 상이한 사회들에서 그리고 상이한 역사적 시기에서 크게 달라지는 의미——를 갖는다는 점에 충분한 무게를 주는 데에 실패한다. 여자들과 그들의 일들이 보편적으로 평가절하되어 왔지만, 그렇다고 해서 우리가 인간 실존의 이 중요한 사실을 보편적인 용어로 질문을 함으로써, 그리고 보편적 이분법을 통해 정식화된 일반적인 답변들을 찾으려 함으로써 이해할 수 있다는 것이 따라 나오지는 않는다. 가정의 사적인 여자들의 삶과 공적인 남자들의 세계의 구별은 현재의 자유주의 자본주의 안에서 전근대적 유럽

16. Ortner, 'Is Female to Male as Nature is to Culture?', p. 87.

사회에서와 같은 의미를 갖지 않으며, 또한 자유주의 자본주의 사회와 수렵채집 사회 양쪽 모두를 자연과 문화 혹은 공과 사의 일반적 대립이라는 관점에서 보는 것은 생물학이나 '자연'에 대한 강조로 이끌고 갈 뿐이다. 최근에 로살도는 여자들의 종속과 관련하여 오트너처럼 '어떻게 그것이 시작되었는가'라는 질문에 암묵적으로 기초하고 있는 논변들을 비판했다. 로살도가 지적하기를, 보편적으로 적용 가능한 답변에 대한 추구는, 그처럼 여자들에게 귀속되는 '전 인류적 기능들' 때문에, 불가피하게도 '여자'를 '남자'에 대립시키고 가정의 삶을 '문화'나 '사회'로부터 분리시킨다.[17]

왜 여자들이 남자들에 종속적인가 하는 질문에 보편적 해답을 찾으려는 가장 철저한 시도는, 그리고 자연과 문화 사이의 가장 극명한 대립은 남자들의 지배의 유일한 원인이 자연이라고 주장하는 급진적 여성주의자들의 글에서 발견된다. 이 논변의 가장 잘 알려진 판본은 파이어스톤의 『성의 변증법』인데, 그것은 또한 여성주의 논변의 한 가지 형태가 어떻게 공과 사의 자유주의적 분리를 공격하면서도 사회적 삶의 이러한 분리를 구성하는 데 일조하는 추상적으로 개인주의적인 테두리 안에 남아 있는지를 보여주는 한 사례를 제공하기도 한다. 파이어스톤은 자연과 문화 또는 공과 사의 관계의 역사를 여성과 남성 사이의 대립으로 환원한다. 그녀는 이원론의 기원이——여성 억압의 기초이자 남성 권력의 원천인 자연적 혹은 원초적 불평등인——'생물학 그 자체, 즉 생식'에 있다고 주장한다.[18] 남자들은 여자들을 재생산(자연)에 제한함으로써 '세계에

17. M. Z. Rosaldo, 'The Use and Abuse of Anthropology: Reflections on Feminism, and Cross-Cuiturai Understanding', *Signs*, 5(3) (1980), p. 409. Compare D. Haraway, 'Animal Sociology and a Natural Economy of the Body Politic, Part I: A Political Physiology of Dominance', *Signs*, 4(1) (1978), esp. pp. 24-5.

18. S. Firestone, *The Dialectic of Sex* (W. Morrow, New York, 1970), p. 8. [국역본:

관한 사업(…)을 하도록' 자신들을 해방했으며, 그래서 문화를 창조하고 제어했다.[19] 그녀가 제안하는 해결책은 인공적 재생산을 도입해 양성의 자연적 차이들(불평등들)을 제거하는 것이다. 그렇게 하면 '자연'과 가족의 사적 영역이 폐지될 것이고, 모든 나이의 개인들이 차별이 없는 문화적(또는 공적) 질서 안에서 동등자들로서 교류할 것이다.

『성의 변증법』이 대중적인 성공을 거둔 것은 그것의 철학적 논변보다는 여자들이 자신들의 신체와 재생산 능력의 제어를 위한 싸움을 계속해야 할 필요성 때문이었다. 그 책의 주된 가정은 여자들이 '근본적으로 억압적인 생물학적 조건'으로부터 필연적으로 고통 받는다는 것이다.[20] 그러나 생물학은, 그 자체만으로는, 억압적이지도 해방적이지도 않다; 생물학 또는 자연은, 오직 그것이 특정 사회적 관계들 안에서 의미를 갖기 때문에, 여자들에게 종속의 원천이 되거나 자유로운 창조성의 원천이 된다. 파이어스톤의 논변은 '여자들'과 '남자들'이라는 사회적 개념을 '여성'과 '남성'이라는 생물학적 범주들로 환원하며 따라서 남자들과 여자들 혹은 사적 영역과 공적 영역의 복잡한 관계의 역사가 갖는 그 어떤 의미도 부인한다. 파이어스톤은 남성 개인의 처분에 놓이게 만드는 재생산 능력을 가진 자연적 생물학적 여성 개인이라는 추상적 개념에 의지하는데, 이때 남성 개인은 여성을 예속시키려는 자연적 충동을 가진 것으로 가정된다.[21] 개인을 자연 상태로 환원하는 철저하게 홉스적인 환원의 이 동시대 판본은 이론적 교착에 이르게 되는데, 자연이

『성의 변증법』, 김예숙 옮김, 풀빛, 1983, 19쪽.]

19. 같은 책, p. 232. [국역본: 203쪽.] 또한 그녀는 예술, 기술 등으로서의 '문화'와 인류의 보편적인 삶의 형식으로서의 '문화'를 구별하는 데 실패한다.

20. 같은 책, p. 255. [국역본: 222쪽.]

21. 이 마지막 점에 관해서 나는 다음에 빚지고 있다. J. B. Elshtain, 'Liberal Heresies: Existentialism and Repressive Feminism', *Liberalism and the Modern Polity*, ed. M. McGrath (Marcel Dekker, New York, 1978), p. 53.

여성의 종속을 명령한다는 가부장적 주장을 암시적으로 용인하는 논변으로서는 아마 놀라운 결론이 아닐 것이다. 자연과 문화 혹은 여성 개인과 남성 개인의 보편적 이분법 안에서는 앞으로 나아가는 길이 발견되지 않을 것이다. 오히려 로살도가 주장하듯, 여자들과 남자들의 사회적 관계를 역사적으로 특수한 지배와 예속의 구조들 안에서 고려하는——그리고 덧붙여 보자면, '공'과 '사'에 대한 특수한 해석들이라는 맥락 안에서 고려하는——여성주의 이론적 관점을 발전시키는 것이 필수적이다.

도덕성과 권력

여자들에게 선거권을 부여하기 위한 오랜 투쟁은 공과 사의 이분법에 대한 여성주의적 공격들의 가장 중요한 이론적 및 실천적 사례들 가운데 하나이다. 참정권론자의 논변들은 자유주의 원리들을 보편화하려는 시도가 어떤 식으로 자유주의 그 자체에 대한 도전으로 나아가는지 보여준다. 그리고 이는 특히——비록 암시적이긴 해도——J. S. 밀의 글에서 잘 예증된다. 지난 삼십 년간 투표에는 엄청난 주목이 있었음에도 불구하고, 남성과 여성참정권의 정치적 의미와 결과들에 대해서는 이론적 정치학자건 경험적 정치학자건 놀랄 만큼 거의 주목하지 않았다. 그러나 최근의 여성주의 문헌에서 여자들에게 선거권을 부여하는 것이 공적인 것과 사적인 것의 분리에 대해 갖는 함의에 관한 두 가지 상이한 관점들이 발견된다. 참정권 운동이 사회적 삶에서의 성적 분리를 강화하는 데 기여했는지 아니면 오히려 자기도 모르게 그것을 침식하는 한 가지 수단이었는지 의견 충돌이 있다. 19세기 중반에 여성주의가 조직적인 사회적 정치적 운동으로 출현했을 때, 자연 논변(the argument from nature)은 영역 분리 교설로 정교하게 발전되어 있었다; 그것은 남자들과 여자들 각자는 분리되어 있으나 상호 보완적이며 동등한 가치를 가진 사회적 자리를 자연적으로 갖는다고 주장했다. 초기 여성주의자들과 참정권론자들 그리고 동시대 여성주의자들 사이의 가장 눈에 띄는 차이는 19세기에는 거의 모든 사람들이 영역 분리 교설을 받아들였다는 것이다.

초기 여성주의자들은 극도로 불평등한 여자들의 위치에 격렬히 반대했지만 그들이 성취하기 위해 투쟁했던——자신의 아내를 사유 재산이자 시민적 비인격(non-person)으로 만드는 남편의 법적 권력의 종료와 독신 여자들이 자활할 수 있도록 교육 받을 기회 등과 같은——개혁들은 대체로 그들 자신의 사적인 영역에 남아 있으려는 여자들을 위한 평등에의 수단으로 여겨졌다. 암묵적 가정은 참정권 또한 남자들과 여자들에게 상이한 것을 의미한다는 것이었다. 이는 가장 열정적으로 감상적(sentimental)이며, 반-여성주의적인 영역 분리 교설의 진술 가운데 하나에서 명백하게 드러난다. 「여왕의 화원」에서 러스킨은 다음과 같이 주장한다.

> 코먼웰스(commonwealth)의 일원으로서 남자의 임무는 국가의 유지, 발전 그리고 방어를 돕는 것이다. 코먼웰스의 일원으로서 여자의 임무는 국가의 정돈, 위안 그리고 아름다운 장식을 돕는 것이다. (러스킨, 「여왕의 화원」)[22]

따라서 여자들의 시민권이란 그들의 사적인 가정 안에서의 과업을 정교화한 것으로 볼 수도 있을 것이다. 참정권론자들의 주된 논변들 중 하나는 투표가 여자들의 특별한 영역을 보호하고 강화하는 필수적인 수단이라는 것이었다(세기말에 여자들의 영역과 관련된 사회적 쟁점에

22. J. Ruskin, 'Of Queens' Gardens', in *Free and Ennobled*, ed. C. Bauer and I. Pitt (Pergamon Press, Oxford, 1979), p. 17.

대한 입법가들의 관심이 증가함에 따라서 비중이 커진 논변). 게다가 가장 열정적인 반-참정권론자들과 격렬한 참정권론자들 모두 여자들이 남자들보다 더 약하지만 더 도덕적이고 유덕하다는 데 동의했다. 반-참정권론자들은 그렇기에 여자들이 무기를 들거나 무력을 사용할 수 없기 때문에 선거권 부여가 국가를 치명적으로 약화시킬 것이라고 주장했다. 참정권론자들은 여자들의 우월한 도덕성과 강직함이 국가를 변화시키고 평화로운 치세를 가져올 것이라고 주장함으로써 반박했다. 이 모두가 엘쉬타인으로 하여금 참정권론자들은 바로 영역 분리 교설의 가정들을 받아들였기 때문에 '자신들의 용어에서조차 실패했다'라고 주장하도록 했다. 공과 사의 분리에 도전을 제기하기는커녕, 그들은 단지 '그들에게 불리하게 체계를 조작하는 데 기여하는 바로 그 신비화와 검토되지 않은 추정을 영속'시켰다.[23]

엘쉬타인의 논변은 대체로 도덕성과 권력이라는 이원성을 통해 이루어지는데, 이는 공과 사의 분리를, 그 분리가 시민사회 내부에 위치지어졌을 때, 정식화하는 한 가지 방법이다. 자유주의 이론가들은 종종 정치적 영역(국가), 즉 권력, 힘, 폭력의 영역을 사회(사적 영역), 즉 주의주의, 자유, 자발적 규제의 영역과 대비시킨다.[24] 그러나 여자들의

23. J. B. Elshtain, 'Moral Woman and Immoral Man: A Consideration of the Public-Private Split and its Political Ramifications', *Politics and Society*, 4 (1974), pp. 453-61.

24. 이 대비에 의존하는 최근의 논변으로는 다음을 볼 것. J. Steinberg, *Locke, Rousseau and the Idea of Consent* (Greenwood Press, Westport, CT, 1978), 특히 5-7장. 동의에의 강조는 사적인 영역에 도덕성을 출현시키는데, 그것은 통상 그러한 것처럼 자기-이익이 (사적) 시민사회의 지배적인 원칙으로 여겨질 때 훨씬 덜 명백하다. 시민사회 내부의 분리가 (자기-이해로서의) 자유가 권력에 대립하는 것으로 보여질 때, 가정생활 안에서 도덕성의 위치는 보다 두드러지지만 자유주의적인 공적 및 시민사회의 질서에 심각한 문제를 제기한다.

도덕적 우월성이 갖는 함축에 대한 논변은, 그리고 엘쉬타인의 도덕성과 권력이라는 이원성의 사용은, 오히려 공적인 삶이나 시민사회로부터의 사적이고 가정적인 영역의 보다 근본적인 분리를 가리킨다. 그렇다면 도덕성과 권력 사이의 대립은 (국가의 군사력에서 예시되는 것으로 여겨지는) 남성적인 것의 자연적 속성들인 물리적 힘과 공격성을 (아내와 어머니가 도덕성의 수호자를 나타내는 가정적 삶 안에서 전형적으로 보여지는) 여성적인 것의 자연적 속성들인 사랑과 이타심에 대치시킨다.[25] 여성참정권을 위한 투쟁이 도덕성과 권력이라는 (다시금 영역 분리 교설을 표현하는 한 가지 방법인) 이원성 안에서 가부장적-자유주의의 분리와 이분법들 안에 엘쉬타인이 제안하는 정도로까지 갇혀 있었는가? 투표하는 것은 어쨌든 정치적인 행위이다. 확실히 그것은 자유민주주의적 시민의 바로 그(*the*) 정치적 행위로 여겨지게 되었으며, 시민권은 공식적인 시민적 혹은 공적 평등의 자격이다.

참정권 운동에 대한 다른 평가는 뒤부아의 최근 작업에서 제시된다. 그가 주장하기를, 선거권 부여 투쟁의 양측 모두 투표를 핵심적인 여성주의적 요구로 여겼던 것은 투표가 여자들에게 '가족 제도나 그 안에서의 여자들의 종속에 기초하지 않는 사회적 질서와의 연결고리'를 제공했으며, '시민과 유권자로서 여자들은 아내와 어머니라는 종속적인 위치를 통해 간접적으로가 아니라 개인으로서 직접적으로 사회에 참여하고자 했다.'[26] 뒤부아가 강조하기를, 참정권론자들이 가정적 삶에 대한 여자들의 '고유한 적합성'을 의문시하지 않았지만, 투표에 대한 요구는 여자들

25. 이제 '자연'과 여성의 '자연'에 대한 예리한 문제가 나타나는데, 여자들은 도덕성의 자연적 수호자로서 여겨지는 동시에 자연적으로 정치적 전복성을 갖는 것으로 여겨진다. 1장을 볼 것.

26. E. DuBois, 'The Radicalism of the Woman Suffrage Movement', *Feminist Studies*, 3 (1/2) (1975), pp. 64, 66.

이 오직 사적인 삶에만 자연적으로 적합하다는 것을 부인하는 것이었다. 이와 같이 참정권에 대한 요구는 부권주의와 자유주의의 상호적인 협상의 중심부에 도달했다. 투표권을 얻는 것은 적어도 한 가지 측면에서 여자들이 '개인'으로 인정되어야 한다는 것을 의미했기 때문이다. 바로 그렇기에 뒤부아는 공적이고 남자들과 평등한 지위에 대한 여자들의 요구가 '여자들에 대한 남성의 권위라는 가정을 폭로하고 그 가정에 도전했다'라고 주장할 수 있다.[27] 여자들의 선거권 부여와 남자들과의 (거의) 공식적인 정치적 · 법적 평등을 갖는 여자들의 현 위치로 이끈 다른 개혁들의 한 가지 중요한 장기적 결과는 시민적 평등과 사회적——특히 가족적——종속(그 종속을 구성하는 데 일조하는 믿음들을 포함해서) 사이의 모순이 이제 완전히 드러났다는 것이다. 공적 영역과 사적 영역의 자유주의적-가부장적 분리는 정치적 문제가 되었다.

이 문제의 제 차원들은 존 스튜어트 밀의 여성주의적 글 『여자들의 종속』과 여성참정권에 대한 그의 논변들 안에서——이제 와서 바라볼 때, 아주 분명하게——제시되어 있다. 개인의 정치적 지위가 사적 영역에서의 여자들의 귀속적 자리에 더해지더라도 후자[여자들의 귀속적 지위?]를 그대로 두거나 심지어 강화시킬 수 있을 것이라는 가정이 궁극적으로 유지될 수 없다는 것을 밀의 글은 보여준다. 혹은 이 점을 다른 방식으로 표현하자면, 자유주의적 원리들은 사적인 삶의 가부장적 구조에 관한 예민한 문제를 제기하지 않은 채 단순히 공적인 영역에서 여자들에까지 확장되게끔 보편화될 수는 없다. 그 영역들이 필수적으로 연관되어 있으며 여자들이 공적 삶에서의 완전하고 평등한 구성원이 되는 것은 가정 영역 안에서의 변화들 없이는 불가능하다는 것을, 여성주의 운동이 실천에서 드러냈다면, 밀은 이론적으로 보여준다.

27. E. DuBois, *Feminism and Suffrage* (Cornell University Press, Ithaca, NY, 1978), p. 46.

『종속』에서 밀은 남자와 여자, 혹은 보다 구체적으로 남편과 아내의 관계가 개인적 자유와 평등, 자유 선택, 기회의 평등, 능력에 따른 직업의 배분이라는 (그가 믿기로는) 19세기 영국의 다른 사회적 · 정치적 제도들을 지배하는 자유주의적 원리들에 대해서 정당화되지 않았으며 정당화할 수 없는 예외를 형성한다고 주장한다. 여자들의 사회적 종속은 '다른 모든 것에 있어서는 타파된… 사고와 실천의 구세계의 단 하나 남은 유물'이다.[28] 글 서두에서 밀은 자연에의 호소를 공격한다. 그는 여자들과 남자들이 우월자와 열등자로서가 아니라 동등자로서 교류하는 관계들과 제도들 안에서 여자와 남자 각각의 속성들에 대한 증거가 없는 이상, 여자와 남자의 자연적 차이에 관해——설사 그런 차이가 있다 한들——아무것도 알 수 없다고 주장한다. 밀의 논변 중 많은 부분은 아내 위에 군림하는 노예-주인이라는 자리에 남편을 위치시킨 법적으로 승인된 남편들의 권력을 겨냥하고 있다. 법적 개혁은 가족을 '전제주의의 학교'에서 '평등 속에서의 공감의 학교'와 '자유의 덕목들의 참된 학교'로 바꾸어야 한다.[29] 그러나 최근 여성주의 비판가들이 지적했듯, 결국 그는 그가 비판한 것과 동일한 자연 논변에 기댄다. 밀은 여자들의 양육, 교육과 직업적 기회의 결여, 그리고 법적 · 사회적 압력 같은 만연한 상황에서 여자들은 결혼할지 말지에 관해 자유로운 선택을 갖지 않는다고 주장한다. 그렇지만 그는 또한, 사회적 개혁 이후에도 많은 여자들이 여전히 결혼생활의 의존을 선택할 것이라고 가정한다. 그는 여자가 결혼할 때 남자들이 직업을 선택하는 것처럼 '직장생활(career)'을 선택한 것이라는 점이 일반적으로 이해될 것이라고 주장한다. '그녀는 가정의 관리와 가족의 양육을 (…) 그녀가 애써야 할 첫째 소명으로서 선택한다. (…) 그녀는 이러한 요구에 일치하지 않는 [일체의 업무를] 포기한다.'[30]

28. Mill, *The Subjection*, p. 146. [국역본: 45-46쪽.]
29. 같은 책, pp. 174-5. [국역본: 91-92쪽.]

그리하여 결혼이 '직업'이라면 어째서 기회의 (공적) 평등에 관한 자유주의적 논변들이 여자들에게 여하한 유관성이 있는가 하는 질문이 말끔하게 회피되고 있다.

1867년 밀은 하원에 여성참정권을 위한 첫 법안을 제출했다. 그는 남성참정권을 지지하는 두 가지 이유와 동일한 이유에서 여자들의 투표를 옹호했다——즉 그것이 자기보호나 이익의 보호를 위해 필수적이기 때문에, 그리고 정치적 참여는 여자들의 능력을 확대할 것이기 때문에. 그러나 성적으로 귀속된 분업, 또는 가정적 삶과 공적 삶의 분리에 대한 밀의 용인이 선거권 부여를 옹호하는 그의 논변을 뒤집어엎는다는 것은 대개 인식되지 않고 있다. 그의 논변에서 명백한 난점은, 아내로서의 여자들이 주로 가족이라는 작은 원 안에 제한될 것이고, 그렇기 때문에 자신들의 이익을 보호하기 위해 투표를 사용하는 것이 그들에게는 어려울 것이라는 점이다. 여자들은 가정적 삶 바깥의 경험 없이는 그들의 이익이 무엇인지 배울 수 없을 것이다. 이 점은 정치적 참여를 통한 개인의 발전과 교육에 대한 밀의 논변에서 한층 더 결정적이다. 벤과 가우스가 밀의 '대표적인 자유주의적 텍스트'라고 부르는 곳에서, 밀은 시민에 의한 '공공 정신'의 발전을 언급한다.[31] 『종속』에서 밀은, 자유정부의 '고귀한 영향' 아래에서 발생하는 '도덕적이고 정신적이며 사회적인 존재'로의 개인의 고양을 말한다.[32] 이는 정기적으로 한 표를 던지는 것을 위한 주장 치고는 과하며, 밀은 선거권만으로도 그러한 결과들이 나타날 것이라 생각하지 않았다. 그가 말하기를, '시민권은'——나는 여기서 그가 보통선거권을 말하고 있다고 여긴다——'현대사회에서 다

30. 같은 책, p. 179. [국역본: 98쪽.]

31. Benn and Gaus, *Public and Private*, 2장을 볼 것. 여기서 벤과 가우스는 밀의 『대의정부에 대한 고찰』을 참조하고 있다. [국역본: 185.]

32. Mill, *The Subjection*, p. 237. [국역본: 185-186쪽.]

만 작은 자리를 채울 뿐이며, 일상적 습관이나 내밀한 감정과는 거리가 멀다.'[33] 계속해서 그는 (개혁된) 가족이 진정한 자유의 학교라고 주장한다. 그러나 이것은 자유민주주의적 투표에 대한 주장보다 더 그럴듯하지는 않는다. 전제적인 가부장적 가족은 결코 민주적 시민권을 위한 학교가 아니다. 하지만 평등주의적인 가족 또한, 그 자체만으로, 밀이 그의 다른 사회적 및 정치적 글에서 시민권을 위한 필수적인 교육이라고 주장하는 광범위한 다양한 사회적 제도들(특히 직장)에 대한 참여를 대신할 수 없다. 사적인 삶을 '선택한' 아내들이 어떻게 공공 정신을 계발하겠는가? 따라서 여자들은 밀에 따르면 개인들이 공적 삶의 경험을 갖지 않을 때 결과하는, 정의감이 결여된 이기적이고 사적인 존재들을 예시할 것이다.

밀이 노동의 '자연적' 성적 분업에 의문을 갖는 데 궁극적으로 실패한 것은 여자들의 평등한 공적 지위에 관한 그의 논변을 침식한다. 『종속』에서의 그의 논변은 정치적 원리들을 가정 영역으로 확장시키는 것에 의존한다——그런데 이는 즉각 공과 사의 분리에, 그리고 그 두 영역들에서의 연합 원리의 대립에 의문을 갖게 한다. 그가 적어도 부분적으로나마 공과 사의 분리라는 가부장적-자유주의적 이데올로기를 옹호하지 않았더라면, 그는 벤과 가우스의 '모범적' 자유주의 이론가로 남지 않았을 것이다. 다른 한편, 부성적 권력과 정치적 권력이라는 기원적인 로크적 분리를 의심함으로써, 그리고 동일한 정치적 원리들이 정치적 삶에 적용되듯 가족적 삶의 구조에도 적용된다고 주장함으로써, 밀은 가족의 지위에 관한 커다란 질문을 제기하기도 한다. '노예들', '주인들', '평등', '자유', '정의' 등의 언어는 가족이 자연적 연합이 아니라 관습적 연합이라는 것을 함축한다. 밀은 가족이 정치적이라는 결론을 내리고 싶지 않을

33. 같은 책, p. 174. [국역본: 91-92쪽.]

것이다. 그러나 많은 동시대 여성주의자들은 그렇게 한다. 오늘날 여성주의 운동에서 가장 유명한 슬로건은 '개인적인 것이 정치적인 것이다'인데, 그것은 공과 사의 자유주의적 분리를 명시적으로 거부할 뿐 아니라, 또한 그 두 영역이 구별될 수 없거나 구별되어서는 안 된다는 것을 함축한다.

'개인적인 것이 정치적인 것이다'

'개인적인 것이 정치적인 것이다'라는 슬로건은 자유주의-부권주의에서 공과 사의 몇 가지 애매성들을 논평할 수 있는, 그리고 또한 더 나아가——그것에 대한 보다 축자적인 몇몇 여성주의 해석들에 비추어——정치적인 것에 대한 대안적인 여성주의적 개념을 논평할 수 있는 유용한 관점을 제공한다. 이 슬로건의 주된 영향은 공과 사에 대한 자유주의적 주장들이 가진 이데올로기적 성격을 폭로하는 것이었다. '개인적인 것이 정치적인 것이다'라는 슬로건은 우리가 사회적 삶을 개인적인 측면에서——결혼하기에 괜찮은 남자나 살기에 적합한 장소를 찾는 개인적인 능력이나 행운의 문제로——바라보도록 독려되는 방식에 여자들이 주목하게 했다. 여성주의자들은 어떻게 개인적인 상황이 공적인 요인들에 의해, 강간과 낙태에 관한 법에 의해, '아내'의 지위에 의해, 양육 및 복리후생 배분 정책과 집과 일터에서의 성적 분업에 의해 구조화되는지 강조해왔다. 따라서 '개인적' 문제들은 오직 정치적인 수단과 정치적인 행동을 통해서만 해결될 수 있다.

슬로건의 대중성과 그것이 여성주의자들에게 주는 힘은 동시대 자유주의적-가부장제 사회 안에서의 여자들의 위치의 복잡성에서 기인한다. 사적이거나 개인적인 것과 공적이거나 정치적인 것은 서로 분리되어 있고 무관하다고 여겨진다; 여자들의 일상적 경험은 이 분리를 확증하지만, 동시에 그것을 부인하고 두 영역의 필수적인 관련을 긍정한다. 사적인 것과 공적인 것의 분리는 우리의 실제적 삶의 일부인 동시에 자유주의적-가부장적 현실의 이데올로기적 신비화다.

여자들의 사적인 가정적 삶을 남자들의 공적인 세계로부터 분리하는 것은 가부장적-자유주의를 그 기원에서부터 구성하고 있었다. 19세기 중반 이래, 경제적으로 의존적인 아내는 사회의 모든 덕망 있는 계급들에게 이상으로 제시되었다. 여자들과 가정의 영역을 동일시하는 것은 이제는 반-여성주의 조직들의 부활과 사회생물학자들에 의한 자연 논변의 '과학적' 재정식화에 의해서 또한 강화되고 있다.[34] 물론 여자들이 공적인 삶으로부터 완전히 배제된 적은 결코 없다. 그러나 여자들이 포함되는 방식은 가정 영역 안에 있는 그들의 자리만큼이나 확고히 그 토대를 가부장적인 신념과 실천에 둔다. 가령, 많은 반-참정권론자들도 여자들이 좋은 어머니가 될 수 있도록 교육 받기를 원했으며, 여자들이 지역 정치와 자선——이것들은 투표와는 달리 가정 안에서의 과업의 직접적인 확장으로 여겨질 수 있기에——에 관여하기를 원했다. 오늘날 여자들은 여전히 권위 있는 공공기관에서 기껏해야 한낱 형식적인 대의권(代議權)을 가질 뿐이다; 공적인 삶은, 거기에 여자들이 아주 없는 것은 아니지만, 여전히 남자들의 세계이며 남자들의 지배를 받는다.

또한, 노동계급 아내들 다수는 언제나 자신들의 가족들의 생존을 보장하기 위해서 임노동이라는 공적 세계로 진입해야만 했으며, 전후 자본주의의 가장 눈에 띄는 특징 중 하나는 유부녀 고용의 꾸준한 증가였다. 그러나 그들의 현존은 가족 안에서의 노동의 성적 분업과 직장에서의

34. 사회생물학에 관해서는 가령 다음을 볼 것. E. O. Wilson, *Sociobiology: The New Synthesis* (Harvard University Press, Cambridge, MA, 1975)와 S. Goldberg, *The Inevitability of Patriarchy*, 2nd ed. (W. Morrow, New York, 1974). 비판을 위해서는 가령 다음을 볼 것. P. Green, *The Pursuit of Inequality* (Martin Robertson, Oxford, 1981), 5장.

노동의 성적 분업 사이에 있는 가부장적인 연속성을 강조하는데 기여한다. 여성주의 연구는 여자 노동자들이 어떤 식으로 임금이 낮고 지위가 낮은 비관리직 직종들이라는 소수의 직업적 영역('여자들의 일')에 집중되어 있는지 밝혀낸 바 있다.[35] 여성주의자들은 또한 노동하는 삶에 대한 논의——자유방임주의를 주장한 자유주의자들이든 맑스주의자들이든——는 언제나 가정적 삶으로부터 추상된 채 경제적 활동을 이해할 수 있다고 가정한다는 사실에 주목했다. 변함없이 남자일 것으로 여겨지는 노동자가 음식 제공, 세탁과 청소, 자식 양육의 일상적 요구들로부터 독립해 일할 준비가 된 것처럼 보일 수 있고 자신의 일에 집중할 수 있는 것은, 오로지 그의 아내가 지불받지 않고 수행하는 이러한 작업들 때문이라는 사실이 '잊힌다'. 만약 그녀도 임노동자라면, 그녀는 이러한 '자연적' 활동들을 하기 위한 추가 근무를 하게 된다. 자본주의의 구조와 작동에 대한 완전한 분석과 설명은 노동자의 형상이 가정주부의 그것을 수반할 때 비로소 마련될 수 있을 것이다.

여성주의자들은 공적인 삶과 사적인 삶이 '분리된' 자유주의적 세계가 실제로는 가부장적 구조에 의해 연결되어 밀접한 관련을 갖는다는 결론을 내린다. 이 결론은 다시 한 번 가족의 '자연적' 영역의 지위의 문제를 강조하는데, 그것은——비록 분리되었고 무관한 것으로 보이더라도——시민사회의 관습적 관계들에 의해 상정되어 있다. 가정적 삶의 영역은 시민사회와 떨어져 있거나 분리되어 있지 않고 시민사회의 심장부에 있다. 이것이 그러하다는 광범위한 믿음은 문명화된 도덕적 삶의 수호자로 여겨지는 핵가족의 위기(crisis), 쇠퇴(decline), 그리고 붕괴

35. 그 예로 다음을 볼 것. 호주의 경우, K. Hargreaves, *Women at Work* (Penguin Books, Harmondsworth, Middlesex, 1982); 영국의 경우, J. West (ed.), *Women, Work and the Labour Market* (Routledge & Kegan Paul, London, 1982); 미국의 경우, Eisenstein, *The Radical Future of Liberal Feminism*, chap. 9.

(disintegration)에 대한 동시대적 관심에 의해 드러난다. 가족이 주된 '사회적 문제'라는 것은 유의미하다. '사회적'인 것은 시민사회 바깥이 아니라 안에 속한 범주이기 때문에, 보다 정확히는, 시민사회가 나뉘는 두 측면들——사회(사)적인 것과 정치(공)적인 것——가운데 하나이기 때문에 말이다. 동즐로(Donzelot)는 최근 사회적인 것의 출현이 어떻게 '사회사업(social work)'의 출현이기도 하며, 가족을 (정치적으로) '통치'하고, 어머니들에게 사회적 지위를 제공하고, 자녀들을 제어하는 다양한 방법들의 출현이기도 한지를 분석한 바 있다.[36] 여성주의자들도 마찬가지로 어떻게 개인적인 가족적 삶이 정치적으로 규제되는지 탐구해왔다. 그 탐구는 국가의 명령이 가정으로 가는 문에서 뛰쳐나간다는 관습적인 자유주의적 주장을 거부한다.[37] 그들은 어떻게 가족이 국가의 주된 관심사인지, 어떻게 여자들의 종속적인 지위가——결혼이나 성생활과 관련된 입법 및 사회복지 정책들을 통해서——국가의 권력에 의해서 상정되고 유지되는지 보여주었다.[38]

공과 사의 이분법에 대한 이러한 여성주의적 비판들은 이 범주들이 자유주의-부권주의의 구조의 두 상호 연관된 차원을 가리킨다는 것을 강조한다. 그러한 비판들은 사회적 삶의 개인적인 측면과 정치적인 측면이 구별될 수 있거나 구별되어서는 안 된다는 것을 반드시 암시하는

36. J. Donzelot, *The Policing of Families* (Pantheon Books, New York, 1979). '가장 놀라운 것은 "사회적인 것"이 우리 머리 안에서 우리가 당연시 여기는 어떤 것으로서의 지위를 얻었다는 것이다'(p. xxvi).

37. [가정 안에서는 법이 소용없다는 의미이다.]

38. 예를 들어, 결혼에 관해서는 다음을 볼 것. D . L. Barker, 'The Regulation of Marriage: Repressive Benevolence', *Power and the State*, ed. G. Littlejohn et al. (Croom Helm, London, 1978); 강간에 관해서는 4장과 다음을 볼 것. A. G. Johnson, 'On the Prevalence of Rape in the United States', *Signs*, 6(1) (1980), pp. 136-46; 복지국가에 관해서는 가령 다음을 볼 것. E. Wilson, *Women and the Welfare State* (Tavistock, London, 1977).

것은 아니다. 그러나 '개인적인 것이 정치적인 것이다'라는 슬로건은 문자 그대로 받아들여질 수 있다. 가령 『성 정치학』(*Sexual Politics*)에서 밀렛(Millett)은 로크의 부권과 정치적인 권력의 구별을 암묵적으로 거부한다. 정치학에서 정치적인 것은 빈번히 권력이라는 측면에서 정의되지만, 정치학자들은 변함없이 그들의 정의를 그 논리적 귀결로 이끄는데 실패한다. 밀렛은 그것의 정의에는 동의하지만, 그와 대조적으로, 모든 권력이 정치적이라고 주장한다. 남자들이 개인적 삶에서 수많은 방식으로 여자들에 대한 권력을 행사한다는 이유에서, '성 정치학'을 이야기하는 것이 이치에 맞고 '성적 지배가 […] 가장 근본적인 권력의 개념을 제공'하도록 말이다.[39] 개인적인 것은 정치적인 것이 된다. 이 접근법은 성적 및 가정적 삶의 많은 불쾌한 측면들, 특히 너무나도 빈번히 은폐되어 있는 그것의 폭력을 조명하지만, 그것은 가부장적-자유주의의 비판을 크게 진전시키지 않는다. 급진적 여성주의자가 이분법의 한 측면으로서의 자연을 제거하려고 시도하는 것처럼, 밀렛은 권력을 제거하려 하며, 정치를 도덕적으로 변형하는 참정권론적 전망을 반복한다. 그러나 그것은 정치적인 것을 권력과 결합시키는(혹은 동일시하는) 자유주의에 질문을 제기하거나, 여자들을 이원론의 '도덕적' 측면과 결합시키는 것에 질문을 제기하지 않는다.

여타의 여성주의자들 또한 정치적인 것과 권력의 동일시를 거부했다. 때때로, 자유주의적-부권주의를 완전히 뒤집어 놓음으로써, 제대로 이해했을 때, 정치적 삶은 따라서 본질적으로 여성적인 것이라고 단순하게 주장한다.[40] 보다 생산적으로는, '남성적' 권력에 대한 여성주의적 거부

39. K. Millett, *Sexual Politics* (Hart-Davis, London, 1971), pp. 25, 26. [국역본: 『성 정치학』, 김전유경 옮김, 이후, 2009, 71, 74쪽.]

40. N. McWilliams, 'Contemporary Feminism, Consciousness Raising and Changing Views of the Political' in *Women in Politics*, ed. J. Jaquette (Wiley, New

또한 정치적인 것의 대안적 개념에 기반한다. 정치적인 것은 '공유된 가치들과 시민권의 영역'이라고,[41] 혹은 그것이 '권력은 그것의 단지 한 가지 측면일 뿐인 공유된 가치들과 시민적 관심들을 포함한다'라고 주장한다.[42] 이러한 개념들은 여성주의 글에서는 발전되지 않은 상태이지만, 시민사회의 탈정치화 또는 자유주의의 정치적인 것의 특징적 의미의 상실을 개탄하는 자유주의의 비평가들의 논변들과 밀접한 관련이 있다. 이를테면 하버마스는 실질적인 정치적 문제들이 합리적으로 평가될 수 있도록 공적이고 공유된 소통을 주장한다. 월린은, '무엇이 정치적인가를 규정하는 본질적 속성 중 하나[는] […] 그것이 '공적인 것'에 대해 갖는 관계'일 수 있도록, '공적인'과 '공통의' 등은 '정치적인 것과 동의어'라고 주장한다.[43] 이들 비평가들과 몇몇 여성주의자들은 개인적이지 않은 것이 공적이라는 데——그리고 공적인 것은 정치적이라는 데——동의한다. 이는 공동체의 공적인, 집단적인, 공통적인 정치적 삶의 영역인 시민사회가 그 안에 구분을 갖지 않는다는 것을 암시한다. 그러나 이 논변은 통상 공적-정치적 영역의 개념이 가정 안에서의 삶에 어떻게 연관되는지에 대한 그 어떤 고려도 없이, 혹은 그런 문제가 나타난다는 그 어떤 암시도 없이 개진된다. 여성주의자들은 이 근본적인 질문을 제기한 바 있지만, 아직 답변하지는 않았다. 비록 개인적인 것이 정치적이지는 않지만, 두 영역들이 미래의 민주주의적 여성주의 사회적 질서와 상호 관련이 있고 필수적인 차원이라는 것은 말할 수는 있을 것이다.

York, 1974), p. 161.

41. 같은 책.

42. L. B. Iglitzin, 'The Making of the Apolitical Woman: Femininity and Sex-Stereotyping in Girls' in Jaquette, *Women in Politics*, p. 34.

43. J. Habermas, 'The Public Sphere', and Wolin, *Politics and Vision*, pp. 9, 2. [국역본: 『정치와 비전 1』, 강정인 외 옮김, 후마니타스, 2007, 38, 28쪽.]

자유주의적-부권주의에 대한 여성주의적 대안을 위한 조건들

자유주의적-가부장적 공과 사의 대립에 대한 여성주의적 비판들은, 급진적 사회적 변화를 만들어내는 복잡한 실천적인 문제들뿐 아니라, 근본적인 이론적 질문들을 제기한다. 그러나 여성주의 논변들에 대한 한 반대는 우리 기획의 합리성조차도 부인한다. 최근 볼프(Wolff)는 여성주의에 공감하는 입장에서 두 영역의 분리를 극복하는 것은 본질적으로 해결될 수 없는 문제를 제시한다고 주장했다. '분열에 맞서 투쟁하는 것(struggle against the split)'은 무의미하다. 현존하는 질서에 대해 임시적으로 적응하는 것이 최선의 성취일 것이다. 공과 사의 분리는 두 가지 '동등하게 타당하며 완전히 양립 불가능한 인간 본성에 관한 개념들'에서 유래한다. 하나는 '본질적으로 이성적이고, 비시간적이며, 비역사적인 사람(man)'이며, 다른 하나는 '본질적으로 시간에 매였으며, 역사적으로 문화적으로 그리고 생물학적으로 조건 지어진 사람'이다.[44] 공적인 세계 안에서 모든 사람들은 그들의 성, 계급, 인종, 나이, 종교가 중요하지 않은 것처럼 취급되어야 한다고 주장하는 것은 우리 자신들의 가장 기초적인 인간적 사실을 부인해야 한다는 주장이며, 따라서 현재의 비인간성과 소외를 강조하게 될 것이다. 그러나 볼프의 두 가지 개념들은 단일한 '인간' 본성에 대한 것이 아니며, 같은 정도로 그럴듯하지도 않다. 그것들은 (사적인) 여자들과 (공적인) 남자들의 진정한 본성의 자유주의적-가부장적 관점을 나타낸다. 인간은 시간에 매여 있는, 생물

44. R. P. Wolff, 'There's Nobody Here but Us Persons' in *Women and Philosophy*, ed. C. Gould and M. Wartofsky (Putnams, New York, 1976), pp. 137, 142-3. 볼프는 또한 사적 및 공적 분리에 대한 여성주의적 투쟁에 이의를 제기하는데, 그것이 새로운 사회적 제도의 형태에 대한 옹호 안에 인간 본성에 대한 규범적 가정을 건설하기 때문이다——이는 가부장적 자유주의 안에서 구현되는 여자들과 남자들의 본성에 대한 가정이라는 관점에서 특이하게 자리 잡은 이의 제기이다.

학적으로나 문화적으로 특수한 생물이다. 남성 개인을 그의 아내가 자연적 종속 안에 남겨지는 영역으로부터 추상시키고, 그런 뒤 이 추상을 공적 남자로 일반화하는, 자유주의적-개인주의적 (자신이 가부장적 관점이라는 것을 보지 못한) 관점에서만 '인간' 본성의 대립, 사적이고 공적인 여자들과 남자들의 대립이 철학적으로 또는 사회학적으로 그럴듯하게 나타난다.

여성주의자들은 남자들과 여자들의 분리와 대립이 아닌 개별적 삶과 집단적 삶, 또는 개인적 삶과 정치적 삶의 상호 관련에 토대를 둔, 서양에서 최초로 진정으로 일반적인——여자들과 남자들을 평등하게 포함하는——이론이 될 사회적 실천의 이론을 개발하려고 하고 있다. 즉각적으로 실천적인 수준에서 이 요구는 여성주의적 비판의 아마도 가장 명백한 결론 안에 표현되어 있다; 여자들이 평등한 자들로서 사회적 삶에 완전하게 참여하려면, 남자들이 양육과 다른 가정 안에서의 과업들을 평등하게 분담해야 할 것이라는 결론 말이다. 여자들이 이 '사적인' 일과 동일시되어 있는 한, 그들의 공적인 지위는 언제나 약화될 것이다. 이 결론은 통상 주장되는 것처럼 남자들이 아닌 여자들이 자녀를 낳는다는 자연적인 생물학적 사실을 부인하는 것이 아니다; 이 결론은 여자들이 자녀를 낳는다는 자연적 사실로부터 오직 여자만이 자녀를 양육할 수 있음이 뒤따른다는 가부장적 주장을 부인하는 것이다. 공동 육아와 가정생활의 다른 활동 안에의 평등한 참여는 공적인 영역 안의, 생산 조직 안의, 우리가 '일'이라고 했을 때 의미하는 것 안의, 그리고 시민권의 행사 안의 몇 가지 급진적인 변화들을 가정한다. 일터에서의 그리고 이데올로기적 신념이 다른 모든 정치적 기관들 안에서의 노동의 성적 분업에 대한 여성주의적 비판과 정치적인 것의 자유주의적-가부장적 개념에 대한 그것의 거부는, 지난 이십 년 동안 참여민주주의적 및 맑스주의적 비판이 제기했던 자유주의적-자본주의에 대한 도전을 확장하고 심화하는 한편, 그것보다 훨씬 너머로 나아가기도 한다.

볼프의 논변이 보여주듯, 여자들이 공적인 '개인'으로서 자신들의 자리를 취하고자 할 때, 그것이 자유주의의 보편화에 관한 갈등이라고 가정하려는 유혹이 있다. 그러나 이것은 자유주의의 가부장적인 성격과 그것의 공과 사의 개념이 가진 애매성과 모순을 밝혀낸 여성주의적 성취를 무시하는 것이다. 사적인 것과 공적인 것의 이분법에 대한 다양한 표현들의 전면적인 분석은 아직까지 제공되지 않았다. 시민사회로부터 가정적 삶의 이중적인 분리와 시민사회 그 자체 내부에 있는 공과 사의 분리가 갖는 함축들을 다루는 이 장에서 가능한 것보다 더 깊은 탐구와 함께 말이다. 여성주의적 비판은 가부장적-자유주의의 이분법과 대립의 대안으로서의 사회적 삶에 대한 변증법적인 관점을 시사한다. 여성주의자들 자신이 보여주듯, 대립을 부정으로 대체하거나(자연이 여성주의적 질서 안에 자리를 갖는다는 것을 부인하는 것), 대립에 대한 대안이 조화와 동일시라고 가정하려는(개인적인 것은 정치적이다; 가족은 정치적이다) 유혹에 빠지기 쉽다. 가부장적-자유주의의 가정들은 오직 이들 두 대안만을 허용하지만, 여성주의적 비판은 세 번째가 있다는 것을 가정한다.

여성주의는 다양한 차원들이 구별되지만 분리되거나 대립적이지는 않은, 개인에 대한——여자들과 남자들이 생물학적으로 구분되어 있지만 불평등하지 않은 존재라는 것을 포함하고 있는——사회적 개념에 기초하는 차이화된 사회적 질서를 내다보고 있다. 그럼에도 불구하고 여자들과 남자들, 사적인 것과 공적인 것이 반드시 조화로운 것은 아니다. 여자들의 생식 능력이 갖는 사회적 함의를 전제했을 때, 개인적인 것과 정치적인 것, 사랑과 정의, 개별성과 공동체성 사이의 긴장이 가부장적-자유주의와 함께 사라질 것이라고 가정하는 것은 확실히 유토피아적이다.[45]

여성주의적 비판들이 암묵적으로든 명시적으로든 망라하고 있는 철학적 및 정치적 문제의 범위는 가부장적-자유주의에 대한 완전하게 발전된 여성주의적 대안이 최초의 진정한 "총체적 비판"을 제공할 것이라는 사실을 지시한다.[46] 추상적 개인주의적 자유주의의 세 명의 위대한 남성 비평가들은 그러한 비판을 이미 제공했다고 주장하지만, 그들의 주장은 거부되어야만 한다. 루소, 헤겔과 맑스는 자신들 각각이 자유주의의 추상과 이분법을 뒤로하고 공동체 안의 개인성을 보존했다고 주장했다. 루소와 헤겔은 이 정치적으로 위험한 존재들을 가족의 자연적 세계의 모호함 속에 제한하며 이 작업에서 여자들을 명시적으로 배제했다. 맑스 또한 가부장적인 가정으로부터 스스로와 자신의 철학을 해방시키는 데 실패했다. 공과 사의 자유주의적 대립에 대한 여성주의적인 총체적 비판은 여전히 그 철학자를 기다리고 있다.

45. R. P. Petchesky, 'Reproductive Freedom: Beyond "A Woman's Right to Choose"', *Signs*, 5(4) (1980), pp. 661-85를 볼 것.
46. 나는 이 구절을 다음으로부터 가져왔다. R. M. Unger, *Knowledge and Politics* (Free Press, New York, 1975). 웅거의 주장이 자유주의의 총체적 비판을 제공했다는 점 또한 거부해야만 한다. 그는 이론과 사실, 이성과 욕망, 그리고 법칙과 가치의 이율배반이 동시에 남자와 여자 사이의 가부장적인 이율배반이라는 것을 보는 데 실패한다. 그는 "공적 이성에 대한 자의적인 욕망의 대립의 정치적 형태는 공적 및 사적 실존 사이의 대립이다'라고 진술한다——하지만 이는 또한 남자들과 여자들의 "자연" 사이의 대립이기도 하다.

7

『시민 문화』

: 철학적 비판

경험적 민주주의 이론은 더 이상 『시민 문화』[1]가 씌어졌을 때처럼 민주주의를 다루는 저자들에게 정설을 구성하지 않는다. 하지만 그것의 기본적 가정들은 여전히 널리 수용된다. 어떻게 이 가정들이 민주주의 이론과 실천에 관한 결론들을 형성했는지에 대한 이해를 통해 전후 경험 이론 학파에 대한 일반적 비판을 구축하려 할 때, 『시민 문화』는 가장 좋은 단일 '사례연구' 중 하나를 제공한다. 물론 이 학파의 개별 이론가들 사이에 수많은 특수한 차이가 있다. 하지만 이 차이들은 경험적 발견들을 분석할 때의 공통된 이론적 관점에 의해 무색해진다. 경험 이론의 연구들은 또한, 『시민 문화』에서처럼, 개별적인 정치적 태도와 활동들에 대한 자료들이 '규범적' 민주주의 이론에 대해 갖는 의의를 다루는 결론 장을 포함한다는 점을 특징으로 한다. 『시민 문화』의 마지막 장은 1950년대 말과 1960년대 초 영미 정치 체계에 대한 널리 퍼진

1. G. A. Almond and S. Verba, *The Civic Culture: Political Attitudes and Democracy in Five Nations* (Princeton University Press, Princeton, NJ, 1963). 본문 중 괄호 속 쪽수는 이 책의 쪽수다.

신뢰를 반영하며, 정치적 냉담과 무관심의 역할을 칭송함에 있어 전형적이다. 그렇지만 이 장르의 몇몇 다른 사례들과는 달리 『시민 문화』는 개별적 태도가 발달되는 사회화 과정에 대한 증거를 포함한다. 이 증거는 경험 이론에 대한 비판에서 핵심적이며, 또한 그것의 이론적 부적절함과 정치적 자기만족 너머로 결정적으로 나아갈 수 있는 민주주의 이론의 발전에서 핵심적이다.

경험적 민주주의 이론은 많이 비판 받아왔다. 하지만 비판가들과 경험 이론가들은 종종 어떤 근본적인 쟁점들에 대해서 서로 딴 이야기를 하는 경향이 있었다. 비판가들은 경험 이론가들이 낡은 것으로 그리고 더 중요하게는 비과학적인 것으로 거부하는 '규범적' 민주주의 이론의 전통을 방어하고 싶어 한다. 비판가들은 '과학'과 '객관성'에 대한 주장들에 직면하여——이 과학적 접근이 비판적 결론들을 매우 드물게 산출했다는 것이 언급되었음에도 불구하고[2]——소심해지는 경향이 있어왔으며, 따라서 경험 이론가들을 그 이론가들 자신의 근거에서 상대하는 과제를 소홀히 하는 경향이 있어왔다. 도전받아야만 하는 중심 주장은, 경험적 연구에 의해 드러난 자료들에 비추어 볼 때 민주주의 이론의 전통적 개념들과 민주주의 시민을 고수하는 것은 실로 비현실적이라고 하는 주장이다. 아이러니하게도 『시민 문화』가 드러내듯 경험 자료에 대한 해석은 경험적 민주주의 이론의 주된 약점 중 하나다. 그것은 또한 그 이론의 몇몇 기본적 가정을 포기하지 않고서는 고칠 수 없는 약점이다. 경험 이론가들의 주장들에도 불구하고, 그 이론가들은 그들의 조사결과 속에서 드러나는 태도와 활동의 패턴과 자유민주주의의 정치

2. '가치중립적'이 동시에 '관습적 복수주의적 민주주의의 흠잡을 데 없는 챔피언'이기를 원하는 저자들에 대해서는 C. Bay, 'Politics and Pseudopolitics', in *Apolitical Politics*, ed. C. A. McCoy and J. Playford (T. Y. Crowell, New York, 1967), p. 19를 볼 것.

적 구조 사이에 있는 관계에 대한 설득력 있는 설명을 산출하지 못했다.

경험 이론가들은 자신들의 이론적 선행자들에 대한 호기심을 거의 보여주지 않았다. 민주주의 이론에 관한 논쟁의 양측 모두는 수용되거나 거부되거나 아니면 적어도 극적으로 수정되어야 할 어떤 고전적 민주주의 이론이 있다는 널리 수용된 믿음에 의해 방해받았다.[3] 소위 고전적 이론이 정치적 삶에 대한 대중적 참여의 본성과 자리에 관한 논변의 두 가지 아주 상이한 전통 가운데 하나를 지칭한다는 것은 어렵지 않게 알 수 있다. 첫째는 입헌 대의정부에 대한 고전적 자유주의 이론인데, J. A. 슘페터의 민주적인 정치적 방법[4]이라는 개념을 따르는 경험적 민주주의 이론은 그 이론의 직접적 계승자다. 둘째는 그동안 등한시된 고전적 참여민주주의 이론인데, 이는 가령 존 스튜어트 밀의 저술이나 특히 장-자크 루소의 저술에서 볼 수 있다. 이 두 전통이 구별되지 않았기 때문에, 경험 이론가들은 자신들의 논변이 자유주의 고전 이론의 동시대적 재작업이라는 사실에 대한 자각을 거의 보여주지 않았지만, 이는 왜 그들의 논변이 그토록 열렬하게 수용되었는지를 설명한다. 그것은 새로운 이론[5]이라기보다는 영미 체계의 정치 이론으로서 발전되었으며 계속해서 그러한 이론으로 있는 자유주의 이론의 20세기 중반 판본이었다. 하나의 고전 이론이라는 신화의 또 다른 결과로, 민주주의 이론은 자유주의 이론과 동일시되었으며, 현존 자유민주주의 체

3. 이는 나의 *Participation and Democratic Theory* (Cambridge University Press, Cambridge, 1967), p. 19에서 논의된다.

4. J. A. Schumpeter, *Capitalism, Socialism and Democracy* (Allen & Unwin, London, 1943), chap. 22. [조지프 슘페터, 『자본주의·사회주의·민주주의』, 변상진 옮김, 한길사, 2011, 22장.]

5. 이것은 가장 잘 알려진 비판가 중 한 명이 경험 이론에 부여한 꼬리표였다. G. Duncan and S. Lukes, 'The New Domocracy', *Political Studies*, 11 (1963), pp. 156-77. 그것은 또한 '엘리트주의 이론', '동시대 이론', '다두 정치(polyarchy)' 등으로 알려져 있다.

계——즉 자유주의 대의 정의+보통선거권——는 민주주의와 동일시되었다. 『시민 문화』는 두 상이한 전통에 대한 이와 같은 혼동을 예증한다. 따라서 그 책의 비판가들이 과학적 경험 이론이라고 하는 것을 본질적으로 이데올로기적이고 현 상태를 찬양한다는 혐의로 그토록 자주 비난한 것도 놀랍지는 않다. 서문에서 알몬드와 버바는 '우리의 결론은 독자로 하여금… 영국과 미국에서의 민주주의에 대한 자기만족으로 이끌고 가지 말아야 한다'라고 진술하지만, 그들의 역사적 관점, 조사결과에 대한 그들의 해석, 연구의 마지막 장 등 일체는 그들이 경고하는 바로 그 자기만족을 부추긴다.

알몬드와 버바의 사회학적 접근이 갖는 미덕 중 하나는 원리상 그들이 자유민주주의를 하나의 체계로 취급하며, 시민 문화와 정치 구조 사이의 관계를 해명하고자 목적한다는 것이다.[6] 그렇지만 그들은 이 목적에서 성공하지 못하는데, 왜냐하면 그들의 이론적 관점은 그 어떤 그러한 시도에도 역행하기 때문이다. 한편으로 자유민주주의는 슘페터가 강조한 '제도적 배치'에 초점을 맞추며, 정치 문화를 주어진 것으로서 취급한다. 자유민주주의 국가의 정치 문화의 사회적 불평등은 시민권의 형식적 평등과는 별개이고 무관한 것으로서 취급된다. 다른 한편으로 자유주의 이론은 또한 본질적으로 개인주의적이기 때문에, 『시민 문화』처럼 관심이 정치 문화를 향할 때, 그것은 정치 구조나 제도적 배치로부터 추상된 채로 정치적 참여의 층위들과 상호 연관될 수 있는 개인적 속성과 태도의 문제로 취급된다. 경험적 민주주의 이론가들이 암묵적으로 개인주의적 자유주의 이론을 고수한다는 것은 그들이 자신들의 경험적 조사결과에 의해 제기되는 근본적 물음들 중 어떤 것들을 문제로서 인지하고 논의할 수 없다는 것을 의미한다.

6. 이러한 기술은 B. M. Barry, *Sociologists, Economists and Democracy* (Collier-Macmillan, London, 1970)에 나오는 기술이다.

이러한 실패를 보여주는 가장 중요한 예증은 계급 또는 SES(사회경제적 지위), 성, 그리고 '참여적' 정치 정향 및 정치 활동 사이의 관계가 갖는 중요성이 계속해서 등한시된다는 점이다. 그런데 그러한 관계는 정치학에서 가장 잘 입증된 조사결과 중 하나이며, 『시민 문화』에 나오는 증거에 의해서도 확인된다. 알몬드와 버바는 왜 그러한 관계가 존재하는지, 또는 그들이 시민 문화를 '민주주의적'이라고 성격규정함에 있어 그것이 어떤 유관성을 가질 수 있는지 묻지 않는다. 그들의 조사결과는 받아들여야만 하는 정치적 현실의 한 측면으로서 취급된다. 계급과 시민적 정향 사이의 상관관계가 보고되지만, 그것은 다만 어쩌다 특정한 방식으로 패턴화된 개인적 태도와 속성의 문제로 제시될 뿐이다. 하지만 『시민 문화』의 가장 놀라운 조사결과는 시민 문화가 계급과 성의 노선을 따라서 체계적으로 분할된다는 것이다. 그러한 문화와 정치 구조 안에 제도화된 형식적 평등 사이의 관계는 결코 문제로서 대면되지도 간주되지도 않는다. 또는, 이를 또 다른 방식으로 지적하자면, 시민 문화의 역사적 발전은 마치 자유주의 이데올로기가 그렇다고 말해주는 대로인 것인 양 제시된다. 즉 정치적 방법이 모든 시민에게 유리하게 작동하고 모든 시민의 이익을 보호해주는 그런 어떤 체계의 발전으로서 제시된다. 하지만 경험 이론가들은 SES가 시민적 정향과 참여에 그토록 긴밀하게 연관되어 있다는 조사결과가 역사에 대한 그처럼 특수한 견해에 의혹을 제기하는지 물을 수 있어야 한다.

경험 이론가들이 자신들의 증거에 대해 내놓는 해석이 도전받지 않은 채 유지되는 한 가지 이유는 대안적 해석을 제안하는 고전적 민주주의 이론이 너무나도 등한시되고 있다는 것이다. 고전적 참여민주주의 이론은 정치 문화와 정치 구조의 상호관계에 대한 이해에 근거 지어져 있다.[7] 그리고 그것은 민주주의가 모든 시민들이 참여하는 체계라는 전통적이고 규범적인 견해를 체현하고 있기에 시민 문화의 성격을 하나의 문제로서 명시적으로 제기한다. 그렇지만 이 장에서 내가 보여주겠지만, 『시민 문화』의 논변에 대한 비판적 검토 또한 그 문제가 존재한다는 것을 드러낸다. 내 논의의 앞 절들은 『시민 문화』에 나오는 '정치 문화'의 역사적 관점과 개념을 들여다본다. 그런 다음 나는 정치적 능력에 대한 증거라는 중심 문제, 그것과 SES의 관계, 정치적 비활동, 정치 문화의 세 차원 등을 살펴본다. 끝으로 시민 문화의 민주화 문제와 시민 참여 개념이 고찰된다.

그 다음으로 이어지는 논변에서 나는 『시민 문화』에 나오는 영국과 미국에 관한 증거에 집중할 것인데, 왜냐하면 이 책의 저자들이 이들 나라를 시민 문화를 위한 모델로 간주하고 시민 문화의 주요 담지자로 보기 때문이며, 또한 그들이 영국을 시민 문화의 역사적 발전에서 근본적으로 중요하다고 보기 때문이다.[8]

역사적 관점

이 책의 가장 놀라운 특징 중 하나는 시민 문화가 1장의 첫 문장부터 '민주주의의 정치 문화'로서 기술되고 있지만 민주주의 그 자체의 의미는 결코 논의되지 않는다는 것이다. 이러한 누락에 대한, 그리고 시민 문화가 문제로서 제시되는 방식에 대한 한 가지 이유는 시민 문화가 논의되는 역사적 관점이다. 이 역사적 관점은 전후 민주주의 이론의 독자들에게 낯설지 않은 관점이다. 그것은 양차 대전 사이에 발생한 헌정체제의 붕괴와 전체주의 체계의 발달로 인한 민주적 안정성의 위협을 강조한다.

7. 이 이론의 몇 가지 사례에 대한 논의로는 Carole Pateman, *Participation*, 2장을 볼 것.
8. 나는 알몬드와 버바의 '안정성' 개념에 대해 특별히 고찰하지 않는다. 배리(Barry, *Sociologists*, p. 86)가 지적하듯이, 그것은 '체제의 위헌적 변화들의 드묾'을 의미할 뿐이다.

알몬드와 버바는 또한 영국에서 '근대화와 전통주의 사이의 일련의 조우들'로부터 장기간에 걸쳐서 시민 문화가 점진적으로 발전한 것을 강조한다(p. 7). 시민들의 전통적인 정치적 정향들은 근대적 참여적 정향들과 융합되어 시민 문화의 멋진 균형을 형성했다. 시민 문화가 분명하게 출현했다고 말할 수 있는 게 정확히 언제였는지를 저자들이 분명히 하지 않지만 말이다. 알몬드와 버바가 제기한바 시민 문화에서의 문제는 영국이나 미국과는 관련이 없다. 그곳에서는 시민 문화는 이미 실존하며, 정치 문화가 '민주주의적'이라는 것은 주어진 것으로 받아들여진다. 오히려 (『시민 문화』에서 검토되고 있는) 이탈리아, 독일, 멕시코 같은 나라들에서——이곳들에서 시민 문화의 실존은 위태로운바——시민 문화를 유지하고 강화하는 것이 문제이며, 또한 제3세계에서——이곳에서 시민 문화는 아직 실존하지 않는바——앞으로 시민 문화를 발전시키는 것이 문제다.

이러한 역사적 관점이 『시민 문화』의 논변에 대해 갖는 두 가지 중요한 결과가 있다. 첫째, 개인적인 시민적 태도와 사회적 관계에 대한 영국과 미국에서의 조사결과를 문제가 없는 것으로서 취함으로써, 알몬드와 버바는 그들의 자료가 자유민주주의 체계 및 그 체계 안에서의 가능한 발전들에 대해 갖는 함축들에 대해 질문하는 것을 억제당한다. 20세기 후반부의 '참여 폭발'(p. 4)은 영국이나 미국이 아니라 개발도상국과 관련이 있다. 둘째, 이 특수한 관점은 시민 문화의 역사적 배경에 대해 말해주는 바가 거의 없다. 영국에서 시민 문화의 점진적 출현에 대한 몇몇 극히 일반적인 언급을 제외하면, 그것의 발전이나 '시민 문화'라는 관념의 발전에 대해 배울 것이 거의 없다. 시민 문화라는 현 개념을 서양의 자유주의-자본주의 사회와 그 사회에 대한 정치 이론 즉 자유주의 이론 양자 모두의 발전 맥락 안에 위치시키는 관점이 결여되어 있기에, 논의는 추상적이고 비역사적이다.[9] 시민 문화의 전 세계적 확산에 대한 알몬드와 버바의 관심과 영국의 정치제도의 수출에 대한 19세기 영국의 관심 사이에 있는 유사점에도 불구하고 『시민 문화』 안에는 홉스와 로크의 시대로부터 19세기 자유주의 이론을 거쳐서 20세기 후반의 경험적 민주주의 이론에 이르기까지 자유주의 이론 안에서 시민의 역할이라는 개념의 역사적 연속성에 대한 인식이 전혀 없다.

자유주의 이론의 주된 추동력은, 언제나, 시민에게 명확하지만 최소한의 역할을 부여하고자 하는 것이었다. 초점은 대의정부의 역할에 또는 알몬드와 버바가 더 폭넓게 정치 엘리트라고 부르는 것의 역할에 있었다. 자유주의 정치 이론이 서구 자본주의 사회의 이론으로서, 실로 그 사회의 일부로서 발전되었다는 것 또한 염두에 두어야만 한다. 슘페터의 말로 표현하자면: '우리의 경쟁적 리더십 이론이 말하는 의미에서의 민주주의는 부르주아 계급이 그들의 지배권에 선행하는 사회적이고 정치적인 구조를 개조하고 자신들의 관점에서 합리화하는 정치적이고 제도적인 변화의 과정을 주재했다.'[10] 자유주의 이론이 발전하면서, 시민에게 할당된 역할은 홉스 이론의 완전한 비참여로부터 경선과 보통선거권의 등장에 따른 참여로 확대되었다.[11] 하지만 이론의 기본 구조나 시민 개념에는 아무런 실질적 변화도 없었는바, 그 안에 이러한 참여 확대가 포함되어 있었다. 19세기가 되어 제임스 밀은 더 대중적으로 선출되는 대의정부를 '근대 시기의 위대한 발견'이라고 부르고 있었다.[12] 정기적 경선이나 관직 상실의 제재는 대표들이 모든 시민의 이익을 보호하고 증진시키도

9. B. Jessop, *Traditionalism, Conservation and British Political Culture* (Allen & Unwin, London), p. 255를 볼 것.

10. Schumpeter, *Capitalism, Socialism and Democracy*, p. 297.

11. 그리고 이것조차도 슘페터의 설명에서 본질적인 것으로 간주되지 않았다. Schumpeter, *Capitalism*, pp. 244-5를 볼 것.

12. J. Mill, *An Essay on Government* (Cambridge University Press, Cambridge, 1937), p. 34.

록 보장해줄 것이라는 논변이 확고하게 확립되었다. 그렇기에 성인 공동체 전체가 제재를 행사해야만 한다는 게 인정되고 보통선거권이 받아들여졌을 때, 자유주의 이론은 자유민주주의적이 되었다. 정치적 대표들에 대한 대중적 통제라는 관념은 그 어떤 민주주의 이론에서도 절대적으로 핵심적이다(p. 476을 볼 것). 하지만 대중적 참여는 그 자체로 본질적이고 가치 있는 어떤 것으로서 덧붙여지는 게 아니라 일차적으로 정치적 대표들에게 제한을 가하는 방법으로서 덧붙여졌다는 점이 강조되어야만 한다. 정치적 참여는 여전히, 필요한 보호 장치로서, 시민들이 적어도 이따금씩 지불해야 하지만 이상적으로는 가능한 한 지불하지 않는 게 좋은 비용으로서 간주된다. 그것은 개별 시민의 삶의 필요불가결한 부분이 아니다.

이 간략한 소묘가 『시민 문화』의 논변의 역사적 선조(antecedents)를 실로 확립하기를 희망한다. 대부분의 다른 전후 저자들처럼 알몬드와 버바는 '민주주의'를 자유주의적 관점에서 '개인들이 국민의 표를 얻기 위한 경쟁적 투쟁을 통해 결정 권력을 획득하는'[13] 정치적 방법으로 본다. 정기적인 선거 참여는 정치 엘리트들이 실제로 시민들에게 응답하는 것을 보장함에 있어 핵심적이다. 정부에 영향을 미치기 위한 목적을 가진 선거 사이 압력단체 활동 및 여타 활동들은 이에 대한 보충물이다. 참여민주주의 전통은 시민들이 단지 대표를 위해 투표만 할 게 아니라 현실적인 정치적 결정에 참여해야 한다고 주장한다. 사람들은 시민들에게서 능동적 역할의 중요성을 부인하고 정치적 무관심이 체계 안정에 기여하는 바를 강조하는 민주주의 이론의 수정이 참여적 이론에 이의를 제기하는 데 관심을 가질 것이라고 기대할 것이다. 그렇지만 오로지 하나의 민주주의 이론만 있다는 신화는 종종 『시민 문화』에서처럼 실제

13. Schumpeter, *Capitalism, Socialism and Democracy*, p. 269.

로——도대체 수정되는 게 있다면——수정되고 있는 것은 자유민주주의 이론 그 자체라고 하는 이상한 결과를 낳았다.

알몬드와 버바의 고전적 신화 판본은 '민주주의 이데올로기의 규범들'에 따라 존재하는 정치적 태도와 정치적 활동의 패턴의 이른바 '합리성-능동주의' 모델을 통해 표현된다(p. 473). 그들이 이 모델에 부여하는 유일한 구체적 자료는 (아마 초등학생을 위해 집필된) 미국의 시민윤리 교과서다. 하지만 중요한 것은 여기서 기술된 바로서 합리성-능동주의 견해가 자유민주주의 이론과 결코 양립 불가능하지 않다는 것이다. 시민은 '정치에 관여하고 능동적이며, 정치에 대해 잘 알고 있으며, 영향력이 있어야' 한다(p. 474). 하지만 이것은 기존의 자유민주주의 경쟁 선거 체계 안에서의 관여이고 능동성이다. 이상하게도 알몬드와 버바는 민주주의 정치 체계가 '보통 시민이 정치적 결정에 참여하는' 체계라고 말하며(p. 178), 또한 '정치적 결정에도 참여하기를' 기대하면서 사회적 삶의 비-정부 영역에 참여할 수 있는 시민들에 대해 말한다(p. 328). 놀랍지 않게도, 그들은——의사결정자들을 뽑는 선거와 그들의 결정에 (참여하는 게 아니라) 영향을 미치려는 시도들 말고는——자유민주주의의 도시 시민의 그와 같은 참여가 어떻게 일어나는지에 대해 아무것도 제시하지 않는다. 이전의 자유주의 저자들은 시민들이 이상적으로 따라야 하는 정치적 활동과 관심의 기준들에 대해 결코 그다지 명시적이지 않았다. 하지만 그 기준들이 선거 참여와 관련이 있었다는 것은 분명하다. 알몬드와 버바 및 여타 저자들이 시민들의 정치적 정향에 대한 경험적 조사 결과를 검토했을 때, 그들은 이 결과를 통해서 민주주의 이데올로기의 '합리성-능동주의' 판본이 '비합리적으로 높은'(p. 475) 기준을 설정한 것임에 틀림이 없다는 것을 알 수 있다고 주장한다. 그러므로 민주주의 이론, 즉 자유민주주의 이론은 다시 써야 한다. 단지 최소 수준의 활동과 관심, 그리고 주로 비정치적인 태도만이 대다수 시민들에게 요구되는 것이다. 그 이상의 것은 모두 정치 체계의 원활한 작동을 위협할 것이리라.

그리하여 『시민 문화』에서 우리는 시민의 활동과 참여 정향이 주체 정향과 교구 정향(parochial orientations)에 의해 '균형' 잡히거나 '관리'되는 방식에 관심을 두는 민주주의 시민의 고유한 역할에 대한 설명을 발견한다. 그리하여 시민들은 정치적 엘리트들이 방해받지 않고서 통치할 수 있게 해주는 비능동성과 경의를 내보인다. 비록 그 균형의 정확한 내용을 특정하고 있지는 않지만,[14] 실제로 알몬드와 버바는 능동적 시민권에 대한 믿음과 시민이 엘리트에게 영향을 미칠 수 있다는 믿음에 대한 시민들의 고수를 '신화'라고 부른다(pp. 183, 481). 그들이 덧붙이기를, 그 신화가 유효하려면 '그것은 순수한 신화일 수 없다. 그것은 실제 행동 패턴의 이상화여야만 한다.'(p. 485) 하지만 경험적 민주주의 이론이 요구하는 것은 실로——합리적으로 유지되고 정치적 삶의 사실들에 근거하고 있는 시민들의 믿음과 활동이 아니라——참여의 신화다. '잠재적으로 활동적인 시민'(p. 481)의 시민 문화는 결코 실현되지 않은 잠재성 이상의 것이 되어서는 안 된다. 선거 기구가 계속 작동하고 정치 엘리트들이 계속 공직에서 교체될 수 있도록 충분한 시민들이 투표를 할 경우, 그 신화는 엘리트들이 모든 시민의 이익을 위해 해야 할 바를 하도록 보장하기에 충분하다: '그들은 시민들이 능동적으로 요구를 하기 때문에 책임 있게(responsively) 행동하는 게 아니라 시민들이 능동적이 되는 것을 막기 위해 그렇게 행동하는 것이다.'(p. 487).

20세기 후반부의 도시 시민의 자리는, 자유주의 이론에서 언제나 그래왔듯이, 일차적으로 삶의 사적 영역으로 남아 있다. 보통 시민들은,

14. 이 비판에 대해서는, Barry, *Sociologists*, pp. 49-50과 Jessop, *Traditionalism*, pp. 53-5를 볼 것. 또한 D. Kavanagh, *Political Culture* (Macmillan & Co., London, 1972), p. 65의 논평을 볼 것.

정치적 엘리트와는 달리, 선거 같은 특별한 경우에만, 또는 그들의 관심이 평소와는 달리 치명적으로 위협을 당하는 것처럼 보일 때만 정치적 삶에 진입한다. 정치적 영역과 대중 정치 참여가 사회적 삶의 다른 영역과 분리되는 것은 자유주의 이론의 중심적인 구조적 특징이다. 그리고 그것은 『시민 문화』가 초점을 맞추고 있는 정치 문화와 정치 구조의 상호작용을 흐려놓는 작용을 한다. 자유주의적 시민 개념의 동시대적 판본은 달에 의해 멋지게 계시적으로 진술된다.

> 호모 키비쿠스(homo civicus)는 공직자에게 영향을 미치기 위한 그의[sic] 자원들 가운데서 투표용지를 발견한다. … 그는 그것의 가치를 의심할 수도 있을 것이고, 그것을 거의 사용하지 않을 수도 있을 것이[다]. … 또는 그는 투표용지를 정치인들에게 영향을 미치기 위한 유용한 장치로 볼 수도 있을 것이다. … 하지만 정치적 활동이 언제나 그의 삶의 주된 초점으로부터 다소 멀리 떨어져 있을 공산이 아주 크다. … 만족감을 간접적으로 성취하려는 전략으로서 정치적 활동은 직장에서 일하는 것, … 휴가를 계획하는 것, 또 다른 동네나 도시로 이사할 것(…)보다 상당히 덜 효과적인 것으로 보일 것이다. … 호모 키비쿠스는, 본성상, 정치적 동물이 아니다.[15]

하지만 호모 키비쿠스에 대한 이 묘사는 단지 『시민 문화』의 저자들이 무시한 물음을 제기하는 데 복무할 뿐이다. 즉 시민 문화에서 정확히 무엇이 민주주의적인가? 이것이 내가 돌아갈 물음이다.

---

15. R. A. Dahl, *Who Governs? Democracy and Power in an American City* (Yale University Press, New Haven, CT, 1961), pp. 224-5.

'정치 문화'라는 개념

알몬드와 버바의 '정치 문화' 개념은 본질적으로 파슨스적 개념이다.[16] 그들이 주장하기를, 일반적으로 '정치 문화'는 개인들이 지닌 '정치 체계 및 그것의 다양한 부분들에 대한 태도와 그 체계 안에서 자기의 역할에 대한 태도'를 가리킨다(p. 13). 그것은 '사회적 대상들을 향한 심리학적 정향'에 관한 것이며, 시민들의 '인지, 감정, 평가 속에 내재화된 정치 체계'에 관한 것이다. 정치 문화는 이러한 태도들의 사회적 분배에 의해 형성된 패턴이다(p. 14). 이는 '시민 문화'가 현재 존재하는 바로서의 정향들에 대한 기술이라는 것을 시사하며, 이는 또한 그 연구의 전체적 논변에 의해서도 시사된다. 하지만 '시민 문화'의 지위는 정확히 무엇인가? 그것은 기술(記述)인가? 아니면 그것은 민주주의 정치 문화 속에서 우리가 발견하기를 기대해야 하는 정향들의 추상적 모델인가? 후자의 해석은 어떤 나라들이 다른 나라들보다 더 시민적일 수 있다는 논변에 의해 시사된다. 앞으로 보여주겠지만, 『시민 문화』의 문제 중 하나는 그것이 이 두 가능성 사이에서 불안하게 맴돈다는 것이다.

알몬드와 버바는 파슨스와 쉴즈로부터 정치 문화의 '정향' 또는 '내재화된 측면'의 차원들에 대한 삼중 분류를 끌어낸다. 인지적 정향은 '정치 체계(…)에 대한 지식과 믿음'을 가리킨다. 감정적 정향은 '정치 체계(…)에 대한 감정'을 가리킨다. 평가적 정향은 '가치 기준(…)과 정보, 감정의 결합'을 내포하는 판단과 의견을 가리킨다(p. 15). 정치 문화의 이 세 차원 모두를 염두에 둔다면, 정치 문화와 정치 구조의 상호적이고 변증법적인 상호작용에 대한 어떤 고려를 피해갈 수는 없다. 가령 인지적 차원은 정치 구조에 대한 개인들의 지식과 믿음을 가리킨다. 즉 그것은

16. '정치 문화' 개념은 Carole Pateman, 'Political Culture, Political Structure and Political Change', *British Journal of Political Science*, 1 (1973), pp. 291-305에서도 논의된다.

문화에 대한 구조의 영향에 대한 참조를 내장하고 있다. 그렇지만, 알몬드와 버바의 시민 역량 논의를 검토할 때 분명해지겠지만, 그들은 심리학적이거나 감정적인 정향에 집중한다.

앞에서 나는『시민 문화』에서 문제로 간주되는 것은 시민 문화의 확산이라고 주장했다. 그렇지만 결국은 미국과 영국에서도 문제가 있다고 볼 수 있을 텐데, 왜냐하면 알몬드와 버바가 주장하기를 그들의 조사는 '민주주의 정치 문화——즉 민주주의 정치 체계에 어떤 방식으로 "들어맞는" 민주주의적 안전성을 조성하는 정치적 태도들의 패턴——는 있는가'(p. 473)라는 문제를 향하고 있기 때문이다. 정치적 안정성의 가장 중요한 측면 중 하나는 '정치 문화와 정치 구조 사이의 관계'이며, 그 둘 사이의 '일치에 대한 가정'(p. 34)을 피해야 한다. 이는『시민 문화』의 저자들이 채택하기에는 아주 이상한 입장이다. 알몬드와 버바가 시민 문화의 점진적 발달에 대한 논의에서 암시하고 있듯이, 자유민주주의 국가들의 정치 문화와 정치 구조는 함께 발달해왔다. 더구나 그들은 미국과 영국을 '안정적' 민주주의의 모델로 취한다. 정치 구조와 정치 문화가 서로 '일치'하지 않는다면 어떻게 이 안정성이 유지될 수 있었는지를 알기는 어렵다. 가령 이탈리아나 멕시코에서 안정성에 문제를 야기하는 것은 바로 그와 같은 멋진 일치의 결여다. 알몬드와 버바는 자신들의 논변이 얼마나 순환적인지도 알지 못하고, 일치의 문제가 도대체 거의 문제가 아니라는 것도 알지 못하는 것처럼 보인다.

정치 문화의 유형학, 즉 1장에서 제시된 교구, 주체, 참여 시민 문화와 '혼합된' 시민 문화가 어떻게 도출되는지도 전혀 분명하지 않다. 저자들은 '정치 제도나 사회 조건으로부터 민주주의 문화의 속성들을 추론하기보다는 오히려 우리는 그것의 내용을 작동하고 있는 몇 가지 민주주의 체계들 안에서의 태도들을 검토함으로써 특정하려고 시도했다'라고 진술한다(p. 12). 하지만 시민 문화에 대한 그들의 제시는 경험적 탐구의 결과인 만큼이나 민주주의 개념으로부터의 논리적 추론이다. 실로 그것은 거의 다른 것일 수가 없는데, 왜냐하면 자유민주주의 이론은 시민 문화의 정치 체계에 대한 이론이기 때문이다. 시민 문화는 그 체계와 더불어서 발달했다. 어떤 안정적 체계가 그것의 정치 문화와 정치 구조 사이의 일치를 보여주지 않는다면, 그리고 시민들의 정치적 태도들의 현실적 패턴과 그 체계의 이론이 마땅히 존재해야 한다고 우리에게 말하고 있는 태도들 사이의 일치를 보여주지 않는다면, 이상할 것이리라. 그리하여 시민 정치 문화의 개념은 특정한 민주주의 개념으로부터 도출되는 모델인 것처럼 보인다──가설상 안정적이고 민주적인 어떤 체계에 대한 경험적 탐구에서 확증될 모델. 더구나, 어떤 특정한 민주주의 개념이 이미 수중에 있지 않다면, 어떻게 우리는, 혹은 알몬드와 버바는, 시민 문화가 단순히 참여 문화인 게 아니라 참여적 정치 문화 '더하기 다른 어떤 것'(p. 31)이라는 것을 알겠는가? 이러한 모델이 없을 경우 골칫거리가 생겨나며 시민 문화 개념은 임의적으로 보인다: '나는 왜 우리가 [시민적] 가치들을 그러한 체계들에 대해 "적합한" 내지는 "합치하는" 것으로 간주해야 하는지를, 우리가 그것들을 거기서 발견했기 때문이 아니라면, 확신조차 할 수가 없다.'[17] 시민 문화가 혼합된 문화라는 것은 『시민 문화』의 논변을 하나의 전체로서 구조화하는 가정 내지는 전제인 동시에 결론이다. 전체적 연구에서 제시되는 경험 증거는 책의 도입부에 있는 시민 문화에 대한 가정들을 확증해준다. 그리고 그런 다음 이 가정들은 나중에, 15장에서, 민주주의에서 시민의 고유한 역할에 대한 결론으로서 제시된다.

도입부 논의에서 알몬드와 버바는 정치 문화 개념이 '미시정치와 거시정치의 연결고리'(p. 33), 개별 정치 태도와 정치 구조의 작용 사이의

17. Kavanagh, *Political Culture*, p. 66.

연결고리를 제공한다고 진술한다. 이는 내게 정치 문화에 대한 잘못된 견해로 보인다. 알몬드와 버바가 주장하듯 문화와 구조의 상호작용을 연구하고자 하는 것일 때, 어떻게 정치 문화 그 자체가 탐구되어야 할 과정의 한 측면이면서 연결고리를 제공할 수 있는지를 알기는 힘들다. 정치 문화와 정치 구조 사이에 연결고리를 제공하려면, 그리고 그것들이 상호작용을 설명하기 위한 근거를 제공하기 위해서는 다른 무언가가 필요하다. 미시 층위와 거시 층위의 '연결고리'로 복무하는 것은 바로 정치적 사회화 개념이다. 나는 '연결고리'로서의 정치 문화에 대한 알몬드와 버바의 논의를 따르는 게 쉽지가 않다. 하지만 그것은 그들이 피하고자 하는 것을 가정하는 것 같다. 즉 정치 문화와 정치 구조의 합치에 대한 가정. 저자들은 '정치 문화를 한 정치 체계의 인구 안에서의 정치적 정향의 패턴들의 특수한 발생률로서 정의'했다고 진술한다(p. 33). '전체로서의 정치 체계 안에, 그리고 그것의 다양한 부분들, 특별한 정향 집단들(즉, 하위문화들) 안에, 혹은 정치 구조 안의 핵심적 선제/결정 지점들(즉 역할 문화들)에 정치적 행동을 위한 어떤 성향들이 존재하는지를' 확립하는 게 가능하며, '우리는 체계의 정치 구조 안에서 태도적이고 행동적인 성향들의 위치를 [확인할] 수 있다.'(p. 33)

정치 문화 그 자체가 정치 구조와의 연결고리를 제공하려면, 정치 문화는 어떤 의미에서 정치 구조와 분리되어 있는 동시에 그것과 합치해야만, 혹은 심지어 그것과 동일해야만 하는 것처럼 보일 것이다. 후자는 파슨스적 접근이다. 파슨스는 '행위 체계들'에 관한 '근본적' 명제는 '행위의 참조틀 내부에서 취급되는 바로서 그것들의 구조는 규범 문화의 제도화된 패턴들에 있다'는 것이라고 말했다.[18] 이미 지적했듯이, 알몬드와 버바의 '정향' 용법은 (원칙상이 아니라면, 사실상) 본질적으로 심리학

18. T. Parsons et al., *Theries of Society* (The Free Press, New York, 1961), p. 36(강조는 파슨스).

적인 파슨스의 개념을 따른다. 정향들(문화)은 내재화되며, 따라서 제도화된다——혹은 구조의 일부가 된다. 그리하여 합치의 결여에 관한 아무런 문제도 생겨나지 않는다. 또한 아무런 연결고리도 실제로 필요하지 않으므로, 정치적 사회화가 문화와 정치 구조 사이의 연결고리로 간주될 필요도 없다. 혹은 정치 문화는, 좀 이상하게도, 그러한 연결고리로서 복무할 수 있다.

이런 이유로 정치적 사회화는 기존의 사회적 정향 분배의 기저에 놓인 중립적 메커니즘으로 나타난다. 정치 문화의 사회적 패턴이나 정치적 정향의 내용과 관련해 아무런 문제도 없다. 패턴은 다만 기술되어야 할 것으로 머물며, 정치적 사회화 개념은 이를 가능하게 만든다. 이 지점에서 두 가지 문제가 생겨난다. 첫째, 민주주의 문화를 기술하기 위해서는 모델로서의 시민 문화가 필요하다. 무엇을 찾아볼지 달리 어떻게 알겠는가? 둘째, 특정한 정향으로 사회화되는 것이 그 어떤 개인에게도 원칙상 열려 있다는 가정이 있어야만 한다. 문화와 구조 사이에 아무런 일치도 없다면, 정치 문화의 현실적 패턴은 우연적 문제다. 그렇지만 이 장의 다음 절에서 보여주겠지만, 『시민 문화』의 증거는 개별 정치 정향의 분배가 SES와 관련된다는 것이다; 그것은 무작위적이지 않다. 그러므로 시민 문화의 패턴은 실로 문제를 제기한다. 왜 계급과의 그러한 관계가 존재한다는 것인가? 하지만 『시민 문화』의 접근은 시민 패턴이——설명될 수 있는 게 아니라——기술되고 수용될 수 있을 뿐이라는 것이다. 정치적 사회화가 정치 문화와 구조 사이의 연결고리로 취급되지 않고 정치학자나 정치 이론가에 의해 외부에서 적용되어야 할 중립적 개념으로 취급되는 내내, 아무런 문제도 인지되지 않을 것이다. 그렇지 않으면 설명을 위한 구멍이 출현한다. 『시민 문화』의 체계 관점으로부터, 정치적 사회화는 시민 문화의 '안정적' 분배의 유지에 있어 주요 메커니즘으로 간주되어야 하는데, 이는 자유민주주의 정치적 방법의 원활한 작동을 위해 그토록 중요한 것이다.

정치적으로 역량 있는 시민

『시민 문화』가 주장하기를, 민주주의 정치 문화는 '참여를 지탱하는 믿음, 태도, 규범, 지각 등등의 집합으로 이루어져야 한다'(p. 178). 이제 나는 시민들이 참여를 해야 한다고 느끼고 자신들이 그렇게 할 역량이 있다고 느끼는 정도와 관련된 연구자료 일부를 간단히 검토하고자 한다. 알몬드와 버바는 '자신의 역량에 대한 믿음이 정치적 태도의 열쇠'이며 '자신감 있는 시민들은 민주주의 시민으로 보인다'라고 주장하며(p. 257), 또한 정치적 역량에 대한 믿음이 정치 체계의 작동에 중요한 결과를 낳는다고 주장한다. 시민들은 자신들이 정치적으로 역량 있다고 느끼는 정도로 정치적 대표들에게 영향력을 행사할 수 있다고 믿는다. 그리고 그것은 '정부 공무원들이 그렇게 하지 않을 경우 어떤 박탈을 각오해야 될 것이라고 믿기 때문에 집단이나 개인에게 혜택을 주도록 행동하는 정도'와 같다(p. 180).

한 가지 중요한 발견은 주관적으로 역량 있다고 느끼는 시민들이 역량감이 결여된 시민들보다 정치적으로 능동적일 가능성이 높으며 실제로 정치 엘리트들에게 영향력을 미치려고 노력할 가능성이 높다는 것이다(p. 188, 표 3). 개인들의 교육 수준, 직업적 지위, 성별 등이 그들이 얼마나 주관적으로 역량 있다고 느끼는지에 차이를 낳는다는 사실이 발견되었다(p. 206, 그림 1; p. 210, 그림 3; p. 212, 표 7). 지역 정치 층위에서, 상이한 나라에 있는 유사한 교육 수준별 집단의 역량감은 '적어도 동일 국가 내의 상이한 교육 수준별 집단만큼 서로를 닮았으며, 어쩌면 더 닮았다'(p. 208). 알몬드와 버바는 정치적 역량감과 더 높은 수준의 교육 및 직업적 지위 사이의 일반적 관계에 대해서 이렇게 논평한다. '사람이 그 자신[sic]이 지역이나 국가의 규제에 영향을 미칠 수 있는 역량이 있다고 믿느냐 믿지 않느냐는 그가 자신의 나라 안에서 누구인가에 상당히 많이 달려 있다'(pp. 212-13).

응답자들을 주관적 역량감을 측정하는 척도에서 점수에 따라 나눌 경우, 가장 높은 점수를 얻은 사람들이 '민주주의적 가치에 헌신할' 가능성이 가장 높다는 것이 발견되었다. 가령 그들은 더 낮은 점수를 얻는 사람들보다 일반 시민이 공동체 안에서 능동적인 역할을 해야 한다고 믿을 가능성이 더 높다. 하지만 가장 높은 점수의 응답자들 사이에서도, 교육 수준에 따라 차이가 있었다. 가령 미국에서 초등 교육만 받았고 주관적 역량감 척도에서 높은 점수를 얻는 사람들 중 53%가 시민들이 능동적이어야 한다고 생각했다. 이에 비해 중등 교육이나 그 이상의 교육 수준이면서 높은 점수를 얻는 사람들의 경우 67%가 그렇게 생각했다(p. 256, 표 7). '선거가 필요하다'고 생각하는지에 대해 질문 받은 응답자들 가운데서도 유사한 패턴이 나타났다. 동의할 가능성이 가장 높은 사람들은 주관적 역량에서 가장 점수가 높으면서 교육 수준이 더 높은 사람들이었다(p. 254, 표 6). 미국과 영국 모두에서 그러한 시민들은 또한 투표를 했을 때 '만족감'을 표시할 가능성이 가장 높았다(p. 243, 표 3).

『시민 문화』는 또한 주관적 정치적 역량감을 갖는 사람들을 산출하는 사회화 과정에 대해 무언가를 말해준다. 핵심 질문은 '사람이 비정치 상황에서 하는 역할과 정치에서의 역할 사이에 밀접한 관계가 있는가' 하는 것이다(p. 327). 알몬드와 버바는 비정부 제도 및 조직의 권위 구조 안에서의 사회화와 그것이 정치적 역량감과 맺고 있는 관계를 들여다본다. 그들의 주장은 비정부 권위 구조 안에서의 참여가 정치 참여를 위한 훈련으로서, 그리고 정치적으로 유관한 기술들을 발달시키는 것으로서 간주될 수 있다는 것이다. 개인들은 정치적 삶 외부의 경험을 정치로 '일반화'할 것으로 기대될 수 있다. 그들이 비정치적 권위 구조 안에 참여했다면, 그들은 정치적 영역에서도 그렇게 하는 것을 기대할 것이다(pp. 327-8).

알몬드와 버바가 관심을 두는 권위 구조는 가족, 학교, 직장의 권위 구조다. 정치적 사회화에 대한 많은 연구들은 아동기 사회화에 집중해왔다. 그렇지만 알몬드와 버바와 더불어서 다음과 같이 주장하는 것이 더 타당해 보인다. 즉 일반적인 개별 인성 형성에서 어린 시절의 중요성이 무엇이든 간에, 정치적 삶에서 더 중요한 것은 나중 시기다. 예컨대, 개인이 정치적으로 유관한 자료에 대한 다양한 비공식적 노출들을 흡수할 때. 젊은(그리고 완숙한) 성인의 정치적 삶 그 자체의 경험과 관찰, 혹은 다른 식으로 말해서, 정치적 구조가 개인의 태도에 미치는 작용의 강한 영향 또한 중요하다. 특히 나중 시기의 정치적 사회화에 유관한 권위 구조는 '시간과 종류에서 정치 체계에 더 가까운' 것들이다(p. 325). 정치 체계의 권위 구조와 '멀리 떨어진' 권위 구조 안에서의 사회화는 '시민 활동의 수행에 부적합한 훈련'을 제공할 수도 있다(p. 328). 그렇지만 알몬드와 버바는 가령 직장의 권위 구조가 어느 정도로 사실상 정치 영역의 권위 구조와 유사한지에 관심을 두지 않는다. 바로 그들이 실로 민주주의 정치 체계가 얼마나 '사회 안의 민주주의 하부구조들'에 의존하는지에 관심이 있다고 진술하고는 있지만 말이다(p. 363). 정치적 역량의 경우처럼, 그들이 탐구하고 있는 것은 개인들이 얼마나 비정치적 권위 구조 안에 참여할 수 있(었)다고 믿거나 느끼는지, 그리고 이 믿음이 얼마나 정치 영역 그 자체로 '이전' 내지는 '일반화'되는지 하는 것이다.

(탐구되는 다른 세 나라처럼) 미국과 영국에서 주관적 역량 척도에서 가장 높은 점수를 얻는 사람들은 가족이나 학교에서의 참여를 기억할 가능성이 가장 높다. 예컨대, 영국에서 가족 참여자 중 70%가 주관적 역량 척도에서 높은 점수를 얻은 반면에, 가족 비참여자 중 51%만이 높은 점수를 얻었다(p. 348, 표 18; p. 354, 표 20). 그렇지만 이러한

관련성은 중등 교육이나 그 이상의 교육을 받은 사람들에게는 해당되지 않는다. 가족 참여와 비공식적 학교 참여 두 경우 모두, 이 영역으로부터 정치 참여로 '일반화'하는 것은 교육 수준이 낮은 응답자들이다. 알몬드와 버바는 교육적 성취가 더 낮은 사람들은 또한 학습된 참여 기술 내지는 '참여해야 한다는 규범'을 가질 가능성이 낮으며, 정치적 역량이 기대되는 맥락에서 타인들과 상호작용할 가능성이 낮다고 지적한다. 이러한 개인들에게는 가족과 학교가 중요한 사회화 영역인데, 왜냐하면 가령 고등 교육 같은 '대체'할 수 있는 다른 영역이 없기 때문에(pp. 349, 355).

직장에서 참여와 주관적 역량감 사이의 관련성은 모든 교육 수준에서 발견된다(p. 365). 그리고 그 관련성은 초년기 참여 형태보다 더 크다(pp. 371-2). 저자들은 직장의 권위 구조가 '보통 사람들이 일상적 접촉을 하고 있는 종류 가운데 아마 가장 중요한――그리고 가장 두드러진――구조'일 것이라고 진술한다. 업무 결정과 관련해 직장에서 자신들에게 의견을 구하고 직장에서의 결정에 이의를 제시하는 걸 자유롭게 느낀다고 말한 응답자들은 자신들의 정치적 역량이 높다고 느낄 가능성이 높다. 하지만 개인이 하는 일의 종류는 차이를 낳는다. 미국 내 직장에서 자신들에게 의견을 구한다고 말한 노동자 중 미숙련 일자리에 있는 사람들의 70%가 정치적 역량 척도에서 점수가 높은 반면에, 화이트칼라 일자리에 있는 사람들의 경우 82%가 그러했다(p. 364, 표 24). 직장 참여와 주관적 역량감 사이의 관련성의 중요성은 참여의 누적 효과 자료가 고려될 때 더 분명해진다. 기억된 가족과 학교 참여가 직장 참여에 의해 강화되는 응답자들은 이제 비참여적 직장에 있는 사람들보다 역량이 높다고 느낄 가능성이 더 크다(p. 367, 표 26, 27).

그렇지만 직장 참여가, 고등 교육과는 달리, 가족이나 학교 내 참여를 대체할 수 없다는 것 또한 발견되었다. 개인들이 직장에서 참여할 수 있는 곳에서, 초년기 참여는 역량 수준에서 여전히 차이를 낳았다. 다른 한편, 고등 교육을 받은 개인들에게 가족과 학교에서의 참여는 대부분 정치적 역량감과 무관했다. 직장 참여는 '일반화' 과정을 통해 정치 역량과 연관되며 고등 교육과는 다르다――고등 교육은, 『시민 문화』가 시사하듯, 복합적 과정으로서, 정치적 유관 기술의 학습, '참여 규범의 주입', 개인들을 참여가 기대되는 맥락 속에 위치시키기 같은 것을 내포한다. 고등 교육은, 알몬드와 버바가 주장하듯, '개인의 참여 잠재력을 증진시킬' 수 있는 '다면적 경험'이다(pp. 370-1).

성인의 정치적 사회화의 또 다른 영역은 자발적 연합들――'소규모 정치 체계들'(p. 313)――이다. 이것들은 또한 개인과 정치 엘리트 사이의 매개자로서 아주 중요하다. 미국과 영국에서 고등 교육을 받는 사람들은, 다른 세 나라도 그렇듯, 조직 구성원이 될 가능성이 아주 높다(p. 304, 표 4). 그리고 자발적 조직들의 구성원은 정치적 역량 척도에서 높은 점수와 연동되어 있다. 자신들이 정치적이라고 생각하는 조직에 속하는 구성원은 점수가 높을 가능성이 많고, 또한 그러한 조직에서 적어도 중등 수준의 교육을 받은 경우가 그렇다(p. 308, 표 6). 알몬드와 버바는 또한 능동적 조직 구성원과 수동적 조직 구성원의 차이도 연구했다. 그들이 지적하기를, 어떤 대규모 조직들은 구성원들에게 아주 멀리 떨어져 있어 보일 수 있으며, 수동적 구성원들은 참여에 있어 거의 또는 전혀 훈련을 받지 않을 수 있다. 주관적으로 역량이 높을 가능성이 큰 것은 가장 능동적인 구성원이다(그리고 다시금 교육 수준과의 관련성이 있다). 두 개 이상 조직의 구성원일 경우 정치적 역량에 대한 누적 효과가 있다(p. 317, 표 12; p. 321, 표 14). 이런 자료 때문에 저자들은 '복수성은, 명시적으로 정치적인 복수성이 아니더라도, 실로 정치적 민주주의의 가장 중요한 토대 중 하나일 것이다'라고 논평하기에 이른다.

시민 문화와 SES

정치적 역량과 그것이 민주주의에 대해 갖는 의미에 대한 알몬드와 버바의 논의에는 두 가지 주요한 연관된 실패가 있다. 첫째, SES와 정치적 역량감 사이에서 등장하는 놀라운 관련성에 대한 아무런 설명도 제시되지 않는다. 『시민 문화』의 결론적 논평은 마치 시민 문화의 멋진 균형은 적절한 정향들이 모든 사민들 사이에서 임의적으로 분배되는 것에 의존한다는 듯이 이루어지고 있다. 그리하여 시민 문화의 사회적 패턴은 문제가 없는 것으로 간주된다. 둘째, 이 패턴이 정치 구조와 어떻게 상호작용하는지에 대한 물음은 결코 제기되지 않는다. 『시민 문화』의 목적은 이 관련성을 이전의 '국민성'에 대한 논의들보다 더 정확하고 체계적인 방식으로 연구하는 것이다. 알몬드와 버바는 기존 문헌 상당수가 '개인과 집단의 심리학적 경향성과 정치적 구조와 과정을 연결하는 데 실패한다'(p. 33). 하지만 『시민 문화』는 자유주의 이론틀 안에 머물기 때문에, 이 실패를 공유한다. 마지막 장에서 시민 문화의 패턴은 자유민주주의의 정치 구조의 작동과 연관되는 게 아니라 대치된다.

알몬드와 버바는 『시민 문화』가 응답자 부모의 SES에 대한 지표를 포함하지 않는다는 사실을 유감으로 여긴다. 하지만 그들이 계속해서 말하기를, 개인의 교육 수준은 부모의 SES와 관련이 있는 것으로(p. 334)——그리고, 덧붙여 보자면, 개인 자신의 미래 지위와 관련이 있는 것으로——가정된다. 앞서 예증했듯이, 『시민 문화』는 정치 역량 수준과 교육 수준의, 그리고 이것이 고려되는 곳에서 직업적 지위의, 일관된 관련성을 보여준다. 이 관련성은 예상될 수도 있었던 것이다. 알몬드와 버바는 자신들의 발견을 다른 연구와 관련짓지 않는 경향이 있다(일반적 의미에서 '합리성-능동주의' 시민 모델에 의구심을 던진다는 목적 말고는). 하지만 SES 내지는 계급과 정치적 참여 사이의 연관은 『시민 문화』의 출간 이전에 잘 확립되었다.[19] 더구나, 자유민주주의 국가에서 정치적 삶에 대한 통상적 관찰도 그와 같은 관련성을 보여줄 것이다. 알몬드와 버바는, 이미 지적했듯이, 시민들이 역량이 있다고 느끼는지는 '그들이 누구인가'에 달려 있다고 언급한다. 그들은 또한 가령 '다양한 사회적 배경을 가진 응답자들에게서 관찰되는 정치적 태도의 예리한 차이'를 언급한다(p. 337). 더 나아가 그들은 '교육 받은 계급은 정치적 참여와 관련에 있어 열쇠를 소유'하며, 교육적 성취가 낮은 시민들은 '주체 및 교구 하위문화를 구성하는 경향이 있다'라고 진술하기에 이른다(pp. 381, 336). 하지만 발견들에 대한 그들의 논의는 이것의 중요성을 무시한다. 자료들이 쌓여 있는 가운데, 그리고 『시민 문화』의 결론에서, 모든 시민들은 시민 정치 문화의 '담지자'로서 동등하게 취급될 수 있다고 가정된다.

『시민 문화』에서는 또한 영국이나 미국의 바로 그 정치 문화 내지는 바로 그 시민 문화[20]에 대해 말하는 데 아무 문제도 없는 것으로 가정된다. 이것이 함축하는 바는 다만 시민 문화의 모델이 수중에 있다는 게 아니라 그 모델이 공동체 전체를 가로질러 유관하다는 것이다. 하지만 시민 문화의 정향들이 SES를 따라 분배된다는 발견이 시사하는 바는 두 개의 정치 문화가 있는 게 아니라면 시민 문화는 적어도 체계적으로 구분된 정치 문화라는 것이다. 이것은 단지 '하위문화' 내지는 시민 문화의 속성들을 상이한 정도로 나누어 갖는 임의적 집단들의 문제가 아니라 상층과 하층 SES 집단 내지는 계급의 광범위한 사회적 분화의 문제다. 책의 마지막 장에서 제시되는 시민사회의 멋진 균형은 실로

19. 초기 연구들에 대한 참고문헌은 L. W. Milbrath, *Political Participation: How and Why Do People Get Involved in Politics?* (Rand McNally, Chicago, IL, 1965), pp. 113-14, 116을 볼 것.

20. [*the* political culture or *the* civic culture.]

정치적 삶으로부터의 노동계급 시민의 사실상의 부재에 기반한 균형이다. 균형은 현저하게 상층인 SES 시민들의 시민 정향(그리고 정치 엘리트들이 이와 동일한 배경에서 나오는 경향이 있다는 것을 잊지 말아야 한다)과 대부분 시민들의 덜 시민적인 정치 문화 사이의 구분에 의존한다.

시민 문화의 정향들이 대부분 높은 SES 배경을 가진 개인들 사이에서 발견된다는 것, 그리고 바로 이러한 개인들이 자발적 연합들에 속하고 정치적으로 능동적일 가능성이 높다는 것은 경험적 민주주의 이론가들이 당연시할 수 있는 발견이 아니다. 그런 발견은 정치적 무관심이 한 저자가 경멸적으로 주장했듯이 '그 누구의 잘못도 아닌'[21] 것이 아님을—따라서 설명의 문제가 생겨나지 않는 게 아님을—시사하며, 그것이 사회적으로 구조화되고 유지되는 현상임을 시사한다. 비참여 증후군이라고 부를 수 있는 무언가가 존재한다.[22] 그리고 바로 이 증후군이 설명될 필요가 있는 것이다. 왜 낮은 SES—그리고 여성—의 시민 정향 결여와 정치적 비능동성은 연합되는 경향이 있는가.

『시민 문화』의 발견들은 시민 문화의 구분의 '안정성'에 대한 설명을, 따라서 그것에 대한 답변을, 일상적 삶의 권위 구조들에서의 사회화 과정 안에서 찾아야 한다는 것을 시사한다. 이 설명은 정치 문화와 정치 구조의 연결고리로서의, 그리고 그것들의 상호작용의 필수불가결한 부분으로서의 정치적 사회화라는 개념에 의존한다.

하층 SES 배경의 시민들은 가족과 학교에서 참여할 가능성이 낮다(이 집단 안에서도 참여와 정치적 역량의 관련성이 유지되기는 한다). 그리고 무엇보다도 가장 중요한 것으로, 직장에서의 권위 구조가 정치적 삶에

21. G. Sartori, *Democratic Theory* (Wayne State University Press, Detroit, MI, 1962), p. 88.

22. 이 개념은 나의 미출간 박사학위 논문 'Participation and Recent Theories of Democracy', (Oxford University, 1971), 5장에서 전개된다.

밀접한 것을 볼 때, 그들은 참여가 발생할 가능성이 가장 낮은 미숙련, 블루칼라, 규격화된 화이트칼라 일자리로 가게 되는 경향이 있다. 그리하여, 사회화 과정의 모든 단계에서, 그들의 역량감 결여는 한층 더 강화된다. 이 하층 SES 시민들은 또한 가족과 학교에서의 참여를 '대체'해줄 고등 교육을 받으러 갈 가능성도 낮다. 알몬드와 버바가 관심을 갖는 직장 참여의 바로 그 성격(그리고 나는 이에 대해 더 언급하게 될 것인데)으로 인해 직장 참여는 고등 교육이 가져오는 다면적 이득과 비교해서——그런데 그러한 이득 중에서 고등 교육 역시 직장 참여가 기대될 수 있는 직업들로 이어진다는 것은 결코 사소한 게 아니다——아주 약한 경쟁자가 된다. 대부분의 하층 SES 시민에게 있어 정치적 사회화 과정의 집적 효과는 그 과정이 그들을 자유민주주의 정치 문화에서의 그들의 자리, 그다지 '시민적'이지 않은 자리에 '적합'하게 만든다는 것이다. 그것은 그들로 하여금 시민 문화 균형의 정치적으로 비능동적인 편을 차지하게 해준다.

SES 집단들 사이의 차이는 『시민 문화』의 자료에서 나타나는 시민 문화의 유일한 체계적 구분이 아니다. 시민 문화의 균형은 또한 성에도 기반하고 있다. 시민 문화는 남성 문화다. 『시민 문화』의 발견들은 (모든 나라에서) 여자들이 일반적으로 시민 문화와 관련된 정치적 태도와 활동의 모든 지수에서 남자들보다 등급이 더 낮다는 것을 보여준다(pp. 388-97). 왜 양성 사이에 그러한 구분이 있는가? 이는 부분적으로 남자와 여자의 상이한 사회화에 의해 설명될 수 있다.[23] 영국과 미국 모두에서,

23. 알몬드와 버바는 또한 '전통적 여성 지위'에 관한 문화 규범들이 모든 나라에서 더 약화되고 있다고 주장한다(pp. 399-400). 이러한 낙관론은 입증된 적이 거의 없다. 더구나 알몬드와 버바는 정치적인(그리고 사회적이고 경제적인) 삶에서 존재하는 여자들에 대한 차별을 언급하지 않는다. 사회화 설명은 분명 이야기 전체가 아니다. 여자들의 정치적 태도와 활동에 대해 알몬드와 버바가 인용하는 또 다른 원천은 극히 주의해서 취급되어야 한다. 정치학자들

여자들은 남자들보다 가족과 학교에 참여할 가능성이 더 낮으며, 고등 교육을 받을 가능성이 더 낮으며, 유급 노동을 하게 될 때 더 높은 지위의 일자리나 직장 참여 경험을 가질 가능성은 훨씬 더 낮다. 그리하여 여자들은 또한 시민 균형의 비능동적인 편에 있는 경향이 있다. 그럼에도 불구하고 알몬드와 버바는 미국과 영국에서 '정치적으로 역량이 있고 자각적이고 능동적인 여성들이 시민 문화의 본질적 구성성분인 것처럼 보인다'라고 진술한다(p. 399). 다시금 그들은 모델로서의 시민 문화로 옮겨 타고 있다. 다른 세 나라 여성들과 비교해볼 때, 미국과 영국의 여성들은 더 능동적으로, 혹은 시민적으로 보인다. 하지만 영미 정치 문화에 대한 기술로서 시민 문화는 여전히 성적으로 구분되어 있으며, 바로 이 사실이 문제를 제기한다——균형 잡힌 문화가 있으려면, 몇몇 능동적 남자들이 요구되듯, 몇몇 능동적 여자들이 필요할 수도 있다.

앞서 나는 순환 논변을 이유로 알몬드와 버바를 비판했다. 하지만 어떤 의미에서 그들의 논변은 충분히 순환적이지 않다. 『시민 문화』 어디에서도 비참여 증후군의 순환에 대한 혹은 하층 SES, 여성, 시민 정향 결여, 낮은 수준의 정치 참여의 관련성에 대한 설명이 없다. 암묵적 가정은 상관관계가 우연적 문제라는 것이다. 또한 시민 문화 패턴의 기저에 놓인 사회적 불평등과 자유민주주의의 형식적인 정치적 평등 사이의 관련성이 직면되고 있지도 않다. 그것은 운 좋은 우연적 일치로 머문다. 그리고 영국과 미국은 민주적 시민 문화와 민주적 정치 제도가

은, 특히 『시민 문화』의 시기에, 여자들을 으레 무시하거나, 그게 아니면 다만 신화와 고정관념을 반복했다. M. Goot and E. Reid, *Women and Voting Studies: Mindless Matrons or Sexist Scientism?* Sage Contemporary Political Sociology Series, vol. 1 (Sage Publications, Beverly Hills, CA, 1975)과 S. C. Bourque and J. Grossholtz, 'Politics an Unnatural Practice: Political Science Looks at Female Participation', *Politics and Society*, Winter 1974, pp. 225-66을 볼 것.

함께 발견되기 때문에 행복한 나라들이다.

시민 문화가 SES와 성별에 기초하여 구분된 정치 문화라는 사실에 비추어 볼 때, 내가 앞서 제기한 문제는 다시금 제기되어야 한다: 시민 문화에서 무엇이 민주주의적인 것인가? 그 답은, 보통선거권을 포함한다는 것을 제외하면, 아주 소소할 뿐이다. 시민 문화는—비록 그것이 민주주의는 인류의 절반을 배제시킬 수 있다는 전통적 가정을 보유하고 있기는 하지만—고대의 그 기원 이래로 내려온 민주주의의 중심 초점을 역전시키는 민주주의 문화다. '민주주의'는 정치적 삶과 정치적 의사결정에서 인민, 데모스의 능동적이고 중심적인 역할에 기초한 정치 체계를 지칭한다. 시민 문화는 인민의 참여가 아니라 인민의 비참여에 의존한다. 그것의 정치적 초점은 참여자이자 의사결정자로서의 상층 SES (남성) 계급에 맞추어져 있다. 시민 문화의 균형은 이 엘리트들이 정치적으로 능동적인 인민의 부재 속에서 '계속 통치하도록' 해주는 균형이다. 민주주의에 필수적인 엘리트의 반응성(responsiveness)은, 주장되기를, 시민들이 능동적이라거나 능동적일 필요가 있기 때문이 아니라 시민들에게 능동성의 잠재성이 있기 때문에 보장된다.

알몬드와 버바가 시민 문화를 '민주주의적'이라고 특징지을 수 있는 것은 그들이 자유주의 이론과 민주주의 이론의 동일시와 이 동일시가 제공하는 시민 문화 모델에 암묵적으로 의존하고 있기 때문이다. 더구나, 로크의 재산 소유자들의 정부에서 시작해서 제임스 밀의 현명하고 유덕한 중간계급에 대한 지칭을 거쳐 현 연구의 '시민적' 시민에 이르기까지, 자유주의 이론은 정치적 참여와 의사결정에 가장 '적합한' 것이 중간계급과 상층계급 남성이라는 것을 언제나 주장해왔다. 『시민 문화』는, 그리고 다른 경험적 민주주의 이론은, 이러한 주장을 과학의 옷을 입혀 전시할 수 있을 것이다. 하지만 그것들이 하고 있는 일은 어떻게 자유주의가 사회적 불평등이나 (남성) 중간계급의 지배적인 정치적 역할을 건드리지 않으면서 보통선거권을 수용할 수 있는가 하는 문제에 대한 좀 더 세련되었지만 아주 친숙한 답을 우리에게 제공하는 것이다. 『시민 문화』의 접근은 다만 시민 문화의 안정적 균형 유지와 관련해서만이 아니라 시민 문화의 암묵적 자유주의 모델이 시민적 정치적 삶과 민주적인 시민 문화 발전 가능성의 유일하게 실현 가능한 모델인지에 관한 중요한 물음들을 제기할 필요성을 흐려놓는다.

나는 나중에 이 물음들로 돌아올 것이다. 그 길을 준비하기 위해서는, 우선 정치적 사회화에 대해서, 그리고 『시민 문화』의 발견들에 대한 해석에 대해서 좀 더 많은 것을 말할 필요가 있다. 지금까지 나는 알몬드와 버바의 논의를 따랐으며, 시민 문화의 정서적 차원, 정치적 역량의 주관적 느낌을 강조해왔다. 그렇지만, 정치 문화에 대한 그들의 도입부 논의가 주장하듯이, 한 가지 이상의 차원이 연루되어 있으며, 더 나아가 정치 문화와 정치 구조의 관련성이 우리의 관심사라고 할 때 문화에 대한 구조의 영향력에 얼마간 관심을 기울여야만 한다.

정치 문화의 차원들과 일반화 논변

『시민 문화』에는 정치적 구조의 영향력에 대한 수많은 지나가는 언급들이 있다. 하지만 SES와 시민 정향의 관련성이 그렇듯, 그것이 시민 문화에 대해 갖는 중요성은 추적되지 않는다. 정치 문화의 삼중 분류의 두 차원인 평가적 차원과 인지적 차원 역시 지나가는 관심 이상이 주어지지 않는다.

알몬드와 버바는 '정치 체계에 대한 개인들의 태도의 원천으로서 정치 체계 그 자체의 중요성'을 부인하고 싶지 않다고 진술한다(p. 368). 하지만 그 원천에는 결코 마땅한 무게가 실리지 않는다. 영국과 미국에서 정치 역량 척도에서 점수가 높은 개인들은 '정치 체계에 대한 일반적 애착'을 표할 가능성이 높다(p. 251. 그리고 표 5). 그들은 또한 '민주적 참여 체계가 가져야 할 고유한 체계라는 것을 믿을' 가능성이 높다(pp. 254-5. 그리고 표 6과 7). 다섯 나라에서 정치적 역량이 있는 사람들이 자신들의 체계에 보이는 '규범적 충성'의 정도에서의 차이는, 알몬드와 버바가 지적하듯이, 각 나라의 역사를 반영한다. 그럼에도 불구하고 이 저자들은 그들의 논의에서 정치 문화의 평가적 차원과 정치적 사회화 과정에서의 정치 규범 학습을 고려하지 않는다. 나는 모델로서의 시민 문화가 암묵적으로 자유주의 이론에서 도출된다고 주장했다. 하지만 영미 자유민주주의 국가의 시민들은 시민의 고유한 역할에 대한──종종 잘 정식화되어 있지는 않더라도──자신들만의 모델을 가지고 있다. 그들은 사회화 과정에서 자유주의 이론에 대해, 그들 자신만의 정치 체계에 대해 배운다. 시민 문화에 대한 알몬드와 버바의 논의가 갖는 추상적 성격은 정치 문화와 정치 구조의 상호작용의 안정성에서 자유주의 이론이나 이데올로기가 갖는 역할을 그들이 소홀히 하는 것과 관련되어 있다. 민주주의를 자유민주주의와 동일시하는 것은 학자들만이 아니다. 알몬드와 버바는 구분된 시민 문화를 하나의 민주주의적 문화로 제시하는데, 이는 그 구분이 '민주주의'로서의 기존 체계의 일반적 수용 안에 포함되기 때문에 신빙성을 얻는다.[24]

일단 영국과 미국에서 정치 문화의 평가적 차원이 고려될 때, 정치적 역량감과 정치 구조 사이의 관련성은 알몬드와 버바의 분석에서 제시되는 것보다 더 복잡해진다. 제기되어야 할 질문은 역량감을 측정하기 위해 고안된 물음들에 대한 응답들이 또한 '민주주의 이데올로기의 규범들' 내지는 정치 문화의 평가적 차원에 대한 수용을 반영하는가 하는 것이다. 응답자들은 정치적 사회화 과정에서 자유주의 이론에

24. 영국의 정치 문화를, '헤게모니'와 '지배적', '주변적' 가치 체계라는 개념을 사용하면서, 이와 유사한 용어로 탐구하고 해석하는 것으로는 Jessop, *Traditionalism*을 볼 것.

대해 배운 것, 정치적 체계가 어떻게 작동해야 하는지에 대해 배운 것, 예컨대 부당한 법률의 가능성에 직면할 때 그들이 행할 수 있는 것으로 여겨지는 것에 기초하여 응답하는 것일 수도 있다.[25] 역량감은 복잡한 방식으로 발달할——시민의 정치적 역할에 대한 자유민주주의 이론에 대한 시민의 이해에 긴밀하게 연결되어 있는 동시에 정치 체계의 작동에 대한 시민 자신의 경험과 관찰에 긴밀하게 연결되어 있을——가능성이 크다.

평가적 차원이 역량감에 대한 정보를 끌어내려는 질문들에 대한 응답과 유관성이 있을 가능성은 『시민 문화』의 발견들이 갖는 어떤 특징들을 조명한다. 응답자들은 국가 입법부나 지방 정부가 그들이 해롭거나 부당하다고 생각하는 법률을 고려하고 있을 때 그들이 무엇을 할 수 있을 거라고 생각하는지 혹은 그들이 그것을 바꾸려고 시도할 때 성공할 것이라고 생각하는지 질문을 받았다. 자신을 정치적으로 역량이 있다고 보는 시민들의 비율이 상당히 높다는 것은, 알몬드와 버바가 말하듯이, '자신들의 참여 기회에 대한 다소 비현실적인 믿음'(p. 182)을 반영하는 것처럼 보일 수도 있을 것이다. 그렇지만 역량감이 이용되고 있는 유일한 것이 아니라면, 그 비율은 그렇게까지 놀랄 만한 것은 아니다. 더 나아가, 알몬드와 버바 자신은 정치적 역량에 대한 견해에 있어 전적으로 명료하지는 않다. 그들은 사회적 삶의 비정부 영역에 참여해 본 사람은 '자신이 역량 있는 시민이라는 믿음을 받아들일' 가능성이 더 높다는 의미심장한 진술을 한다(p. 369, 강조는 추가). 정치적

25. 이는 또한 『시민 문화』에 나오는 것과 같은 조사 응답에 대한 해석과 응답자와 조사자의 관계에 관한 일체의 복합적인 물음들을 제기하는데, 이는 이 장의 범위 안에서는 다루어질 수 없다. 시민들의 역량감 결핍 문제와 정치 구조에 대한 그들의 평가와 관련된 아주 다른 접근으로는 R. Sennett and J. Cobb, *The Hidden Injuries of Class* (Alfred A. Knopf, New York, 1972)를 볼 것.

으로 역량이 있다는 참여자들의 그러한 믿음이 정치 체계에 대한 그들의 경험과 평가에 기초해 합리적으로 간직되고 있다는 게 아니다. 오히려 그들은 시민들이 정치 엘리트에게 영향력을 미칠 수 있다는 이데올로기적 가정을 받아들일 가능성이 높다. 그리고 그것은 상당히 다른 문제다. 그렇지만 그것은 시민들의 정치적 영향력에 대한 믿음을 '참이건 아니건 믿어지는' 신화로 보는 알몬드와 버바의 견해(p. 487)와 상당히 조화를 이룬다.

정치 문화의 셋째 차원인 인지적 차원은 정치적 역량이 가족, 학교, 직장에서의 참여 내지는 비참여 경험을 개인들이 '일반화'하는 과정에 뿌리를 두고 있다는 알몬드와 버바의 주장에 중요하다. 이는 개인들이 정치 체계를 도외시하면서 정치적 믿음에 도달한다는 것을 함축한다. 그들의 믿음은 순전히 그들의 비정치적 경험에 기초하고 있다. 이러한 주장은, 정치학자들과 정치사회학자들을 그토록 걱정스럽게 만든 일반 시민들의 합리성에 대한 의심이 주어진다고 해도, 수용하기가 다소 어렵다. 그러한 경험이 개인의 일반적 자기확신과 사회적 삶에서의 효과적 행동을 위한 능력을 발전시킴에 있어 중요하다는 데는 의심의 여지가 없다. 하지만 이것은 정치적 역량감이 다만 '권위를 향한 기저의 성향의 투사'에 기반하고 있다는 주장을 받아들이는 게 아니다.[26] 한 가지 분명한 추가적 요인은 개인들이 자유민주주의 정치 체계에 대해 배운 것을 믿을 수도 있다는 것이다. 또 다른 요인은 그들이 정치 체계를 자신들의 참여 시도와 엘리트에게 영향력을 미치려는 시도에 대해 더 반응적이거나 덜 반응적인 것으로 자동적으로 평가하게 될 수도 있다는 것이다.

알몬드와 버바는 후자 요인을 실로 건드린다(예컨대, p. 368의 논의를

26. Barry, *Sociologists*, pp. 93-4.

볼 것). 하지만 그들은 정치 문화의 이 인지 차원이 그들의 일반화 논변과 맺고 있는 관련성을 고찰하지 않는다. 시민 문화에 대한 한 가지 흥미로운 물음은 정치적으로 역량이 있다고 느끼는 반응자 비율과 실제로 정치 엘리트에게 영향력을 행사하려고 노력한 비율 사이에 왜 큰 간극이 존재하는가 하는 것이다. 미국에서 67%의 시민이 정치적으로 역량이 있다고 느끼며 영국은 57%다. 하지만 각각 33%와 18%만이 지역 엘리트에게 영향력을 행사하려고 노력했다(pp. 186, 188, 표 2, 3을 볼 것). 이 간극에 대한 알몬드와 버바의 해석과 설명은 '정부 엘리트들이 행동하도록 허용'하는 것은 시민 문화의 '균형'에 있어 필수적 요소라는 것이다(p. 481). 개인들은 시민 영향력의 신화를, 혹은 '민주주의 체계와 관련된 가치들'을 믿는다(p. 257). 앞서 지적했듯이, 이 신화에 대한 믿음은 정치 엘리트에 대한 공중의 통제를 확실히 하기에 충분하다고 주장된다. 다시 말해서 알몬드와 버바의 논변 기저에 놓인 가정은 자유주의 이론이 체계가 그렇게 작동해야 한다고 말해주는 대로 그렇게 체계가 실제로 작동한다는 것이며, 시민들이 이를 사실로 믿는다는 것이다.

바로 그렇기에 알몬드와 버바는 행동할 역량이 있다고 느끼는 사람들 중 다수가 행동하지 않는 것이 합리적이라고 제안할 수 있는 것이다. 그들은 사회적 삶의 비정치적 영역에서의 경험을 통해 얻는 일반화에 근거하여 행동할 필요가 전혀 없다. 정치적 역량과 정치적 능동성 사이의 큰 분기(分岐) 이외의 것을 찾으려 기대하는 것은 우리의 시민권 기준을 '비합리적으로 높게' 설정하는 것이다. 알몬드와 버바는 '기준'과 '정치 이론'이 '정치적 삶의 현실로부터 도출'되어야 한다고 주장한다(p. 475). 하지만 기준에 대해 결론적인 무언가가 이야기될 수 있으려면 우선 현실 그 자체에 대한 납득 가능한 해석과 성격 규정이 요구된다. 특히 역량과 SES 사이의 밀접한 연관성의 현실에 대해서 말이다.

알몬드와 버바는 정치적 행동의 광범위한 실패가 거기 연루된 비용과 관련이 있다고 주장한다. 그 비용이란 통상 참여하는 것은 '다만 그만한 가치가 있지 않을 것이다'라는 것을 의미한다(p. 476). 시민들은 수많은 중요한 비정치적 관심사를 가질 수 있을 것이고, 정치적 활동의 복잡한 일에 관여하는 데 요구되는 시간과 노력을 고려했을 때 시민들이 그렇게 하는 비용을 지불하는 것은 비합리적이다(p. 475)——특히, 역량의 신화가 그들을 위해 작용하는 것일 때. 개인들이 어떤 활동에 착수할 것인지를 놓고 언제나 선택을 해야 한다는 것은 참이다. 하지만 '현실'이라는 것의 '합리성'이 그토록 말끔하게 계급 기반적(그리고 성 기반적) 방식으로 작동하게끔 되어 있다는 것은 실로 놀라운 일이다. 참여의 '비용'을 지불하는 게 '비합리적'이라는 것을 발견하는 것은 무작위적으로 횡단된 시민들이 아니라 하층 SES 시민들이다. '사라지는' 역량자의 문제는 알몬드와 버바가 우리한테 믿으라고 하는 것보다 훨씬 더 복잡하다. 시민 문화의 균형은 정치적으로 능동적이지 않은 노동계급(과 여성의) 경향성의 합리성과 남성 중간계급의 합리적 참여 사이의 균형이다. 후자의 경우 정치적 활동은 비용이 아니라 혜택으로 간주될 것이다. 예컨대 A. O. 허쉬만이 기업들로부터 '퇴장'하기보다는 기업들에 영향력을 미치기 위해 주식을 사용하기를 선호하는 주주들의 사례를 인용한다.[27] 주주들은, 공공재 쟁점에 대한 최근의 다른 활동가들처럼, 중간계급 배경에서 오는 경향이 있으며, 따라서 시민 문화의 균형 및 정치적 능동성에 관한 구분된 합리성에 말끔하게 부합한다.

27. A. O. Hirschman, '"Exit, Voice and Loyalty": Further Reflections and a Survey of Recent Contributions', *Social Science Information*, 13 (1974), pp. 7-26. (나는 이것에 관심을 갖게 해준 가브리엘 알몬드에게 감사한다.) 하층 SES의 정치적 비능동성으로의 합리적 철회는 정치 체계로부터의 퇴장으로 간주될 수 있다. M. Walzer, *Obligations: Essays on Disobedience, War and Citizenship* (Simon & Schuster, New York, 1971), p. 266은 '정치 체계에 대한 일종의 보이콧'에 관여하는 비능동적 시민에 대한 관심을 환기시킨다.

시민들 사이에 왜 이러한 구분이 있어야 하는가? 앞 절에서 검토된 사회화 과정은 여기에 얼마간의 빛을 던져주었다. 정치 문화의 인지 차원은 또 다른 설명을 암시한다: 상이한 SES 집단의 구성원들은 정치 체계를 상이하게 평가할 수 있다. 따라서 그들은 상이하게 행동하는 게 합리적일 것이다. 실로, 상이한 SES 배경의 응답자들이 정치적 역량감 및 여타 정향들을 측정하기 위해 고안된 물음에 제시한 대답들은 이러한 차이적 평가가 존재함을 시사한다. 노동계급 시민의 대답은 체계가 그렇게 작동하리라 여겨지는 대로 실제로 작동한다는 데 대한 회의론을 나타낸다.[28] 그리하여——SES와 참여 사이의 상관관계를 잊지 않는 한에서——정치적 비능동성에 대한 단도직입적 설명을 구할 수 있다. 노동계급은 참여가 '다만 그만한 가치가 있지 않을 것이다'라고 믿는다. 더구나 정치적 삶으로부터의 그들의 철회는 '자연적으로' 비능동적인 시민이라는 자유주의적 개념에 의해 정당화된다.

알몬드와 버바의 논변은 계급과 참여 사이의 연관을 전적으로 등한시한다. 또한 그 논변은 사회적 지위는 한 시민이 균형의 어느 편을 차지하는가와는, 혹은 능동성이나 비능동성의 합리성에 대한 시민의 견해와는 무관하다는 것을 함축한다. 정치 체계에 대한 평가에서 계급 기반 차이들이 합리적이라는 것은 이제 『시민 문화』와 한 저자 시드니 버바를 공유하고 있는 대규모 경험 연구 『미국에서의 참여』에서 확인을 받았다. 그 연구는 정치 엘리트들의 반응성 내지는 '동의'가 가장 정치적으로 능동적인 시민들, 상층 SES 집단과 불균형을 이룬다는 것을 발견한다. 연구의 일반적 결론은 '참여가 이미 잘 사는 사람들을 돕는다'는 것이다.[29] 이미

28. Pateman, 'Political Culture', pp. 299-301을 볼 것. 또한 M. Mann, 'The Social Cohesion of Liberal Democracy', *American Sociological Review*, 35 (1970), pp. 423-37에 제시된 증거를 볼 것.

29. S. Verba and N. H. Nie, *Participation in America: Political Democracy and*

사회적으로 유리한 사람들의 입장은 정치 참여를 통해 유지되고 강화되며, 『시민 문화』에 기록된 경험 자료는 이 기본적 사실을 반영한다. 정치적 역량감, 정치적 능동성, 그리고 자유민주주의 체계와 '민주주의적 규범'에 대한 충성이 상층 SES와 긴밀하게 상관적이라는 것은 전혀 놀랍지 않다. 정말로 놀라운 것은 경험적 민주주의 이론가들이 자유민주주의 정치 문화의 균형이 갖는 사회적 성격에 대해 그토록 적은 호기심을 보여 왔다는 것이다. 정치 문화의 평가 차원과 인지 차원에 대한 등한시는 개인의 정향, 특히 노동계급 시민과 여자들의 정향에 대한 단순화된 견해를 낳았다. 상층 SES (특히 남성) 시민들이 확실하게 공민적 시민으로 보일 수 있겠지만, 다른 시민들의 정향은 모순적 혼합물이며, 정치 체계의 작동과 참여의 가치에 대한 '합리적' 평가를 반영하는 동시에 '민주주의 체계와 연결된 가치들'의 수용을 반영한다. 영국과 미국에서 '교육 받지 못한 사람들은 정치 체계에 대한 공동의 정서적, 규범적 충성을 교육 받은 사람들과 함께 나누는 경향이 있다'(p. 387). 하지만 이는 민주주의와 기존 체계의 공통적 동일시 안에 포함되어 있다. 모든 계급의 시민들이 자유주의 이데올로기의 무언가를 배우며, 『시민 문화』의 논변은 시민들의 역량감을 측량한다고 보이는 시민들 응답의 다양한 차원들을 구별함에 있어 우리에게 아무런 도움도 주지 않는다.

『시민 문화』의 출간 이후로, 사회적 불평등과 자유민주주의의 관계에 특별히 초점을 맞춘 주요 연구가 나오는 데는 9년이 걸렸다. 경험적 민주주의 이론가들은 경험적 발견들이 요구해왔으며 지금도 여전히 요구하는 질문, 어렵지도 않고 모호하지도 않은 질문을 제기하는 데 실패했다. 이제는 SES와 정치 참여 사이의 관련 기록의 충분한 연관성의 의미를 무시하는 것이 더 이상 그렇지 쉽지는 않다. 또한 엘리트의

Social Equality (Harper & Row, New York, 1972), p. 338. (강조는 추가).

'반응성'의 분배 문제를 무시하는 것도 그렇게 쉽지는 않다. 불평등, 가난, 차별이 1950년대 말에 존재하지 않았다는 게 아니라——그 시기 저자들은 멈추어 서서 정치 체계가 실제로 보통 시민들에게 어떻게 보였으며 정치 참여가 그들에게 실제로 무엇을 의미했는지 궁금해 할 수 있었을 것이다(그들 중 몇몇은 그렇게 했다)——그 당시에는 불평들이 1960년대 중반의 극적인 사건들 이래로 그랬던 것과는 달리 학계 저자들의 관심으로 강제되지 않았다. 몇몇 폭동, 약탈, 연좌 농성, 그리고 심지어 여성들로부터의 항의조차도 놀랍도록 마음을 집중시켰다. 하지만 여전히 분명하지 않은 것은 그것들이 정치 문화나 사회적 불평등의 양상들을 자유주의 이론에 의해 제공된 안경을 통해 바라보는 경험 이론가들의 마음을 충분히 집중시켰는가 하는 것이다.

자유민주주의는 연구 목적에도 불구하고 『시민 문화』에서 복합적 체계로서 취급되지 않는다. 사회적 불평등 또는 시민 문화는 정치 구조의 작동과 안정적 체계의 유지에 체계적으로 연결되지 않는다. 오히려 시민권의 신화는 신화로서 제시되는 동시에 자유민주주의에 대한 정확한 성격규정으로 취해지며, 그리하여 시민 문화의 사회적으로 구분된 본성을 드러내는 증거는 얼버무려진다. 따라서 경험적 민주주의 이론과 『시민 문화』의 논변은 그 자신의 자료의 의미를 명확히 하기보다는 신비화하고 흐려놓으며, 또한 시민 문화의 균형과 자유민주주의 정치 구조 사이에 왜 어울림이 있는지를 설명하는 데 실패한다.

시민 문화의 민주주의적 발전

알몬드와 버바는 시민 문화의 더 나아간 발전을 일차적으로 그것이 자유민주주의 국가 외부에 있는 나라들로 확산되는 문제로 본다. 하지만 또한 영국과 미국에서 시민 문화의 미래의 발전에 관해서 제기되어야 할 중요한 물음이 있다. 즉 시민 문화가 시민 전체에 의해 공유될 수 있는가, 또는 SES와 성별에 의해 구분된 문화가 성취될 수 있는 민주주의 문화의 최선의 근사치인가 하는 물음. 그렇다면 시민 문화의 민주화가 어떻게 성취될 수 있을 것인지에 대해서 핵심적 문제가 생겨난다.

'시민 문화의 미래'를 논하면서 알몬드와 버바는 자유민주주의 국가들에서의 시민 문화의 오랜 발전에 대한 신생국에서의 가능한 대체물로서 교육을 강조한다. 교육, 특히 고등 교육의 중요성과 그것이 정치적 역량감과 맺는 관련성은 이미 지적된 바 있다. 그렇지만 자유민주주의 국가에서 학교 교육은 시민 문화의 계급 및 성별 구분을 그다지 가로지르지 못한다. 사실 그것은 이제 그 구분의 강화를 위한 주된 경로다. 신생국의 학교 교육 발전이 자유주의 시민 문화를 향한 지름길을 제공할 수는 있겠으나, 선진국 세계에서 학교 교육은 현 형태로는 시민 문화의 민주주의적 발전을 위한 길을 제공할 것 같지 않다.

알몬드와 버바는 신생국에서 형식적 교육이 '정치적 사회화의 다른 경로들'을 발전시킴으로써 보충될 수 있을 것이라고 주장한다(p. 502). 영국이나 미국에서는 시민 문화에 사소한 조정 이상이 필요하지는 않다. 전자는 참여 정향의 증가를 흡수할 수 있을 것이고, 후자는 경의 정향(deferential orientations)의 증가를 흡수할 수 있을 것이다.[30] 그렇지만 이러한 제안에서 핵심적인 논점은 그것이 한 명의 개인의 정향들 내에서의 조정으로서 제시된다는 것이다. 실로 『시민 문화』의 마지막 장은 시민 문화의 '균형'의 사회적 패턴보다는 각 개인의 정향들의 '혼합'만을 배타적으로 참조한다.[31] 그렇지만 정향들의 혼합은 모든 개인들을 가로질

30. [315쪽 설명 참고 역주.]

31. 알몬드와 버바는 또한 '균형'은 '분명한 모순들' 사이의 '균형'이라고 주장한다(p. 476). 하지만 이러한 소위 모순들은 그 어떤 민주주의 체계에도 있을 것이다. 예컨대 시민들이 의사결정에 참여하는 동시에 결정에 따라야 할 필요는 언제나 있는 것이다. 또한 불평등이 감소하고 참여의 혜택이 더 평등하게 분배된다면 사회적 신뢰가 결핍될 것이라고 가정할(pp. 284-8)

러 무작위로 분배되는 게 아니다. 중간계급 남성들은 '참여적' 시민일 가능성이 높은 반면에 '교구' 정향과 '주체' 정향은 노동계급 여성들의 특징인 경향이 있다. 『시민 문화』의 개인주의적인 이론적 관점은 시민 문화의 계급 구분을 집요하게 흐려놓는다. 하지만 그 문화의 사회적(계급과 성별) 균형 내지는 혼합이야말로——알몬드와 버바가 제시하는 경험 자료가 보여주듯이——그것이 정치 구조에 안정적으로 맞물려 들어감에 있어 기본이 된다. 그렇지만 저자들은 자신들의 발견을 무시한다. 개인들 내에서의 정향들의 균형으로부터 잠시 벗어날 때면, 시민 문화의 사회적 패턴에 대한 그들의 유일한 언급은 '어떤 개인들은 자신들이 역량이 있다고 믿으며, 어떤 개인들은 그렇지 않다. 어떤 개인들은 능동적이며, 어떤 개인들은 그렇지 않다'라는 것이다(p. 485). 시민 문화의 체계적인 사회적 구분들은 이 '어떤' 뒤에 은폐된다.

『시민 문화』의 논변은 미국과 영국의 정치 구조의 민주적 발전을 포괄하지 못한다. 만일 참여 정향이 전 인구를 가로질러 퍼지게 된다면, 시민 문화의 균형은 사라질 것이다. 그것은 '정치적 규범, 정치적 지각과… 정치적 행동 사이의 비일관성에 의존한다'(p. 482). 하지만 내가 보여주었듯이, 중간계급은 자신들의 정치적 삶에서 '비일관적'이지 않으려는 경향이 있으며 그래야 할 아무 이유도 갖지 않는다. 그들은 역량이 있고 충성을 다한다고 느끼며, 정치적으로 능동적일 가능성이 높다. 자신들의 정향과 행동 사이에서 불일치를 보여줄 가능성이 가장 높은 것은 노동계급 시민들이다. 그러므로 계급과 성별을 가로지르는 유관한 균형을 변화시키는 일은 자유민주주의의 제도적 구조 안에서 어떤 근본적 변화를 요구할 것이다. 구분된 문화와 구조는 적합한 '사회화 경로'를 갖는 복잡한 '민주주의' 체계로서 함께 발전해왔다. 그러므로 시민 문화

....

아무런 이유도 없다.

의 민주화, 균형에서의 변화는 자유민주주의의 권위 구조들의 민주화를 함축한다.

『시민 문화』에서 제시된 경험적 발견들은 이런 결론으로 나아간다. 수준 높은 역량감은 일상적 삶에서의 참여와 관련이 있다. 하지만 현재 하층 SES 시민들과 여자들은 특히 직장에 참여할 기회를 얻을 가능성이 낮다. 알몬드와 버바가 주장하듯 복수주의가 자유민주주의의 중요한 토대라고 한다면, 민주주의적 복수주의 내지는 일상적 삶의 민주화는 민주주의적 정치 문화의 발견을 위해 그리고 참여민주주의를 위한 기반으로서 똑같이 중요하다.

직장의 권위 구조가 더 일반적인 정치적 태도에 대해 갖는 중요성과 다양한 종류의 조직들과 연합들이 역량감에 대해 갖는 영향력에 대한 『시민 문화』의 증거를 지지해줄 상당한 추가 증거가 이제는 있다.[32] 알몬드와 버바의 직장 '참여'가 자본주의 기업들의 기존의 비민주주의적 권위 안에서 발생했다는 것은 특히 주목할 만하다(비록 그들은 직장이 '민주주의적 하부구조'로 간주될 수 있다고 암시하고 있지만). 그들의 응답자들은 자신들의 일에 관한 결정에서 회사가 그들에게 '자문'을 구하는지, 그리고 그러한 결정에 대해 자유롭게 항의할 수 있다고 느끼는지 질문을 받았다. 이것은 아주 약한 최소한의 의미에서의 참여이며, 기껏해야 유사참여에 지나지 않는다.[33] 그렇지만 유사참여조차도 연루된 사람들에게 광범위한 심리학적 결과를 낳는다는 것을 발견한 것은 알몬

32. 이 증거 중 일부에 대한 논평은 Pateman, *Participation*에서 찾아볼 수 있다. 또한 P. Blumberg, *Industrial Democracy: The Sociology of Participation* (Constable, London, 1968); M. L. Kohn and C. Schooler, 'Class Occupation and Orientation', *American Sociological Review*, 34 (1969), pp. 659-78; L. Lipsitz, 'Work Life and Political Attitudes', *American Political Science Review*, 58 (1964), pp. 951-62를 볼 것.

33. '유사참여'에 대해서는, Pateman, *Participation*을 볼 것.

드와 버바뿐이 아니다.[34] 그렇기 때문에 참여 기법은 집단 치료 목적으로 사용되어왔으며, '참여적(participative)' 경영은 진보된 자본주의 경영 기법, 기업의 전반적 권위 구조에 그 어떤 변화도 요구하지 않는 기법으로서 이제 잘 확립되었다. 그럼에도 불구하고 가장 약한 참여 형태와 정치적 역량감의 수준 사이의 관련성은 직장 민주화가 인구 전체에게 있어 참여적 정치 정향의 확산을 위해 필수적인 기반임을 보여준다. 그것은 또한 민주주의적인 정치적 삶 속의 참여를 위한 친숙한 맥락의 훈련장을 제공할 것이리라.

그렇지만 정치적 역량감은 능동적 시민권을 위해 충분하지는 않다. 내가 이미 주장했듯이, 참여는 또한 그만한 가치가 있는 것이어야 하며, 이는 직장 민주주의의 함축에 관한 어떤 복잡하고 중요한 물음을 발생시킨다. 경험적 민주주의 이론가들은 최근에 직장에서의 참여에 관심을 돌리기 시작했다. 하지만 그들의 논의는 왜 급진주의자들이 참여 증가 계획에 대해 의구심을 품거나 반대하는지를 보여준다. 최근의 많은 논의들은 직장 참여가 균형을 변화시키고 민주주의를 확장시키기보다는 단지 더 넓은 영역으로 구분된 시민 문화를 확장시키거나 사회적 불평등을 공고히 할 수도 있음을 시사한다. 예컨대 이제 로버트 달은 산업 민주주의가 다두정치나 자유민주주의의 일부를 형성할 수 있다고 주장한다. 『혁명 이후?』에서 그는 직장 민주주의를 '기업 리바이어던'과 '사적 지배자들에 의한 공적 권위의 전유'에 의해 생성된 문제들에 대한 '무시되기에는 너무 명백한 해결책'으로서 제시한다.[35] 달은 또한 만약

34. Blumberg, *Industrial Democracy*(특히, 5장)는 상당히 많은 증거를 검토한다. '민주주의적 경영'에 극도로 영향력이 있었던 전전 실험들이 어린 (남자) 아이들을 대상으로 레빈에 의해 행해졌다는 사실은 의미심장하다.

35. R. A. Dahl, *After the Revolution? Authority in a Good Society* (Yale University Press, New Haven, CT, 1970), pp. 115, 134.

개인들이 참여가 '그들 자신의 역량감에 기여하고 자신들의 일상생활의 중요한 부분을 통제하는 데 도움을 준다'는 것을 발견한다면 참여에 대한 권태감과 무관심은 흥미와 관심으로 변할 것이라고 주장한다. 그는 관심이 어느 정도까지 발전할 것인가에 대해서는 비관적이며, 블루칼라 노동자보다는 '기술자들과 하급 경영진'이 참여할 가능성이 가장 높을 것이라고 제안한다.[36]

유고슬라비아의 증거를 포함해서 직장 내에서의 참여에 관한 증거는 달의 비관주의를 지지한다. 참여의 사회적 패턴은 더 넓은 정치적 삶에서의 패턴을 닮았다. 지위가 더 높고 교육을 더 잘 받은 숙련된 남자들이 가장 능동적일 가능성이 높다. 결국은 하층 SES 개인들과 여자들은 '자연적으로' 비정치적인 피조물이며 구분된 시민 문화는 성취될 수 있는 '민주주의'의 최선의 근사치라고 하는 결론을 받아들이기 전에, 몇 가지 추가적인 물음이 고려되어야 한다.

달은 민주주의 정치 문화의 발전에 관심이 있는 게 아니라 '사적 지배자들'의 권력에 관심이 있다. 이것은 근본적 문제다. 하지만 사적 자본주의 지배자들이 선출된 중앙 경영진이나 노동자 위원회로 대체된다고 해서 이 장에서 논의된 문제가 해결될지는 자명하지 않다. 물론 이는 (특히 기업 리바이어던과 자유민주주의 국가장치의 광범위한 상호

36. 같은 책, p. 136. 이제는 나의 『참여』에 있는 증거를 보충해줄, 산업 민주주의에 대한 상당한 문헌이 있다. 예컨대 G. D. Garson, *On Democratic Administration and Socialist Self-Management*, Sage Professional Papers in Administrative and Policy Studies, vol. 2 (Sage Publications, Beverly Hills, CA, 1974); the volumes of *Participation and Self-Management* (1972-3), Institute for Social Research, Zagreb, Yugoslavia; G. Hunnius, G. D. Garson, J. Case (eds), *Workers' Control* (Random House Vintage Books, New York, 1973); J. Vanek (ed) *Self-Management* (Penguin Books, Harmondsworth, Middlesex, 1975); M. Poole, *Worker' Participation in Industry*, rev. ed. (Routledge & Kegan Paul, London, 1978) 등을 볼 것.

관련이 주어졌을 때) 자본주의적 생산 조직화에서 아주 실재적인 변화일 것이다. 그럼에도 불구하고 각 기업에서 이사회(government)를 선출하는 것은 자유민주주의를 새로운 맥락 속으로 도입하는 것이다. 그리고 자유주의 민주주의와 구분된 시민 문화가 서로에게 부합한다는 바로 그 사실이 민주주의의 문제를 낳는다. 기업에서 선출된 위원회의 도입이 그 자체로 국가의 자유주의적인 선출된 대의정부와 아주 다른 결과를 낳을 것이라고 가정할 아무런 충분한 이유도 없다. 그것은 사회적 기득권자들이 참여할 또 하나의 통로를 제공하는 경향을 갖게 될 것이다.

유고슬라비아의 노동자 자주관리 체계에 대한 연구들은 이를 입증하는 경향이 있다. 시드니 버바는 (골디 샤바드와 함께) 최근에 유고슬라비아에서 노동자 평의회 참여를 연구했으며, SES와 참여 사이에 밀접한 관련성이 있음을 발견했다. '교육을 더 잘 받고 부유한 시민들은 노동자 평의회의 구성원이 될 가능성이 더 높다.' 비록 다른 형태의 정치 활동보다 더 많은 블루칼라 노동자들이 노동자 평의회에 참여하기는 하지만 말이다. 버바와 샤바드는 '[연구된] 종류의 활동 가운데 노동자 평의회 참여는 유고슬라비아 사회의 "가진 자들"에 유리한 쪽으로 가장 편향되어 있는 활동'이라는 증거의 기저에 놓인 두 요인에 관심을 기울인다.[37] 첫째, 사회주의 부문의 노동자들만이 노동자 평의회에 참여할 자격이 있으며, 그들은 상층 SES 배경을 갖는 경향이 있다. 둘째, 공산주의자 연맹은 다른 영역에서보다 노동자 평의회에서 덜 중요한 참여 경로다. (연맹 역시 상층 SES에 유리한 쪽으로 편향되어 있기는 하지만, 일반적으로

37. S. Verba and G. Shabad, 'Workers' Councils and Political Stratification: The Yugoslav Experience', *American Political Science Review*, 72(1) (1978), p. 85. 또한 미국 정치과학 연합(American Political Science Association) 연례모임에서 발표된 논문(1975) S. Verba and G. Shabad, 'Workers' Councils and Political Participation'을 볼 것.

연맹은 '유고슬라비아에서 정규 정치 활동의 필요조건인 동시에 충분조건'이다.[38]) 버바와 샤바드는 또한 노동자 평의회 참여가 정치적 헌신의 문제라기보다는 기술과 전문성에 기반한 기술관료적 활동으로 간주된다고 주장한다. 이는 영국과 미국의 시민 문화 참여 패턴과 유고슬라비아의 자주관리 체계 참여의 패턴 사이에 유사성이 있는 이유에 대한 더 넓은 물음을 제기한다.

『시민 문화』의 분석은 개별 특성들의 집합 너머로 바라보지 못한다. 이와 유사하게 버바와 샤바드의 유고슬라비아에 대한 논의는 SES와 참여의 관련성을 더 넓은 구조에 관련짓지 않는다. 한 가지 결정적 영역에서 자유민주주의 국가들과 유고슬라비아는 유사하다. 자유주의-자본주의와 1965년 경제개혁 이후로의 유고슬라비아 자주관리 양자 모두는 시장에 기초하고 있다. 이는 유고슬라비아의 정치 문화와 정치 구조의 관련성이 몇몇 결정적 측면에서 시민 문화와 그것의 정치 구조의 관련성과 유사할 것임을 암시한다. 실로 유고슬라비아의 정치적 삶에 대한 또 다른 연구에서, 유고슬라비아인들이 '시민들이 동일한 형식적인 정치적 권리를 누리는 정도로까지 평등을 제도화하고 사람들이 경제적으로 불평등할 자유가 있는 정도로까지 자유를 제도화했다'는 것이 지적되고 있다.[39] 유고슬라비아 체계가 자유주의의 변이 내지는 실질적인 사회적 불평등 안에서의 형식적인 정치적 평등의 체계인 정도로까지, 그것은 시민 문화가 제기하는 것과 정확히 동일하게 민주주의적 참여의 발전이라는 문제를 제기한다.

유고슬라비아 노동자의 자주관리는 중앙 노동자 평의회 선거 이상을 내포한다. 각 기업은 자신만의 평의회를 갖는 작업 단위로 탈중심화되어

38. Verba and Shabad, 'Workers' Councils and Political Stratification', p. 87.
39. S. Zukin, *Beyond Marx and Tito: Theory and Practice in Yugoslav Socialism* (Cambridge University Press, Cambridge, 1975), p. 250.

있다. 상당히 의미심장하게도 증거에 따르면, SES와 노동자 평의회 참여의 상관관계에도 불구하고 많은 일반 노동자들은 실로 자신들의 작업 단위 안에서 더 많은 참여를 하기를 바란다.[40] 경험 자료에서 도출될 수 있는 결론은 시민 문화가 민주화되기 위해서는 소형 자유민주주의의 증식 너머로 아주 근본적인 어떤 변화가 요구된다는 것이다. 기업에서 중앙 관리 조직을 위한 투표는 다른 모든 것이 동일하게 남아 있을 때 많은 노동자에게 거의 아무런 유관성도 갖지 못할 것이다. 브레이버만이 보여주었듯이, 작업 그 자체의 일상적 조직화가 특히 중요하다.[41] 자본주의적 생산 조직화의 기초가 되는 성별 구분과 여타의 구분들이 도전받지 않는다면, 정향들의 균형은 크게 교란될 가능성이 낮다.

요컨대 민주주의적 정치 문화의 발전은 모든 시민들에게 가치 있는 참여를 위한 기회를 제공하기 위해 일상적 삶의 조직들과 연합들의 모든 측면에 대한 근본적 재구조화를 요구한다. 그러한 재구조화가 성취되려면, 그것은 또한 우리가 정치적 삶과 그것을 구성하는 데 조력하는 개념들을 자유주의적 관점이 아니라 민주주의적 관점에서 바라보기 시작할 것을 요구한다. 나는 민주주의를 자유주의 대의정부와 동일시하는 것이 민주주의 이론의 핵심 문제들을 문제로서 인지하는 것을 가로막는다는 것을 강조했다. 이를 보여주는 또 다른 예증은 직장에서의 참여의 지위라는 문제다. 달은 경제적 사업을 '사적인' 것으로 보는 것은 '터무니없다'라고 말한다.[42] 하지만 그것을――'민주화'라는 개념 그 자체가 시사하듯――정치 영역의 일부로 보는 것은 경험 이론가들이 작업하고 있는 자유주의 이론틀을 벗어나는 것이다.[43] 자유주의 이론은 사회적

40. 같은 책, pp. 189-90.

41. H. Braverman, *Labor and Monopoly Capitalism: The Degradation of Work in the Twentieth Century* (Monthly Review Press, New York, 1974).

42. Dahl, *After the Revolution?*, p. 120.

삶의 정치적 영역과 여타 영역, 특히 경제적 영역을 예리하게 분리한다(일단 직장에서의 참여가 관례적 정치 활동 형태와 나란히 검토되면 파기되는 분리). 민주주의 정치 문화의 토대가 일상적 삶의 민주화에 놓여 있다라는 주장은 또한 정치적인 것을 재개념화할 필요가 있다는 주장이기도 하다.

직장 내 참여가 시민들의 정치적 삶의 일부로서 간주되기보다는 기술관료적 활동 내지는 전문가를 위한 문제로 간주된다면, 사회적으로 구분된 시민 문화의 겉보기의 '자연스러움'과 문제없는 성격은 강화될 것이다. 저킨은 유고슬라비아에서 기술관료 엘리트 쪽으로의 권력 이동이 하층 SES 시민의 정치 활동 후퇴에 대한 한 가지 이유라고 주장한다. 그들은 '조종되기를 거부'하고 있다는 것이다.[44] 또는, 시민 문화에서 유사한 배경을 가진 시민들처럼 그들은 자신들에게 전문지식이 없는 활동에 참여하는 것을 '합리적'이거나 그럴 가치가 있는 일로 간주하지 않는다. 또한 유고슬라비아 노동자 평의회에서의 참여만이 기술관료적이거나 전문가를 위한 문제로 간주되는 게 아니다. 자유민주주의 국가들에서 선거는 '하는 일이 마음에 들지 않을 때 항의할 수 있고 다음 선거에서 교체할 수 있는 시민들의 권리하에, 전문가들을 고정된 기간 동안 관직에 앉히는' 일로 간주된다.[45] 월린이 강조했듯이 정치적 삶에 대한 자유주의적 개념은 사회적 분업의 일부다.[46] 다른 영역에서처럼, 자유주의 정치 방법의 절차나 기법에서의 전문가들이 관직에 선출되도록 하는 것이 '경제적'이다. 이 전문성이 무엇에 있는 것인지 전혀 분명하

43. 산업 민주주의에 대한 많은 저자들은 그것이 (정치적) 민주주의와 같을 수 없다고 주장한다. 예를 들어, E. Rhenman, *Industrial Democracy and Industrial Management* (Tavistock, London, 1968), p. 42.

44. Zukin, *Beyond Marx and Tito*, p. 190. 또한 p. 178을 볼 것.

45. Dahl, *After the Revolution?*, p. 34.

46. S. Wolin, *Politics and Vision* (Allen & Unwin, London, 1961), p. 304. [180쪽.]

지 않지만 말이다.

대표와 정치 엘리트에 대한 이러한 개념은 『시민 문화』에 나오는 시민들의 정치적 영향력과 정치적 무관심이라는 '신화'에 대한 알몬드와 버바의 이데올로기적 논변의 기저에 놓여 있다. 전문가들이——그들의 반응성을 보증하는 신화와 더불어서——당신을 위해 정치적 삶을 돌볼 것이므로, 참여하지 않는 것이, 그래서 능동성의 비용을 아끼는 것이 합리적이다. 나는 이미 이러한 주장이 정치적 분업이 분업 일반처럼 성과 계급에 근거 지어져 있다는 사실을 어떻게 무시하는지 보여주었다. 하지만 전문가로서의 정치 엘리트라는 자유주의적 개념이 또 다른 기본적 문제를 흐려놓는다는 것 또한 강조되어야 한다. 자유주의적 관점에서는 문제가 되는 것이 적임의 전문가를 찾고 그들의 효율성을 선거의 재가를 통해 확실히 하는 것이다. 전문성의 사실 그 자체는 '정치적으로 중립적인'[47] 것으로 간주된다. 하지만 민주주의 이론가는, 아마도 특히 경험적 민주주의 이론가는 정치적 전문성을 문제적이지 않은 것으로 간주할 수 없다. 고대의 관념, 근본적 관념은 민주주의에서 모든 시민이 자기 자신의 삶에 대해서——다른 영역에서 그들의 특수한 지식과 기술이 무엇이든 간에——전문가라는 것이었다. 이러한 관념은 이제 내버려졌다. '민주주의'는 이제 시민들이 자기 자신의 정치적 삶에 관해 결정할 권리를 비정치 전문가들(오늘날 통상 변호사 및 여타 전문자격인)에게 양도하는 체계로 간주된다. 정치적인 것과 시민권에 대한 이러한 개념을 보건대, 노동계급 개인들과 여자들이 능동적인 것은 가치가 없는 일이라고 느끼는 것도 거의 놀랄 일은 아니다. 그들의 기술과 지식은, 국가의 정치에서건 아니면 직장에서건, 정치적으로 유관한 것으로 간주되지 않는다.

47. Dahl, *After the Revojition?*, p. 34.

자유민주주의 정치 구조에서의 변화들과 정치적 의식 및 정치적 개념에서의 변화들은 필수불가결하게 상호 연결되어 있다. 자유주의 이론이 문제의 일부라는 것이 인지될 때까지는, 민주주의 이론과 실천을 발전시킴에 있어 아무런 전진도 이루어지지 않을 것이다. 자본주의 경제나 유고슬라비아 자주관리와 그것들 각자의 정치적 구조 사이의 관련성에 대한 이해는 다만 자유주의 이론에 이런저런 '참여'를 덧붙인다고 해서 혹은 개별적 참여의 상관항들을 탐구한다고 해서 얻어지지 않을 것이다. 참여적 고전 이론가들은 대안적 접근을 위한 통찰을 제공하며, '대표', '정부' 그리고 '정치적' 공동체의 구조에 대한 대안적 개념을 제시한다. 경험 이론가들은 민주주의 이론에 정치적 삶에 대한 오로지 하나의 기술관료적 개념만 존재하는 양 논변한다. 하지만 루소는 우리에게 이 자유주의적 개념에 대한 체계적 비판을 제공하며, 시민들이 자신들의 손 안에 정치적 권위를 보유하는 대안적 민주주의 이론을 제시한다. 시민들은 자기 자신의 정부로서 행동한다. 선출된 대표들은 배제되지 않는다. 하지만 그들이 시민들을 대신하여 행동할 수 있겠지만, 시민들을 대신하여 결정하지 않는다. 그들은 시민들이 자신들의 정치적 권위를 양도하는 전문가가 아니다. '집행권 보유자들은 인민의 주인이 아니라 인민의 관리다.'[48]

참여 이론을 진지하게 취급하는 것에 반대하는 관례적 논변에 따르면, 참여 이론은 비현실적이다. 예컨대 참여 이론은 '사람들이 시간 비용에 상관없이 의사결정에 참여하고자 하는 것인 양 말하는' 이론이다. '솔직히 그 비용이란 그 시간이 다른 어떤 것——종종 실로 모임에 가는 것보다 훨씬 더 흥미롭고 중요한 어떤 것——을 하는 데 사용될 수도 있다는 것이다.'[49] '모임에 가는 것'에 대한 언급은 상상력 실패를 보여준

48. J.-J. Rousseau, *The Social Contract*, tr. M. Cranston (Penguin Books, Harmondsworth, Middlesex, 1968), p. 146.

다. 정치 활동이 일상적 삶에 가외적인 어떤 것이 아니라 일상적 삶의 일부가 되기 시작한다면, 다른 참여 방법들이 있다. 경험적 사실과 현실에 호소하면서 참여민주주의를 본래 불가능한 것으로 취급하는 반대들은 현실에 관한 기본적 문제를 무시한다. 즉 그 비용이 여자들과 노동계급에게 그토록 훨씬 더 무거워 보이는 것은 왜인가? 이는 사람들이 통상 한 번에 한 가지 일에 종사할 수 있다는 것을 부인하는 게 아니다. 오히려 그것은 구분된 시민 문화가 우리의 사회적 세계의 '자연적 사실'이 아니라는 것을, 그리고 자유주의 이론과 실천 너머로 바라보아야 할 충분한 이유가 있다는 것을 주장하는 것이다. 추상적으로는, 대안적 사회-정치적 맥락 안에서의 참여에 대해 명확한 것을 말하기가 매우 어렵다. 하지만 어떤 참여적 체계에서 (무작위로 나뉜) 시민들의 일정한 비율이 참여하지 않기로 선택하는 일이 있어야지만, 이론가들은 '자연적으로' 비정치적인 개인을 운운하는 것이 정당화될 것이리라.

시민적 참여

'시민적(civic)'이라는 단어는 책 제목에 나온다.[50] 하지만 독자들은 영국과 미국의 정치 정향 패턴에 대한 이러한 특정한 묘사가 왜 선택된 것인지 듣는 바가 없다. 또한 『시민 문화』는 왜 '시민적' 참여가 어떤 특정한 형태를 띠는지 설명하지 않는다. 나는 후자 문제를 우선 고찰할 것이다.

알몬드와 버바가 주장하기를, 시민 문화의 '공고화'는 다음과 같은 것을 의미했다. 즉 '노동계급은 정치에 진입할 수 있었고, 시행착오 과정 속에서 자신들의 요구를 표현할 언어와 그 요구들이 유효해지도록 만들 수단을 찾을 수 있었다'(p. 8). 분명 복지국가는 노동계급 사람들의

49. Dahl, *After the Revolution?*, p. 44.
50. [『시민 문화』의 원제목은 "The Civic Culture"다.]

삶에 커다란 향상을 가져왔다. 1970년대 말 불경기 때 이러한 향상은 10년이나 그보다 더 전에 그랬던 것만큼 파급력이 커 보이지는 않지만 말이다. 그렇지만 노동계급이 '발견'한 '언어'는 자유주의 대의 정치 및 그것의 경쟁하는 이익 단체들의 언어다. 이것이 민주주의에 대해 그리고 개인들이 세계를 이해하게 해주는 정치 이론 형태에 대해 함축하는 일체의 것과 더불어서 말이다. 그것은 노동계급이 '참여가 이미 잘 사는 사람들을 돕는' 체계 안에서 자신들의 요구를 성취할 수단을 갖는다고 주장하는 언어다. 다시 말해서, 『시민 문화』에서는 이익들이 보호되고 보통 시민의 요구가 충족되는 성공적인 메커니즘을 자유민주주의 정치 방법이 제공한다고 가정된다. 그러므로 시민적 참여는 선거 체계와 연결된 참여다. 시민적 내지는 민주주의적 참여가 취할 수 있는 형태에 대한 실체적인 정치적 물음을 위한 아무런 여지도 없으며, 혹은 그런 물음을 제기할 아무런 필요도 없다.

'참여 폭발'이 시민 문화 그 자체와 더불어서 임박했었다는 단서를 『시민 문화』와 그 시기에 대한 여타의 경험 연구는 전혀 제공하지 않았다. 경험적 연구자들은 '항의와 데모'에 관심을 기울이지도 않았다. W. R. 숀펠드는 이러한 누락에 대한 '아주 기이한' 비판 결여가 있었음을 지적했다.[51] 경험 이론이 제공하는 참여에 대한 관점——관례적인 선거 활동이나 선거 사이 활동을 벗어난 '비정통적' 정치 활동을 평가할 아무런 수단도 포함하고 있지 않은 관점——을 다른 이론가들이 광범위하게 수용하고 있음을 반영하는 결여. 자유민주주의의 정치적 방법은 특정한 정치적 기준들이나 정치적 도덕성이나 권리의 특정한 원리들과 연관되어 있지 않다. 바로 그렇기에 슘페터의 민주주의 개념은 몰가치적이고 과학적인 경험 이론과 그토록 잘 통하는 것으로 판명되었던 것이다. 다시 말해서

51. W. R. Schonfeld, 'The Meaning of Democratic Participation', *World Politics*, 28 (1975), pp. 134-58.

이론가들은 영원한 현재에 붙잡혀 있는바, 거기서 선거 참여의 확립된 형태들은 '민주주의적'이라고 기술되고 불릴 수 있으며, 하지만 다른 활동들에 대해서는, 혹은 민주주의적 정치 행위의 가능한 미래의 발전들에 대해서는 실질적인 그 무엇도 이야기될 수 없다.

비정통적 활동들은 아주 다양한 형태들을 취한다. 하지만 그것들은 무시되거나, '비민주주의적'인 것으로 일축되거나,[52] 아니면——전형적으로 중간계급 '공민적' 시민들이 가담하는——시민(공민?) 불복종의 경우처럼 모든 정치적 영향력을 강탈당하는 방식으로 정의된다. 배리가 그와 같은 한 가지 설명에 대해 신랄하게 논평했듯이, 그것은 정치적 행위를 영국 동화에 나오는 작은 소녀의 위협 수준으로 환원한다: '네가 그걸 하지 않는다면, 난 내가 아플 때까지 소리 지르고 또 소리 지를 거야.'[53] 민주주의 이론과 실천이 기존 자유민주주의에 대한 대안으로서 발전되기 위해서는, 정치 이론가들은 민주주의적 형태들을 도시 게릴라, 공장 점거, 무단 점유, 시민 불복종, 자기도움 조직의 설립, 선거 참여, 개별 목격자 활동 등으로 확장되는 다양한 활동들과 구별할 수 있게 해줄 기준의 정식화로 관심을 돌릴 필요가 있다. 이러한 과제의 일부로서 또한 무엇이 정치적 활동으로 셈해지는지를 고찰할 필요가 있다. 『시민 문화』에서 직장 내 참여는 정치적 삶에 필요한 정향과 기술을 발달시키기에는 비정치적인 경기장으로 취급된다. 하지만 앞서 말했듯이, 사회적 삶의 더 넓은 영역들로의 민주주의적 참여의 확장은 정치적 참여로서 그리고 능동적 시민권에 필수불가결한 것으로서 간주되어야 한다.

52. 시민 문화는 '온건의 문화'라고 불린다(p. 500). 하지만 '민주주의적' 활동들에 대한 협소한 견해, 그리고 계급과 성과 이 활동들 사이의 관련성을 하나의 문제로서 논의할 수 없는 무능력은 온건한 응답을 조장하지 않는다.

53. B. M. Barry, *The Liberal Theory of Justice: A Critical Examination of the Principal Doctrines of 'A Theory of Justice' by John Rawls* (Oxford University Press, Oxford, 1973), p. 153.

'공민적'이라는 용어를 선거 참여를 기술하기 위해 사용하면서 알몬드와 버바는 아마도 그것이 가치 있고 존중되는 정치적 이상들과 맺고 있는 관련성에 의지하고 싶을 것이다. 그 문화(그리고 문화에 어울리는 구조)는 모든 시민들이 자유롭게 정치적으로 행동할 수 있고 평화적이고 상호 책임 있는 방식으로 자유롭게 자신들의 목표를 달성할 수 있는 문화다. 자유민주주의 체계를 '시민적' 내지는 '민주주의적'이라고 특성 짓는 것은 이러한 이상들을 자유주의로 전유하는 것이다. 그리고 다시금, 이러한 동일시가 그토록 쉽게 수용되어야 할 이유는 전혀 없다. 나는 시민 문화를 시민 인문주의의 전통 속에 있는 것으로 볼 수 있다고 생각한다. J. G. A. 포콕은 그것을 '자기실현을 향한 개인의 발전은 개인이 시민으로서, 즉 자율적인 의사결정을 정치 공동체 내의 의식적이고 자율적인 참여자로서 행동할 때에만 가능'한 전통으로서 제시한다.[54] 시민적 정치적 삶에 대한 이러한 설명은 사회적으로 구분된 시민 문화보다는 참여적 민주주의 체계에 더 적합하다. 비록 『시민 문화』가 속해 있는 이론 학파에 대한 비판가들이 종종 가치 있는 자유주의 '시민적' 유산을 내버린다고 비난을 받지만 말이다.

이러한 비난은 비판가들의 논변과 그들이 속한 역사적 전통(자유주의 이론과 나란히 존재하며 동일한 사회경제적 발전의 일부로서 출현한 전통) 양자 모두를 오해한다. 이러한 오해가 악화되는 것은 정치적 삶에서의 '현실주의적' 대안이 종종 『시민 문화』의 서두에서처럼 오로지 다음 둘로 제시되기 때문이다. 즉 기존의 자유민주주의 아니면 전체주의.

54. J. G. A. Pocock, 'Civic Humanism and Its Role in Anglo-American Thought', in *Politics, Language and Time* (Methuen, London, 1972), p. 85. 포콕은 루소를 이 전통 속에 놓고 있으며, 또한 시민 인문주의는——보통은 자유주의 이론과 연결되지 않는 개념인——'소외 개념에 출발점을 제공'했다고 주장한다(p. 103).

덧붙여, 사회적 불평등 및 그러한 불평등이 자유민주주의적 정치 방법과 맺고 있는 필수불가결한 연관에 대한 비판은 종종 시민적 자유와 모든 자유주의적 가치들에 대한 공격으로 오표상된다. 경험 이론에 대한 비판가들은 자유주의의 역사와 문화 전체를 거부하는 게 아니라 그것으로부터 건축을 하고 있다. 그들의 근본적 논변은 자유주의 이론이 이행되지도 않았고 이행될 수도 없는 약속을 모든 시민에게 내놓았다는 것이다. 그 약속이 실현되려면, 시민 문화의 민주화, 자유민주주의 너머로의 발전이 필요하다. 파레크는 이러한 입장을 멋지게 진술했다.

> [대문자] 자유주의(Liberalism)는… 자유주의적 가치들을 정의하는 수많은 가능한 방법들 가운데 하나일 뿐이다. 자유주의적 가치들을 유지하면서—즉 소문자 'l'의 자유주의자이면서, 그 가치들을 [대문자] 자유주의가 하는 방식과는 달리 해석하고 정당화하는 것이 가능하다. … 실로, 어떤 사람이 정확히 [소문자] 자유주의자이기 때문에 [대문자] 자유주의자가 아니라는 것은 전적으로 이해 가능하다. 다시 말해서, 그는 근대 [대문자] 자유주의 사회가 그가 소중히 여기는 전통적인 자유주의적 가치들을 보호할 수 없다는 바로 그 이유에서 그것을 전복하기를 원할 수도 있는 것이다.[55]

자유주의적 가치들이 다르게 해석되고 정당화되려면, 종래의 경험 이론에 대한 이론적 대안들이 발전되어야 한다. 이는 경험 연구에 대한 무시를 함의하지 않는다. 오히려 경험 연구가 정치 참여와 민주주의의 기본 문제들에 빛을 비추어야 한다는 것을 함의한다. 현재로서는 경험

55. B. Parekh, 'Liberalism and Morality', in *The Morality of Politics*, ed. B. Parekh and R. N. Berki, (Allen & Unwin, London, 1972), p. 83. 또한 S. Lukes, *Individualism* (Blackwell, Oxford, 1973), 3부를 볼 것.

이론은 너무나도 빈번히 문제들의 존재를 흐려놓거나 부인한다. 또한 그것은 사회적으로 구조화된 불평등의 증거를, 현재 비활동적인 사람들의 참여 확장에 대한 극복 불가능한 장벽을 구성하는, 세계에 관한 '자연적 사실'로서 제시한다. 경험 연구가 시민 문화에 대한 우리의 이해를 방해하는 게 아니라 도와주려고 한다면, 그것은 새로운 틀에서 해석되어야 한다. 자유주의 이론의 개인주의적 토대는 방기되어야 한다. 정치적 활동의 개별적 상관자들의 집성은 정치 구조상의 관계를 조명해 줄 수 없는데, 왜냐하면 기본적 문제──구조는 계급 구분과 성 구분에 근거를 두고 있다는 사실──는 결코 그 자체로서 나타나지 않기 때문이다. 오히려 체계적으로 구조화된 불평등들은 어쩌다 어떤 특정한 방식으로 분배되는 개별적인 심리학적이고 개인적인 속성들로서 나타난다.

1970년대에 정치 이론에서 반가운 변화가 일어났다. 중요한 정치적 문제들('전통적'인 것과 새로운 것 양쪽 모두)이 논의되고 있으며, 이전 시절의 안락한 주장들은 더욱 폭넓게 의문시되고 있다. 하지만 '이론적 자기의식'[56]이 더욱 널리 퍼졌다고는 해도, 가치 있는 경험적 민주주의 이론을 생산하기 위해서는 할 일이 아주 많이 남아 있다. 일단 그것이 성취되면, 우리는 우리 자신의 사회적・정치적 세계를 이해할 수 있게 해주는 이론, '우리가 [정치적으로] 무엇을 할 것이며 어떻게 그것을 하는 일에 착수할 것인지 결정하는 것을 도[울]'[57] 수 있는 이론을 정말로 갖게 될 것이다. 그때까지 우리는 국민의 국민을 위한 시민 참여 실천의 이론인 '민주주의' 이론을 여전히 결여하고 있을 것이다.

56. W. E. Connolly, 'Theoretical Self-Conciousness', *Polity* 6 (1973), pp. 5-35.

57. J. Plamenatz, 'The Use of Political Theory', in *Political Philosophy* ed. A. Quinton, (Oxford University Press, London, 1967), p. 29.

8
가부장적 복지국가

레이먼드 윌리엄스의 『키워드』에 따르면 '복지국가(Welfare State)는 전쟁국가(Warfare State)와 구별되어 1939년에 처음으로 명명되었다.'[1] 복지국가는 제2차 세계대전에서 패한 파시스트 전쟁국가와 구별되었으며, 따라서 복지국가는 그 명칭이 부여될 때 민주주의와 동일시되었다. 1980년대 대부분의 서양 복지국가들은 또한 전쟁국가다. 하지만 이는 통상 그 국가들의 민주주의적 성격을 양보한 것으로 간주되지 않는다. 오히려 민주주의의 정도는 으레 계급 구조에 달려 있는 것으로 간주된다. 복지는 노동계급에게 사회적 임금을 제공한다. 그리고 적극적인[2] 사회민주주의적 견해는 복지국가가 모든 시민들이 갖는 형식적인 법률적 · 정치적 권리들에 사회적 의미를 부여하고 동등한 가치를 부여한다는 것이다. 복지국가에 대한 덜 적극적인 견해는 복지국가가 노동계급 시민들에

1. R. Williams, *Keywords: A Vocabulary of Culture and Society*, rev. ed. (Oxford University Press, New York: 1985), p. 333.
2. [positive. '긍정적인'으로 번역할 수도 있다. 바로 아래 나오는 '덜 적극적인'의 경우도 마찬가지다.]

게 권력을 행사하고 통제를 가하는 새로운 수단을 정부에 제공한다는 것이다. 하지만 양쪽 견해 지지자 모두 복지국가가 구성되는 성적으로 구별되는 방식을 인정하는 데 으레 실패한다. 또한 대다수 민주주의 이론가들은 복지국가의 가부장적 구조를 인지하지 못한다. 여자들과 남자들이 시민으로서 편입되는 바로 그 상이한 방식은 민주주의를 위해 중요한 것으로 간주된 적이 거의 없다.[3] 복지국가의 가장 초기 발달들이 국민국가 안에서 여자들이 시민권을 여전히 인정받지 못하거나 이제야 막 획득했을 때 일어났다는 사실조차도 으레 간과된다.[4]

나는 복지국가와 민주주의를 이해함에 있어 계급의 결정적 중요성을 반박하고자 하지 않는다. 복지국가에 대해 글을 쓰는 것은 대부분 노동계급에 대해 글을 쓰는 것이다. 그렇지만 나의 논의는 대다수 민주주의 이론가들에게 친숙하지 않은 방식으로 계급을 다룬다. 통상 그런 이론가들은 복지국가, 민주주의, 계급이 양성 관계의 특성에 전혀 주목하지 않고서도 이론적으로 논의될 수 있다고 가정한다. 나는 왜 그리고 어떻게 복지국가의 가부장적 구조가 이론적 의식으로부터 억압되었는지 몇 가지 이유를 제시할 것이다. 나는 또한 가부장적 복지국가에서 고용과 시민권의 연계, '여자들'이 '노동자'와 '시민'에 대립되어온 방식, 그리고 여자들과 복지와 시민권을 둘러싼 중심적 역설 등을 고찰할 것이다. 여기서 나는 '복지국가'로 영국, 호주, 미국을 지칭한다(나는 나의 경험적이고 역사적인 사례 다수를 영국에서 가져올 것이다). 스칸디나비아의

3. 나는 *The Sexual Contract* (Polity Press, Cambridge, 1988; Stanford University Press, Stanford CA, 1988)에서 '가부장제'의 근대적 개념을 여자들에 대한 남자들의 체계적 권력 행사로서 이론적으로 세공하여 제시했다. 쟁점들의 일부에 대한 간략한 논의는 2장을 볼 것.

4. 여자들은 호주에서 1902년, 미국에서 1920년, 영국에서 1928년에 시민으로서 선거권이 형식적으로 주어졌다(영국에서 1918년에 여성 선거권은 30세 이상 여자들에게 제한되었다).

더 발전된 복지국가들에서 여자들은 완전한 시민권에 더 가까이 이르렀으며, 하지만 아직 완전한 시민권을 성취하지는 못했다.[5]

지난 세기에 수많은 복지 정책은 오늘날 '여성쟁점(women's issues)'이라고 불리는 것과 관련이 있었다. 더구나 복지국가에 관한 논쟁의 상당 부분은 여자와 남자 각자의 사회적 자리와 직무에 관한 문제, 결혼의 구조, 남편과 아내의 권력 관계 등을 중심으로 돌아갔으며 또한 계속 그러고 있다. 따라서 복지국가에 대한 레이건 행정부의 공격이 가부장적 국가 구조를 떠받치려는 욕망에 의해 유발된 것으로 보인 것도 놀랍지 않다. 레이건 예산은 '본질적으로, … 인플레이션과 싸우고 자본주의를 안정시키려고 노력하는 만큼이나… 가부장제를 재확립하려고 노력한다.'[6] 오늘날 여자들의 위치를 고려하지 않으면서 복지국가와 시민권을 이해하는 것의 어려움을 예증하기는 어렵지 않다. 왜냐하면 동시대 여성주의자들은 복지국가 안에서의 여자들의 중요성과 여자들에게서의 복지국가의 중요성을 보여주는 대규모 증거와 논변을 생산해 놓았으니까 말이다.

이제 여자들은 수많은 복지혜택 수령자의 다수다. 가령 1980년대 미국에서 노인 의료보험 수령자 64.8%는 여자였으며, 또한 주거지원금 70%는 혼자 살거나 가정을 책임지는 여자들에게 돌아갔다.[7] 1979년에 이르면 아동부양세대보조(AFDC)를 받는 가족 80%는 여자가 책임지고

5. 스칸디나비아에 대해서는 예컨대 *Patriarchy in a Welfare Society*, ed. H. Holter (Universitetsforlaget, Oslo, 1984), 특히 H. Hernes, 'Women and the Welfare State: The Transition from Private to Public Depenece'와 *Unfinished Democracy: Women in Nordic Politics*, ed. E. Haavio-Mannila et al. (Pergamon Press, Oxford and New York, 1985)를 볼 것.

6. Z. Eisenstein, *Feminism and Sexual Equality* (Monthly Review Press, New York, 1984), p. 125.

7. B. Nelson, 'Women's Property and Women's Citizenship: Some Political Consequences of Economic Marginality', *Signs*, 10(2) (1984), p. 221.

있었다(그러한 가족의 수는 1961년과 1979년 사이에 4배 증가했다).[8] 여자들이 복지 수령자로서 그토록 두드러지는 주된 이유는 여자들이 남자들보다 더 가난할 공산이 크다는 데 있다('가난의 여성화'로서 알려지게 된 사실). 미국에서 1969년과 1979년 사이에, 공식 빈곤선 이하로 떨어진 남자가 책임지는 가족 비율이 감소했으며 여자가 책임지는 비율이 급격히 증가했다.[9] 1982년에 이르면 미성년 아이가 있는 가족의 약 5분의 1은 여자가 책임졌다. 하지만 이는 전체 빈곤 가족의 53%를 이루었으며,[10] 또한 여자 가장은 남자 가장에 비해 수입이 빈곤선 이하일 가능성이 3배 높았다.[11] 1980년에 이르면, 수입이 빈곤선 이하인 어른 세 명 중 두 명은 여자였다. 1980년 경제기회 국가자문위원회는 이런 추세가 지속될 경우 2000년이 되면 미국의 빈곤층 전체 인구가 여자와 아이로 이루어질 것이라고 보고했다.[12] 호주에서도 여자들은 가난할 공산이 크다. 1973년 빈곤조사위원회는 '장애인'을 둔 집단들 중 아버지 없는 가족이 가장 빈곤하다는 것과 그러한 가족 중 30%가 빈곤선 이하이며 다른 20%가 가까스로 빈곤선 위에 있다는 것을 발견했다.[13] 또한

8. S. Erie, M. Rein and B. Wiget, 'Women and the Reagan Revolution: Thermidor for the Social Welfare Economy', in *Families, Politics and Public Policy: A Feminist Dialogue on Women and the State*, ed. I. Diamond (Longman, New York, 1983), p. 96.
9. 같은 책, p. 100.
10. S. Kamerman, 'Women, Children and Poverty: Public Policies and Female-Headed Families in Industrialized Countries', *Signs*, 10(2) (1984), p. 250.
11. J. Smith, 'The Paradox of Women's Poverty: Wage-Earning Women and Economic Transformation', *Signs*, 10(2) (1984), p. 291.
12. B. Ehrenreich and F. Fox Piven, 'The Feminization of Poverty', *Dissent* (Spring 1984), p. 162.
13. L. Bryson, 'Women as Welfare Recipients: Women, Poverty and the State', in *Women, Social Welfare and the State*, ed. C. Baldock and B. Cass (Allen

상황은 1978-9년에도 나아지지 않았다. 그 당시에도 한부모 여성 41%가 빈곤선 이하였다.[14]

이제 복지국가는 여성 고용의 주요 원천이다. 가령 영국에서 국민보건서비스(National Health Service)는 그 나라에서 여자들의 가장 큰 단일 고용주다. NHS 고용인 약 4분의 3과 NHS 간호사 90%가 여자다.[15] 1981년 영국의 공중보건, 교육, 복지 부문에 5백만 이상의 일자리가 있었고(1961년보다 2백만이 늘어난 수치다), 이 일자리의 5분의 3은 여자들이 차지했다.[16] 1980년 미국에서 여자들은 사회복지와 관련하여 정부의 모든 층위에서 70%의 일자리를 차지했는데, 이는 전체 여성 고용 4분의 1이었으며 여성이 차지하는 전체 전문직의 약 절반이었다. 미국에서 고용은 대부분 주에서 그리고 지방 차원에서 제공된다. 연방 정부는 여성 일자리가 거의 없는 전쟁국가에 보조금을 지급한다. 여성 노동력의 0.5%만이 군 계약으로 고용된다. 한 추정에 따르면, 군 예산이 10억 달러 증가할 때마다 사회복지나 사적 부문에서 9,500개의 일자리가 여자들에게서 없어진다.[17]

& Unwin, Sydney, 1983), p. 135.

14. B. Cass, 'Rewards for Women's Work', in *Women, Social Science and Public Policy*, ed. J. Goodnow and C. Pateman (Allen & Unwin, Sydney, 1985), p. 92. 캐스는 또한 호주에서 식민지 및 포스트-식민지 자선금에 대한 청구를 하는 가난한 사람들 가운데 여자들과 그들의 아이들이 과잉대표되었다는 점에 주목한다. 이와 유사하게 영국에서 1834년부터 신구빈법의 전 기간 동안 보조금 수령자 대다수는 여자들이었으며, 극빈자들 가운데서 특히 그러했다. D. Groves, 'Members and Survivors: Women and Retirement Pensions Legislation', in *Women's Welfare Women's Rights*, ed. J. Lewis (Croom Helm, London and Canberra, 1983), p. 40을 볼 것.

15. L. Doyal, 'Women and the National Health Service: the Carers and the Careless', in *Women, Health and Healing*, ed. E. Lewin and V. Olesen (Tavistock, London, 1985), pp. 237, 253.

16. H. Land, 'Beggars Can't Be Choosers', *New Statesman* (17 May 1985), p. 8.

여자들은 또한 덜 명백한 방식으로 복지국가에 관계하고 있다. 그날그날 복지국가 공무원과 타협(과 대결)을 벌이는 것은 통상 여자들이다. 집세를 내고 사회복지사를 상대하고 아이들을 복지상담소에 데리고 가는 등의 일을 하는 것은 아버지가 아니라 어머니다. 여자들은 또한 복지 서비스나 복지 청구자에 대한 대우를 증진시키기 위한 정치적 캠페인과 행동의 선두에 서는 일이 빈번하다. 복지국가가 제공하는 서비스와 혜택은 전혀 포괄적이지 않다. 공적 제공이 부재하는 가운데, 세 나라 모두 가령 노인 돌봄과 관련된 일 대부분을 여자들이 집에서 하고 있다(나는 이 문제로 되돌아올 것이다).

끝으로, 이전의 논점들을 넓게 조망해 볼 때, 여자들이 대부분 배제되어 있는 복지국가의 한 영역이 있다. 복지국가의 입법, 정책입안, 고위 행정 등은 대부분 남자들 손에 있어왔으며 여전히 그렇다. 어떤 진보가 이루어졌다. 호주에서 (연방) 총리 및 총리내각부 안에 있는 여성지위청은 내각의 제안들을 감시하며, 여성예산프로그램은 모든 부서들에게 부서의 정책들이 가져올 여성에 대한 영향을 상세하게 평가하도록 요구한다.

헤겔의 두 가지 딜레마

왜 복지국가는 이러한 요인들을 고려하지 않고서도 여전히 논의될 수 있는지에 대해 어떤 통찰을 얻기 위해서는, 복지국가가 '헤겔의 딜레마'에 대한 응답이었다고 하는 도널드 문의 설명[18]을 살펴보는 것에서

17. Ehrenreich and Fox Piven, 'The Feminization of Poverty', p. 165. 또한 Erie et al., 'Women and the Reagan Revolution', pp. 100-3.
18. D. Moon, 'The Moral Basis of the Democratic Welfare State', in *Democracy and the Welfare State*, ed. Amy Gutmann (Princeton University Press, Princeton, NJ, 1988).

시작하는 게 유용하다. 헤겔은 시민권이 자본주의 시장의 작동으로 침식될 때 발생하는 도덕적 딜레마를 제시한 최초의 정치 이론가였다. 시장은 어떤 시민들을 사회적 참여를 위한 자원이 전무한 상태로, 그리하여 문이 말하듯이 '사회로부터의 부당한 추방' 상태로 남겨놓는다. 빈곤에 빠진 시민들은 자존(自尊)을 위한 수단을 결여하는 동시에 동료 시민들에게서 그들 자신과 동일한 가치가 있는 자로서 인정받을(민주주의에 기본적인 인정) 수단을 결여한다. 가난에 시달리는 개인들은 완전한 시민이 아니며, 또한——시장 참여의 결과가 어떤 방식으로 상쇄되지 않는다면——완전한 시민일 수 없다. 복지국가의 도덕적 기초는 T. H. 마셜이 민주주의 시민권의 '사회적 권리'라고 부른 것을 위한 자원의 제공에 있다. 그렇다면 문에게 있어 헤겔의 딜레마는 어떤 개인들이 자본주의 경제에(또는 헤겔의 용어로 시민사회의 영역에) 노동자로 참여하는 것이 평등한 시민으로서의 그들의 지위를 조롱할 수도 있다는 것과 관련이 있다. 동시대적 용어로 그것은 계급의 문제다. 또는 그것은 더 정확하게는, 대량 실업이 자본주의 경제의 항구적인 특성일 수도 있으니, 미고용된 사회적 추방인 최하층계급의 문제다. 이것이 중요한 문제라는 데는 의심의 여지가 없다. 그러나 문의 헤겔 독서는 헤겔이 직면하고 있는 딜레마의 일부에만 초점을 맞춘다.

자신들의 노동력을 생활임금을 주고 구입할 사람을 찾을 수 없다는 우연을 통해 사회적 추방인이 되는 시민 범주에 덧붙여 헤겔은 또한 시민사회와 시민권 안에 병합될 수 있는 능력이 없기 때문에 추방인이 되는 존재자 범주도 다루어야 했다. 헤겔에 따르면——그리고 '서양 정치철학 전통'에 들어가는 것이 허락되는 거의 모든 근대 이론가에 따르면——여자들은 시민사회에 입장할 수 있는, 자신의 노동력을 판매하고 시민이 될 수 있는 '개인들'의 속성과 능력을 자연적으로 결여하고 있다.[19] 헤겔이 주장하기를 여자들은 자연적인 사회적 추방인이다. 따라서 헤겔은 두 가지 딜레마에 대한 답을 찾아야 했다. 그리고 그의 이론은 계급 구분과 성 구분 양쪽 모두에 도덕적 근거를 제공한다. 복지국가는 여자들 문제에 해결책을 제공할 수 없었다. 헤겔의 응답은 여자들의 추방의 필요성을 재단언하는 동시에 여자들을 국가 안으로 병합하는 것이었다. 여자들은 남자들처럼 시민으로서 병합되지 않으며 시민사회와 국가로부터 분리된(또는 사회적으로 추방된) 가족의 구성원으로서 병합된다. 가족은 시민사회와 국가에 필수불가결하다. 하지만 가족은 관례적인 사회적 삶의 나머지와는 다른 기반 위에 구성되는바, 자신만의 귀속적 연합 원리를 갖는다.

오늘날 여자들은 형식적인 시민 지위를 얻었다. 그리고 그들의 동시대적인 사회적 지위는 헤겔에 의해 규정된 것과는 멀리 떨어져 있는 것처럼 보인다. 하지만 헤겔의 이론은 여전히 가부장제와 복지국가의 문제에서 매우 유관적이다. 대부분의 동시대 정치 이론가들은 통상 시민사회와 국가의 관계라든가 공적 권력(국가)이 사적 영역(경제나 계급 체계)에 할 수 있는 개입만을 고찰하지만 말이다. '공'과 '사'에 대한 이러한 견해는 헤겔의 범주들 가운데 두 가지(시민사회와 국가)가 셋째 범주(가족) 없이 이해될 수 있다는 것을 가정한다. 하지만 헤겔의 이론은 가족/시민사회/국가가 서로에 대한 관계 속에서만 이해될 수 있다는 것을 전제한다—그리고 그렇다면, 시민사회와 국가는 '사적' 가족과 대조해서 '공적'이 된다.

헤겔의 사회적 질서는 사적인 것과 공적인 것의 이중 분리를 내포한다. 시민사회와 국가 사이의(경제적 인간과 시민 사이의, 사적 기업과 공적 권력 사이의) 계급 구분, 그리고 사적 가족과 시민사회/국가라는 공적

19. 가령 T. Brennan and C. Pateman, '"Mere Auxiliaries to the Commonwealth": Women and the Origins of Liberalism,' *Political Studies*, 27 (1979), pp. 183-200을 볼 것. 또한 1장을 볼 것.

세계 사이의 가부장적 분리. 더 나아가, 시민사회/국가 영역의 공적 성격은 그것이 배제하는 것——가족의 사적 연합——을 통해서 구성되며 그 의미를 획득한다. 공과 사의 가부장적 구분은 또한 성적 구분이다. 여자들은, 공적 참여를 위한 능력을 자연적으로 결여하는바, 사랑과 혈연과 자연적 복종과 특수성에 의해 구성된 연합, 그들이 남자에 의해 지배되는 연합 내부에 머문다. 보편적 시민권의 공적 세계는 자유롭고 평등한 개인들의 연합, 소유권과 권리와 계약의 영역이며, 형식적으로 평등한 시민들로서 상호작용하는 남자들의 영역이다.

우리 사회의 기본 구조는 사적인 가족 영역이 국가와 국가 정책의 공적 세계로부터 분리되는 것에 의존하고 있다는 널리 퍼진 믿음은 참인 동시에 거짓이다. 사적 영역이 여자들의 고유한 장소로 간주되어온 것은 참이다. 여자들은 실제로 결코 공적 세계로부터 완전하게 배제된 적이 없지만, 복지국가의 정책들 덕분에 여자들의 그날그날의 경험은 사적 실존과 공적 실존의 분리를 반드시 확인해준다. 그 믿음은 또한 거짓이다. 즉 20세기 초 이래로 복지국가는 공적인 것으로부터 사적인 것으로 손을 뻗어왔으며 가족생활의 가부장적 구조를 유지하는 데 조력해왔다. 더구나 그 두 영역은 남자들이 언제나 두 곳 모두에서 적법한 자리를 가지고 있었기에 연결되어 있다. 남자들은 가장으로서 간주되어 왔으며(남편과 아버지로서 그들은 아내와 아이들에 대한 사회적으로나 법적으로 인가된 권력을 가졌다), 동시에 공적인 삶의 참여자로서 간주되어왔다. 실로 아내들 말고 그들이 가장이 될 수 있게 하는 '자연적' 남성적 능력은 아내들 말고 그들이 시민적 삶에 참여할 수 있게 하는 능력과 동일한 능력이다.

문의 헤겔 해석은 헤겔의 가부장적 시민권 구성의 지속적인 힘을 예증하는데, 그것은 보편적 내지는 민주적 시민권으로 가정된다. 자신들의 시민권에 도덕적 가치를 제공할 복지국가를 필요로 하는 사회로부터의 추방인은 남성 노동자들이다. 헤겔은 여기서 깊은 통찰을 보여주었다. 유급 고용은 시민권의 열쇠가 되었다. 노동자가 실업자일 때, 다른 시민들과 동등한 가치를 지닌 시민으로서 한 개인의 인정은 결핍된다. 복지국가와 시민권의 역사는(그리고 그것들이 이론화되어온 방식은) '고용 사회'[20]의 발전 역사와 밀접한 관련이 있다. 19세기 초기에 대부분의 노동자는 여전히 노동시장으로 완전히 병합되지 않았다. 전형적으로 그들은 다양한 직종에서 일했으며, 계절적 기반에서 일했으며, 생계 수단 일부를 자본주의 시장 바깥에서 얻었으며, '성 월요일'을 즐겼다. 1880년대가 되면 완전 고용은 이미 하나의 이상이 되어 있었고, 실업은 주된 사회적 쟁점이었다. 또한 국가지원 사회개혁에 대한 시끄러운 요구들이 들렸다(그리고 국가의 복지 증진 조치에 반대하는 주장들이 나왔다).[21] 하지만 '완전 고용'의 기치하에 누가 포함되었는가? 고용 사회 안에 아무런 자신의 몫도 마땅히 가지지 않는 것으로 간주되는 저 '자연적인' 사회적 추방인들의 지위는 무엇이었나? 여자들의 사회적 지위에서 수많은 변화에도 불구하고, 우리는 남편은 장(長)으로서 '밖에 나가서 벌이를 하고 필수품을 장만하고 또 가족의 재산을 운용하며 관리하는 특권을 갖는다'[22]라는 헤겔의 진술로부터 생각만큼 멀리 떨어져 있지 않다.

대부분의 민주주의 이론가들은 성적 분업의 정치적 중요성을 무시한다. 그들은 유급 고용과 시민권의 공적 세계를 마치 그 세계가 사적 영역과의 연계로부터 분리될 수 있는 듯 취급한다. 그래서 공적 영역의 남성적 성격은 억압되었다. 가령 T. H. 마셜은 1949년에 시민권에 대한

20. 나는 이 용어를 J. Keane and J. Owens, *After Full Employment* (Hutchinson, London, 1986), p. 11에서 가져왔다.

21. 같은 책, pp. 15-18, 89-90.

22. G. W. F. Hegel, *Philosophy of Right*, tr. T. M. Knox (Clarendon Press, Oxford, 1952) §171. [『법철학』, 337쪽.]

그의 영향력 있는 설명을 최초로 제시했는데, 이때 새로운 복지국가 정책들이 사회적 변화에 기여할 바와 관련하여 영국에서 낙관론이 절정에 있었다——하지만 이때 (앞으로 보여주겠지만) 여자들은 복지국가에서 모자란 시민으로 확인되고 있었다. 마셜은 '시민권은 공동체의 완전한 구성원인 사람들에게 부여되는 지위다'[23]라고 진술하며, 시민권에 대한 대부분의 동시대 학문적 논의들은 이 진술에 의문을 제기하지 않는다. 하지만 미국에서 흑인의 역사가 생생하고도 잔혹하게 보여주듯이, 이는 사실이 아니다. 형식적인 시민 지위는 완전한 사회적 자격이 아직 주어지지 않은 범주의 사람들에게 부여될 수도 있으며, 혹은 그런 사람들에 의해 쟁취될 수도 있다.

마셜은 19세기 공장법이 여자 노동자를 '보호'했다는 데 주목했다. 그리고 그는 그 보호가 여자들의 시민권 결여 때문이라고 본다. 그러나 그는 사적 영역에서의 여자들의 '보호'——종속을 지칭하는 공손한 방식——를 고려하지 않으며, 어떻게 그것이 자본주의 경제와 시민권에서 성적 분업과 관련되어 있는지 질문하지 않는다. 또한 19세기에 결혼한 여자들의 '몇 가지 중요한 측면에서 특이한'[24] 시민적 지위는, 그가 제한된 선거권에도 불구하고 '19세기에 공민권 형태에서 시민권(citizenship)이 보편적이었다'[25]라고 주장하고 또한 경제생활에서 '기본적인 공민권은 일할 권리'[26]라고 주장함에 있어, 그의 확신을 억제하지는 못한다. 마셜은 복지국가의 '사회권'의 목적을 '계급-완화(class-abatement)'로 본다. 이것은 '더 이상 사회의 가장 낮은 등급들에서의 궁핍이라는 명백한 골칫거

23. T. H. Marshall, 'Citizenship and Social Class', reprinted in *States and Societies*, ed. D. Held et al. (New York University Press, New York, 1983), p. 253.
24. [T. H. 마셜, T. 보토모어, 『시민권』, 조성은 옮김, 나눔의집, 2014, 40쪽.]
25. [같은 책, 43쪽.]
26. [같은 책, 37쪽.]

리를 완화하려는 시도에 불과하지 않다. … 그것은 더 이상… 사회적 건축물의 지하층에 있는 바닥을 끌어올리는 데 만족하지 않는다. 그것은 건물 전체를 개조하기 시작했다.'[27] 하지만 제기되어야 할 질문은 이렇다. 여자들은 그 건물 안에 있는가, 아니면 분리된 부속 건물에 있는가?

시민권과 고용

이론적으로나 역사적으로, 시민권의 핵심 기준은 '독립'이었다. 그리고 독립이라는 표제하에 포함되는 요소들은 남성적 속성들과 능력들에 기반하고 있었다. 남자들은 '개인', '노동자', '시민'에게 요구되는 능력을 소유하는 것으로 간주되어왔으나, 여자들은 그렇지 않다. 그 결과 '의존'의 의미는 여성적인 일체의 것과 연동된다──그리고 복지국가에서 여자들의 시민권은 역설과 모순으로 가득하다. 마셜의 은유를 사용하자면, 여자들은 시민사회와 국가라는 공적 건축물의 무단침입자와 동일시된다. '독립'의 세 요소는, 모두 남성적인 자기보호 능력과 연관되는바, 현 목적을 위해 특히 중요하다: 무기를 들 수 있는 능력, 재산을 소유할 수 있는 능력, 자기통치 능력.

첫째, 여자들은 자기보호 능력을 결여한다고 간주된다. 여자들은 '일방적으로 무장해제'[28]되었다. 여자들의 보호는 남자들이 떠맡는다. 하지만 신체적 안전은 복지국가에서 슬프게도 등한시되어온 여성복지의 기본 측면이다. 19세기부터 (J. S. 밀을 포함한) 여성주의자들은 남편이 아내에게 물리적 힘을 사용해도 처벌받지 않는 데 관심을 끌고 갔다.[29]

27. 같은 책, pp. 250-1, 257. [같은 책, 81쪽.]
28. 이 생생한 표현은 주디스 스팀의 것이다. 'Myths Necessary to the Pursuit of War'(미출간 논문), p. 11. [이 논문은 Judith Stiehm, *Arms and the Enlisted Woman*, Philadelphia: Temple University Press, 1989에 제8장으로 실렸다.]
29. 특히 F. Cobbe, 'Wife Torture in England', *The Contemporary Review*, 32 (1878), pp. 55-87을 볼 것. 또한 예컨대 1867년 하원에서 여자들에게 선거권을

하지만 여자/아내들은 그들의 남성 '보호자'로부터의 폭력에 대한 온당한 사회적, 법적 보호를 얻기가 여전히 힘든 처지에 있다. 시민권의 궁극적인 시험대인 국가 방위(또는, 홉스의 표현으로는 보호를 보호할 능력) 또한 남자의 특권이다. 미국과 영국 두 나라 모두에서 반여성참정권론자들은 무력 사용에 대한 여자들의 추정상의 무능력과 무의지를 중시했다. 또한 미국에서 전쟁국가 군대에서의 여자들과 전투 임무라는 쟁점 또한 남녀평등 헌법수정안에 반대하는 최근 캠페인에서 부각되었다. 여자들은 이제 군대에 들어갈 수 있으며, 따라서 이후의 민간인 고용에서 유용한 훈련을 받을 수 있다. 하지만 영국, 호주, 미국에서 여자들은 전투 임무가 금지되어 있다. 더 나아가 과거에 전쟁국가에서 여자들이 배제되었다는 사실은 참전 용사를 위한 복지국가 제공물이 역시 남자들에 대한 혜택이었음을 의미하는 것이었다. 호주와 미국에서 참전 용사들은, 시민으로서의 특별한 '기여' 때문에, 그들만의 별도로 관리되는 복지국가를 가지고 있었는데, 그 범위는 대학 교육에서의 특혜(미국의 제대군인원호법)에서 시작해서 그들만의 의료 혜택 및 병원 서비스와 (호주의 경우) 공공 서비스 부문에서의 고용 특혜에 이른다.

그렇지만 '민주주의' 복지국가에서는 군복무보다는 고용이 시민권의 열쇠다. 남성적인 '보호' 능력은 이제 일차적으로 독립의 둘째와 셋째 차원을 통해서 시민권 안으로 들어온다. 여자들 말고 남자들은 또한 재산 소유자로 간주되어왔다. 단지 일부 남자들만 물질적 재산을 소유하지만, '개인'으로서 모든 남자들은 그들이 자신들의 인신에서 소유하는 재산을 소유한다(그리고 보호할 수 있다). '노동자'로서 그들의 지위는

부여하기 위한 개정안을 도입할 때 밀이 했던 언급을 볼 것. *Women, the Family and Freedom: The Debate in Documents*, ed. S. Bell and K. Offen vol. 1 (Stanford University Press, Stanford, CA, 1983), p. 487.

그들이 자신들의 노동력에서 소유하는 재산을 계약을 통해 내줄 수 있는 역량에 의존한다. 여자들은 여전히 그러한 재산 소유자로서 사회적으로 완전하게 인정되지 않는다. 확실히 우리의 위치는――아내로서의 여자들이 남편의 법적 재산이라는 매우 '특이한' 위치를 가지고 있었고 여성주의자들이 아내를 노예에 비교했던――19세기 중반에 비해 극적으로 향상되었다. 하지만 오늘날 아내의 인신은 여전히 한 가지 중차대한 측면에서 남편의 재산이다. 최근에 이루어진 법적 개혁에도 불구하고, 영국에서 그리고 미국과 호주의 몇몇 주에서, 강간은 혼인 관계에서 여전히 법적으로 불가능한 것으로 간주되며, 그리하여 아내의 동의는 아무런 의미도 갖지 못한다. 하지만 이제 여자들은 자기통치적 개인들의 필수적 동의에 기초하는 것으로 여겨지는 국가 안에서 형식적으로 시민이다.[30] 여자들의 동의와 관련된 심원한 모순은 거의 주목되지 않은 편이고, 따라서 성적으로 구분된 시민권과 관련이 있다고는, 또는 복지국가가 민주주의적이라는 주장을 손상시킨다고는 여겨지지 않는다.

독립의 셋째 차원은 자기통치다. 남자들은 자신을 통치할(또는 보호할) 수 있는 존재로서 구성되어왔다. 그리고 남자가 자신을 통치할 수 있다면, 그는 또한 타인들을 통치하는 데 필요한 능력을 갖는다. 다만 소수의 남자들만이 공적 생활에서 타인들을 통치한다――하지만 모든 남자들이 가정의 남편과 장으로서 사적으로 통치한다. 가족의 통치자로서 남자는 또한 생계부양자다. 그는 노동자로서 자신의 노동력을 팔거나 자신의 자본으로 노동력을 살 수 있는, 그리고 아내와 가족을 부양할 수 있는 능력을 갖는다. 그리하여 그의 아내는 '보호받는다'. 생계부양자라는 범주는 아내가 경제적 피부양자나 '가정주부(housewives)'로서 구성된다는 것을 전제로 하는데, 이는 아내를 종속적 위치에 놓는다. 생계부

30. 더 상세한 내용은 4장을 볼 것.

양자/가정주부라는 이분법과 독립이 갖는 남성적 의미는 영국에서 지난 세기 중엽에 확립되었다. 자본주의 발전 초기에 여자들(과 아이들)은 임금노동자였다. '노동자'는 그의 일상적 욕구들에 신경을 써주고 그의 가정과 아이를 돌보아줄 경제적으로 의존적인 아내를 가진 남자가 되었다. 더구나 '계급' 역시 가부장적 범주로서 구성된다. '노동계급'은 노동하는 남자들의 계급이며, 또한 복지국가의 완전한 시민이다.

이러한 관찰을 통해 나는 보편적인 공민권으로서의 일할 권리, 즉 유급 고용의 권리에 대한 마셜의 진술로 다시 돌아온다. 일할 권리의 민주주의적 함축들은 공적인 '일'과 시민권의 세계와 사적인 부부관계 세계의 연계에 관심을 기울이지 않고서는 이해될 수 없다. '노동자'라는 게 의미하는 것은 부분적으로 남편으로서의 남자들의 지위와 권력에, 그리고 복지국가 시민으로서의 그들의 지위에 의존한다. 남성 노동자가 '생계부양자(breadwinner)'로서 구성되고 그의 아내가 그의 '피부양자(dependent)'로서 구성된다는 것은 영국과 호주의 인구조사 분류에서 공식적으로 표현되었다. 1851년 영국 인구조사에서, 무급 가사노동에 종사하는 여자들은 '유사한 종류의 유급 노동과 함께 생산적 계급 중 하나에 위치 지어져' 있었다.[31] 이러한 분류는 1871년 이후 바뀌었다. 그리고 1911년 무렵이면 무급 주부들은 경제적으로 활동적인 인구에서 완전히 제거되어 있었다. 호주에서 분류 범주를 놓고 벌어진 최초 갈등은 뉴사우스웨일스에서 고안한 분류표가 채택된 1890년에 해결되었다. 호주인들은 영국인보다 인구를 더 결정적으로 나누었다. 그리고 1891년 인구조사는 '생계부양자'와 '피부양자'라는 두 범주에 기초했다. 달리

31. D. Deacon, 'Political Arithmetic: The Nineteenth-Century Australian Census and the Construction of the Dependent Woman', *Signs*, 11(1) (1985), p. 31(나의 논의는 디컨에게 의존한다); 또한 H. Land, 'The Family Wage', *Feminist Review*, 6 (1980), p. 60.

명시적으로 진술되지 않는다면, 여자들의 업무는 가정적인 것으로 분류되었으며, 가사 노동자들은 피부양자 범주에 놓였다.

생계부양자-노동자로서의 남자들의 위치는 복지국가 안에 붙박이로 넣어져 있다. 복지국가에서 성적 구분은 자격 있는 빈자와 자격 없는 빈자라는 이분법의 존속보다 훨씬 더 적은 관심을 받아왔는데, 이 이분법은 복지국가 이전부터 있었다. 이는 특히 미국에서 분명하다. 미국에서는 '사회보장' 즉 '노동하는 생애 동안의 "공헌"을 통해 자신들에 대한 대가를 지불한 자격 있는 노동자들'을 위한 복지국가 정책과 '자격이 거의 없는 가난한 사람들'에게 주어지는 공적 '지원금'으로서 간주되는 '복지' 사이에 선명한 구별이 유지된다.[32] 복지국가가 대다수 미국인들이 상상할 수 있는 것 같은 것보다 훨씬 더 많은 것을 포괄하는 영국과 호주에서 '복지'가 이처럼 삭막한 의미를 갖지는 않지만, 그럼에도 자격 있는 빈자와 자격 없는 빈자에 대한 옛 구분은 여전히 살아 있으며 발길질을 해대고 있다. 'scrounger'(영국)와 'dole-bludger'(호주)라는 대중적인 두려움의 대상이 예증하듯이 말이다.[33] 그렇지만 비록 자격 있는 빈자와 자격 없는 빈자의 이분법이 어느 정도까지는 남편/아내와 노동자/주부의 구분과 중첩된다고 할지라도, 그것은 또한 복지국가의 가부장적 구조를 흐려놓는다.

여성주의 분석들은 얼마나 많은 복지 제공들이 2층 제도 안에서 확립되었는지를 보여주었다. 첫째, 자본주의 시장에 참여한 덕분에 그리고 그곳에서 우연한 행운 덕분에 '공적인' 사람으로서 개인에게 소용이

32. T. Skocpol, 'The Limits of the New Deal System and the Roots of Contemporary Welfare Dilemmas', in *Politics of Social Policy in the United States* ed. M. Weir, A. Orloff and T. Skocpol (Princeton University Press, Princeton, NJ, 1988).

33. ['scrounger'는 공짜로 얻어먹기만 하려는 사람을 말하며, 'dole-bludger'는 일할 의사가 없는 실업수당 생활자를 말한다.]

되는 혜택이 있다. 제도의 이 층에서 혜택은 통상 남자들에 의해 청구된다. 둘째, 혜택은 첫째 범주 개인들의 '피부양자'에게 또는 '사적인' 사람들, 통상 여자들에게 소용이 된다. 예를 들어 미국에서 남자들은 자신의 소득으로 '기여'한 보험 제도를 통해 혜택을 받는 '받을 자격이 있는' 노동자의 대다수다. 다른 한편 자산조사기반(means-tested) 프로그램에서 청구자의 대다수는 여자들이다——통상 아내나 어머니로서 청구를 하는 여자들. 이는 AFDC의 경우 분명한 사실인데, 여기서 여자들은 아이들을 혼자서 부양하는 어머니이기 때문에 지원을 받는다. 하지만 다른 프로그램도 마찬가지다. '사회보장 혜택을 받는 여자들 중 45%는 아내로서 청구를 한다.' 반면에 '남자들은, 가난한 남자조차도, 오로지 남편이나 아버지로서 혜택을 청구하는 경우는 거의 없다.'[34] 호주에서 구분은 어쩌면 한층 더 선명하게 규정되고 있는 것도 같다. 1980-1981년에 제도의 1층——여기서 혜택은 고용-연관적이며, 또한 경제적으로 독립적인 것으로 기대되지만 실업이나 질병 때문에 수입을 벌지 못하고 있는 사람들에 의해 청구되는데——에서 여자들은 청구인의 31.3%를 형성했다. 반면에 '피부양자 집단'의 경우 청구인의 73.3%가 여자였는데, 그들은 '그들을 부양할 수 없는 남자에게 의존'하고 있기 때문에, 또는 '남자가 죽거나 그들과 이혼하거나 그들을 버리지 않았다면, 남자가 그들을 부양했어야' 했기 때문에, 혜택을 받을 자격이 있었다.[35]

이와 같은 '보호' 결핍의 증거는 복지국가 안에서의 여자들의 생활수준에 대해 중요한 물음을 제기한다. 피부양자로서 결혼한 여자들은 남편에게서 생계 수단을 얻어야 하며, 그래서 아내들은 복지국가의 확립 이전에 모든 의존적인 사람들의 위치에 놓여 있다. 그들은 자신들의 생계를

34. Nelson, 'Women's Poverty and Women's Citizenship', pp. 222-3.

35. M. Owen, 'Women-A Wastefully Exploited Resource', *Search*, 15 (1984), pp. 271-2.

위해 다른 사람의 자비에 의존한다. 모든 남편이 자비롭다는 것이 일반적으로 가정된다. 아내는 남편의 생활수준을 동등하게 나누어 갖는 것으로 가정된다. 가정 안에서의 수입 분배는——윌리엄 톰슨이 이미 1825년에 그것의 중요성에 관심을 기울이긴 했지만[36]——통상 경제학자나 정치 이론가들이나 계급 및 복지국가에 관한 논변의 주역들에게 관심 있는 주제가 아니었다. 하지만 과거와 현재의 증거는 모든 남편이 자비롭다는 믿음이 착각임을 보여준다.[37] 그럼에도 불구하고 여자들은 결혼이 실패할 때보다는 결혼한 상태에서 형편이 더 나을 가능성이 높다. 여자들이 가난한 사람들 가운데서 그토록 현저하게 나타나는 한 가지 이유는 최근 미국에서 나온 증거가 보여주듯 이혼 이후에 여자의 생활수준이

36. 톰슨(Thompson)은 공리주의자였다. 하지만 여성주의자, 협동조합 사회주의자이기도 했으며, 그래서 그는 그의 개인주의를 대다수 공리주의자들보다 더 심각하게 취했다. *Appeal of One Half the Human Race, Women, against the Presensions of the Other Half, Men, to Retain Them in Political, and then in Civil and Domestic Slavery* (Source Book Press, New York, 1970[1825년 초판 출간])에서, 톰슨은 이익 내지는 '행복 수단'의 분배를 바라보는 것의 중요성에 대해 쓰면서, '이익의 분할'이 '모든 가족의 모든 **개인**에게 실감이 날 때까지' 진행되어야만 한다고 주장한다. 그렇지 않고 남편과 아버지의 전제하에서는 '그들 각각의 이익은 주인의 이익에 일치하거나 종속되는 한에서만 증진된다'(pp. 46-7, 49).

37. 비어트릭스 캠벨(Beatrix Campbell)이 우리에게 상기시켜주듯이, '우리는 비밀을 지킴으로써 남자들이 여자들의 가난에 가담하는 것의 창피함을 막는다. 가계 예산은 남자와 여자 사이에서의 **사적** 정산으로 간주되며, 가정 내에서의 노동계급 수입에 대한 남자들의 불공평한 분배는 노동계급 운동 내에서 그들이 쟁취한 권리이며 그 운동 내부에서 아직은 **공적** 정치적 압력을 받지 않는다'(*Wigan Pier Revisited: Poverty and Politics in the 80s*, Virago Press, London, 1984, p. 57). 아내들은 통상 아이들 먹는 것과 집세 내는 것 등등을 확실히 하는 데 책임이 있다. 하지만 그렇다고 해서 그들이 이러한 기본적 필요들을 돌보는 데 얼마나 많은 돈이 할당되는지를 결정한다는 뜻은 아니다. 더구나 경제적으로 어려운 시기에 아내들은 종종 돈만이 아니라 먹을 것도 부족하다. 아내들은 '생계부양자'와 아이들이 그들보다 먼저 먹는 것을 확실히 할 것이다.

70%까지 떨어질 수 있는 반면에 남자의 생활수준은 거의 50%까지 올라갈 수 있다는 데 있다.[38]

'임금'에 대한 관습적 이해는 여자들의 생활수준을 남자들과 별도로 조사할 필요가 전혀 없음을 암시한다. 임금 개념은 공적인 고용의 세계와 사적인 부부관계 영역의 가부장적 분리와 통합을 표현하고 응축해왔다. 복지국가와 사회적 임금을 위한 논변들 속에서, 임금은 통상 개인의 노동력 판매에 대한 답례로 취급된다. 그렇지만, 생계부양자/가정주부라는 대립이 일단 굳어지자, '임금'은 몇 사람의 생계를 제공해야만 했다. 자본과 노동의 투쟁, 그리고 복지국가에 관한 논쟁은 가족 임금에 관한 것이 되었다. '생활임금(living wage)'은 노동자 자신을 부양하기 위해 필요한 것으로 정의되기보다는 아내와 가족을 부양하기 위해 가족 부양자로서 일하는 노동자에게 필요한 것으로 정의되었다. 임금은 노동자 자신의 노동력을 재생산하기에 충분한 어떤 것이 아니라 가정주부의 무급 노동과 결합하여 현재와 미래의 노동 인구의 노동력을 재생산하기에 충분한 어떤 것이다.

호주 인구조사 분류 체계 설계자인 T. A. 콜란은 1891년 인구조사 『보고서』에서 여자들의 고용에 대해 논했다. 그는 유급 노동 시장에서 기혼 여성이 남자들의 임금을 떨어뜨렸으며 그리하여 일반적인 생활수준을 저하시켰다고 주장했다.[39] 여자들의 고용에 대한 그의 논법은 지난 세기에 가족 임금을 확보하려는 교섭을 지지하기 위해 노동조합운동에 의해 이용되어왔다. 1909년 영국의 노동당 회의와 노동조합회의에서 아내의 고용을 전적으로 금하자는 안건이 발의되었으며, 최근인 1982년에도 가족 임금이 임금 협상에서 노조를 강화한다고 주장하는 가족

....

38. L. J. Weitzman, *The Divorce Revolution* (The Free Press, New York, 1985), 10장, 특히 pp. 337-40.

39. Deacon, 'Political Arithmetic', p. 39.

임금 옹호론이 출간되었다.[40] 1907년 호주에서 가족 임금은, 영연방 중재재판소의 그 유명한 수확자 판결을 통해 법으로 명시되었다. 히긴스 판사는 법적으로 보장된 최소 임금을 인정하는 판결을 내렸다——그리고는, 생활임금은 미숙련 노동자와 그의 (피부양) 아내와 세 아이가 적정하게 안락한 생활을 할 수 있기에 충분해야 한다고 규정했다.

물론 1907년 이래로 아주 많은 것이 변했다. 자본주의의 구조적 변화들로 인해 다수의 기혼 여성이 유급 고용될 수 있게 되었다. 1970년대의 동일 임금 입법은, 임금을 원칙적으로 개인에 대한 지불로 인정하는바, 가족 임금이 한물간 것처럼 보이게 만들 수도 있을 것이다. 그리고 그것은 언제나 수많은, 어쩌면 대부분의 노동계급 가족에게 신화였다.[41] 피부양자 아내의 사회적 이상이 지닌 힘에도 불구하고, 수많은 노동계급 아내들은 언제나 필요 때문에 유급 노동에 참여해왔다. 가족은 남편의 임금으로 생존할 수 없었으며, 아내 또한 임금 노동자로서건, 집에서 재택근무를 하건, 세탁물이나 하숙인을 들이건, '비공식적' 경제에 여타의 방식으로 참여하건, 돈을 벌어야만 했다. 1976년 영국에서 (모두가 남자는 아니었던) '가장'의 임금과 급여는 가정 수입의 51%를 형성했다.[42] 제2차 세계대전 이래로 자본주의 경제 국가들에서의 제조업 쇠퇴와 서비스 부문 팽창은 여자들에게 '알맞은' 것으로 여겨지는 일자리를 창출해왔다. 미국에서 1970년과 1980년 사이에 천삼백만 명 이상의 여자들이 유급 노동 인구로 진입했다.[43] 영국에서, 남성과 여성 고용의 현 추세가 계속된다면, 여자 고용인은 10년이 지나지 않아 남자들의

40. A. Phillips, *Hidden Hands: Women and Economic Politics* (Pluto Press, London, 1983), p. 76에서 인용.

41. M. Barrett and M. McIntosh, 'The "Family Wage": Some Problems for Socialists and Feminists', *Capital and Class*, 11 (1980), pp. 56-9.

42. 같은 책, p. 58.

43. Smith, 'The Paradox of Women's Poverty', p. 300.

수를 넘어설 것이다.[44] 그럼에도 불구하고 이 극적인 변동조차도 여자들을 고용 사회의 완전한 성원으로 만들기에 충분하지 못했다. '노동'을 할 시민적 권리는 여자들에게 여전히 마지못해 인정된다. 직장에서 여자들은 여전히 일차적으로 노동자가 아니라 아내나 어머니로 지각된다.[45] 여자들의 임금은 생계부양자의 임금에 대한 '보충물'이라는 견해 또한 널리 퍼져 있다. 여자들은 남자들과 동일한 방식으로 임금을 필요로 하지 않는다고—그래서 여자들이 남자보다 임금이 적어도 적법할 수 있는 것이라고—여겨진다.

영연방 중재재판소가 가족 임금을 위한 법을 제정했을 때, 호주 남성 노동 인구의 45%는 독신이었다.[46] 하지만 1912년(과일 수확자 관련 사건에서) 히긴스 판사는 여자들은 피부양자에 대한 책임을 지지 않기 때문에 통상 여자들이 하는 일은 남자의 급료보다 더 적게 지불될 수 있다고 판결했다. 반대로, 많은 남자들이 가족 임금을 받으면서 가족이 없었고 또한 생계부양자에게는 피부양자가 생활수준을 같이해야 하는지를 결정할 권한이 주어진 반면에, 많은 여자들은 '피부양자'의 임금으로 피부양자를 부양하기 위해 분투하고 있었다. 엘레노어 래스본은 세계대전 직후 영국에서 유급 고용 여자 중 3분의 1이 피부양자를 부양하는 데 전적으로나 부분적으로 책임이 있었다고 추정했다.[47] 거의 동일한

44. Phillips, *Hidden Hands*, p. 21.

45. 이러한 지각은 여자들과 남자들 양쪽 모두에게 공통적이다. (나는 여자들의 자기 지각이 종종 시사되듯 '사회화'의 결과인 것이 아니라 가정과 직장에서의 자신들의 구조적 위치에 대한 현실적 평가라고 주장하고자 한다.) 여성 노동자에 대한 이러한 견해에 대한 경험적 증거로는 가령 A. Pollert, *Girls, Wives, Factory Lives* (Macmillan, London, 1981)과 J. Wacjman, *Women in Control: Dilemmas of a Workers' Cooperative* (St Martin's Press, New York, 1983)를 볼 것.

46. C. Baldock, 'Pulbic Policies and the Paid Work of Women', in Baldock and Cass, *Women, Social Welfare and the State*, pp. 34, 40.

비율의 여자 생계부양자들이 1928년 호주의 빅토리아 시대 제조업 조사에서 발견되었다.[48] 그럼에도 불구하고 여자들을 남자의 피부양자로 분류하는 것이 1918년 뉴사우스웨일스 주에서 인정되는 여자들의 생활임금을 위한 근거였다. 여자에게 더 낮은 임금은 법으로 명시되었고, (1974년 양성 모두를 위한 국민 최저임금이 인정될 때까지는) 남성 급료의 50~54%로 정해져 있었다. 다시금 영국에서, 1960년대 말과 1970년대에, 국가물가소득위원회는 저임금을 조사했으며, 시간제 노동자로서 여자들은 스스로를 부양하기 위해 자신들의 임금에 의존하지 않는다고 주장했다.[49] 미국에서는 1985년이 되어서도 다음과 같이 진술되었다. '여자들은 더 많은 돈에 대한 긴급한 필요가 없어서 더 낮은 임금으로도 일하려고 하기 때문에 일반적으로 [남자들보다] 보수가 적은 편이었다. 여자들은 결혼을 했거나, 독신으로 집에서 살거나, 친구들과 같이 산다.'[50]

여자들은 복지 청구인으로서 현저한데, 이는 오늘날 가난한 것이 대개 여자들이기 때문이다——그리고 여자들이 가난한 주된 이유는 아마도 대부분의 여자들이 생활임금을 지불하는 일자리를 구하기가 매우 어렵기 때문이다. 동일 임금 입법은 성적으로 차별화된 직업 구조의 장벽을 극복할 수 없다. 자본주의 경제는 가부장적이며, 남자의 직업과 여자의 직업으로 분리되어 있다. 양성은 통상 함께 일하지 않으며, 또한 유사한 일에 대해 동일한 급료를 지불받지도 않는다. 예를 들어 미국에서

47. Land, 'The Family Wage', p. 62.
48. B. Cass, 'Redistribution to Children and to Mothers: A History of Child Endowment and Family Allowances', in Baldock and Cass, *Women, Social Welfare and the State*, p. 62.
49. Campbell, *Wigan Pier Revisited*, pp. 130-1.
50. A. Hacker, '"Welfare": The Future of an Illusion', *New York Review of Books*, 28 February 1985, p. 41.

여자들의 일자리 80%는 노동부에서 제시한 목록에서 420개 직업 중 단지 20개에 있을 뿐이다.[51] 고용된 여자들의 절반 이상은 75%가 여성인 직업에서 일하며, 20% 이상이 95%가 여성인 직업에서 일한다.[52] 1986년 호주에서 여자 고용인의 59.5%는 '사무, 판매, 서비스'라는 직업 범주에서 일했다. 267개 직업 범주 가운데 단지 69개에서 여성 비율은 3분의 1이나 그 이상에 도달했다.[53] 분리는 매우 견고하다. 가령 영국에서 여자들 중 84%는 1971년에 여자들이 대부분인 직업에서 일했는데, 이는 1951년과 동일한 퍼센티지였다. 1901년에 그 수는 88%였다.[54]

경제는 또한 수직적으로 분리되어 있다. 대부분의 여성 일자리는 비숙련(unskilled)[55] 일자리이며 지위가 낮다. 전문직에서조차도 여자들은 직업 위계의 더 낮은 말단에 몰려 있다. 영국 국민보건서비스는 유용한 예증을 제공한다. 고용인의 약 3분의 1은 보조 노동자로서 최하층에 있으며, 그들 가운데 약 4분의 3은 여성이다. 그들의 노동은 성-분리되어 있으며, 따라서 여자 노동자들은 음식 제공과 가사일을 수행한다. 앞서 지적했듯이 NHS 간호사 90%가 여성이지만, 상급 간호직 4분의 1은 남자가 차지하고 있다. 명망 있는 층위에서는, 컨설턴트의 약 10%만이 여성이며, 그들은 일정한 전문 부분으로, 특히 아동 관련 부문으로

51. Ehrenreich and Fox Piven, 'The Feminization of Poverty', p. 163.

52. S. Hewlett, *A Lesser Life: The Myth of Women's Liberation in America* (William Morrow, New York, 1986), p. 76.

53. Women' Bureau, Department of Employment and Industrial Relations, *Women At Work* (April 1986).

54. I. Bruegel, 'Women's Employment, Legislation and the Labour Market', in Lewis, *Women' Welfare*, p. 133과 표 7.4.

55. '숙련(skill)'은 또 하나의 가부장적 범주다. '숙련된(skilled)' 것으로 간주되는 것은 남자들의 일이다. C. Cockburn, *Brothers: Male Dominance and Technological Change* (Pluto Press, London, 1983), pp. 112-22에 나오는 논의를 볼 것.

분리되어 있다(1977년에는 여성이 32.7%).[56]

많은 여자들은 또한 다른 (무급) 일의 요구 때문에든 아니면 전일제 일을 구할 수 없기 때문이든 시간제로 일한다. 1986년 호주에서 모든 전일제 고용인의 57.4%는 기혼 여성이었다.[57] 영국에서 노동 인구 여성 다섯 명 당 두 명은 30시간이나 그 이하로 고용되고 있다. 그렇지만 전일제 여성 노동자의 시간당 급료는 1982년에 단지 남자들의 75.1%였다(그리고 초과 근무를 할 공산이 큰 것은 남자들이다).[58] 1980년에 여자들은 보수가 가장 낮은 6개 직업에서 고용인의 64%를 이루었다.[59] 1970년대에 여자들의 수입은 대부분의 나라들에서 남자들의 수입과 비교해 약간 상승했지만 미국에서는 아니다. 1984년에 만 1년에 걸친 전일제 노동자로서의 여자들의 수입 중앙값은 14.479 달러인 반면에 남자들은 23.218 달러였다.[60] 미국에서 서비스 부문의 성장은 대부분 시간제 노동의 성장이었다. 1980년에 사적인 부문에서 모든 일자리의 약 4분의 1은 시간제였다. 1970년과 1980년 사이에 나타난 거의 모든 새로운 일자리는 평균 임금 이하인 영역이었다. 1980년에 '[여자들의] 51%는 기능노동자의 임금의 66% 이하로 지불하는 일자리를 가지고 있었다.'[61]

여자의 노동과 복지

기혼 여성을 포함해 수많은 여자들이 이제 유급 고용 상태에 있지만, '노동자'로서의 여자들의 지위는 여전히 위태로운 적법성의 상태에 있다.

56. Doyle, 'Women and the National Health Service', pp. 250-4. 또한 A. Oakley, 'Women and Health Policy', in Lewis, *Women's Welfare*, p. 120과 표 6.3.
57. *Women at Work*, April 1986.
58. Phillips, *Hidden Hands*, p. 15.
59. Bruegel, 'Women's Employment', p. 135.
60. Hewlett, *A Lesser Life*, p. 72.
61. Smith, 'The Paradox of Women's Poverty', pp. 304, 307; 인용, p. 306.

그러므로, 민주적 시민으로서의 여자들의 지위 또한 그러하다. 개인이 자본주의 시장에 대한 참여를 통해서만 다른 시민들로부터 동등하게 가치 있는 시민으로서 인정을 얻을 수 있다면, 자기존중과 시민으로서의 존중이 고용 사회라는 공적 세계에서 '성취'된다면, 여자들은 가치 있는 시민으로서 인정받을 수 있는 수단을 여전히 결여하고 있다. 복지국가의 정책들 역시 여자들에게 시민으로서의 존중을 획득할 자원 중 다수를 제공하지 않았다. 마셜이 말하는 복지국가에서의 시민권의 사회적 권리들은 남자들에게 어려움 없이 확장될 수 있었다. 시장 참여자로서 남자들은 공적 기여를 하는 것으로 간주될 수 있었으며, 보다 직접적으로 기여하도록 국가에 의해 소집될 수 있는 위치에 있었다. 이는 남자들에게 복지국가의 혜택을 받을 자격을 주었다. 하지만 어떻게 남자의 피부양자인 여자들이, 그들의 적법한 '노동'은 사적 영역에 위치하는 것으로 여겨지는바, 복지국가의 시민일 수 있겠는가? 여자들은 무엇을 기여할 수 있겠으며, 혹은 기여했는가? 역설적인 답은 이렇다: 여자들은——복지를——기여했다.

복지국가의 발달은 복지의 일정한 측면들이 일차적으로 공적 제공을 통해서가 아니라 집에서 여자들(아내들)에 의해 제공될 수 있고 제공되어야 한다는 것을 전제해왔다. 주부의 '노동'은 병든 남편과 나이 든——아마도 병약한——친척들의 돌봄을 포함할 수 있었다. 복지국가 정책들은 아내/여자들이 사적 영역에 대한 여자들의 책임의 일부로서 가장된바 복지 서비스를 무료로 제공한다는 것을 다양한 방식으로 확실히 해왔다. 복지국가의 재정 위기에 대한 글은 그동안 많았다. 그렇지만 복지의 어떤 영역들이 사적인 여자들의 문제로 간주되지 않았다면 위기는 더욱 격심했을 것이다. 복지국가에서의 공적 지출에 대한 대처와 레이건 정부의 공격이 가족 안에서의 애정 어린 돌봄에 대한 칭송과, 즉 아내(주부)로부터 한층 더 많은 무급 복지를 획득하려는 시도와 손을 맞잡고 간다는 것은 전혀 놀랍지 않다. 영국의 간병수당(Invalid Care Allowance)은 아내가 사적 복지를 제공하는 것을 복지국가가 확실히 하는 방식을 보여주는 특히 노골적인 사례였다. 그 수당은——성차별금지법이 통과된 해이기도 한——1975년에 도입되었다. 그것은 남자에게 지불되거나 병들었거나 장애가 있거나 늙은 (반드시 친척은 아닌) 사람을 돌보기 위해 유급 고용을 포기한 미혼 여성에게 지불되었다. 기혼 여성(또는 동거 여성)은 수당을 받을 자격이 없었다.

증거가 보여주듯이, 그와 같은 돌봄을 제공하는 것은 기혼 여성일 공산이 크다. 1976년 영국에서의 추산에 따르면, 이백만 명의 여자들이 성인 친척을 돌보고 있었으며, 영국 북부의 한 조사에 따르면 16세 미만 아이들을 돌보는 어머니보다 더 많은 사람들이 성인 친척을 돌보고 있었다.[62] 남자가 아니라 여자가 타인을 돌본다는 가정의 귀결은 여자는 또한 자신을 돌보아야만 한다는 것이다. 여러 조사들에 따르면, 영국에서 혼자 사는 여자들은 가정 도우미 서비스를 받으려면 남자들보다 더 병약해야만 한다. 또한 한 노인 가정 연구에 따르면, 남편과 함께 시설에 허락이 된 허약하고 늙은 여자들은 할 일을 다하지 못했다는 이유로 직원들로부터의 적대감에 직면했다.[63] 다시금 여자들의 시민권은 모순과 역설로 가득하다. 여자들은 복지를 제공해야만 하며, 스스로를 돌보아야만 한다. 그래서 여자들은 이러한 과제를 위해 필요한 능력을 가진 것으로 가정되어야만 한다. 하지만 복지국가의 발전은 또한 여자들이

62. J. Dale and P. Foster, *Feminists and the Welfare State* (Routledge & Kegan Paul, London, 1986), p. 112.

63. H. Land, 'Who Cares for the Family?', *Journal of Social Policy* 7(3) (1978), pp. 268-9. 랜드가 지적하기를, 오래된 빈민구제법하에서조차도 남자보다 두 배 많은 여자들이 원외 구제를 받았으며, 병자나 노약자를 위한 구빈원 수용실에는 여자들보다 더욱 많은 남자들이 있었다. 여자들은 신체가 건강한 자들을 위한 수용실에 적합하다고 간주되었다.

필연적으로 남자들의 보호를 필요로 하고 남자들에게 의존한다는 것을 전제해왔다.

복지국가는 남자들의 피부양자라고 하는 여자의 정체성을 직접적으로도 간접적으로도 강화했다. 가령 영국과 호주에서 동거 규정은 여자들이 성적 파트너로서 남자와 함께 산다면 필연적으로 경제적으로 남자에게 의존하고 있어야만 한다는 추정을 명시적으로 표현한다. 동거하고 있다는 판결이 내려지면, 여자는 복지혜택 자격을 상실한다. 동거 규정의 결과는 시민들에 대한 성적으로 구분된 통제일 뿐 아니라 복지국가가 경감시키려고 꾀하는 가난과 여타 문제들의 악화다. 오늘날 영국에서

> 남자가 들어와 살면, 여자의 독립——지로용지[복지 수표]에 적힌 그녀 자신의 이름——은 자동적으로 교체된다. 남자는 청구인이 되며 여자는 남자의 피부양자가 된다. 여자는 수입과 지출 모두에서 통제를 상실하며, 이는 종종 재앙적인 결과를 낳는다. 집세가 지불되지 않으며, 연료비 청구서를 지나치며, 연체금이 늘어난다.[64]

무엇이 복지국가의 일부로 간주되는지를 묻는 것이 중요하다. 호주와 영국에서 과세 제도와 이전 지출(transfer payments)은 합쳐져서 복지국가의 세금-이전 제도를 형성한다. 호주에서 세금 환급은 피부양 배우자(통상적으로 물론 아내)가 받을 수 있다. 영국에서 과세 제도는 언제나 과세 목적으로 아내의 수입을 남편의 것으로 취급해왔다. 상대적으로 최근에 와서야 아내의 수입에 대해 내국세청과 교신하는 것은 남편의 특권이기를 멈추었으며, 남편은 아내의 세금 납부에 대한 환불금 수령을 멈추었다. 기혼 남성은 피부양 아내를 부양한다는 가정에 기초하여

64. Campbell, *Wagan Pier Revisited*, p. 76.

여전히 세금 공제를 주장할 수 있다. 여자들의 의존성은 또한 호주, 영국, 미국에서 아이 돌봄 시설의 극히 제한된 공적 제공을 통해 강요되는데, 이는 여자들이 고용 사회에 온전하게 참여하는 것에 대한 심각한 장애물을 만들어낸다. 스칸디나비아와는 달리 이 세 나라 모두에서 가정 바깥에서의 아이 돌봄은 매우 논쟁적인 쟁점이다.

복지국가 입법은 또한 여자들은 사적 복지를 제공함으로써 '기여'를 한다는 가정하에 틀지어졌으며, 또한 처음부터 여자들에게는 복지국가 안에서 온전한 시민권이 주어지지 않았다. 미국에서 '원래 ADC(지금은 AFDC)의 목적은 어머니들을 유급 노동력에 들어가지 않게 하는 것이었다. … 반면에 사회보장 퇴직프로그램은 백인 남성 노동자들의 필요에 부응해서 의식적으로 조직되었다.'[65] 영국에서 최초의 국가보험제도 내지는 기여제는 1911년에 수립되었다. 나중에 이 제도의 주 설계자 가운데 한 명은 여자들은 '자기 자신을 위해서가 아니라 다른 사람을 위해서 보험을 원'하기 때문에 완전히 배제되어야 했다고 말했다. 그 제도가 도입되기 2년 전에, 현대 영국 복지국가의 아버지 윌리엄 베버리지는 실업을 다루는 책에서 '이상적인 [사회적] 단위는 남자만의 수입으로 유지되는 남자, 아내, 아이의 가정이다. … 생계부양자를 위한 합리적인 고용 안정은 모든 사적 의무들과 모든 건전한 사회적 활동의 기반이다'라고 진술했다.[66] 제2차 세계대전 무렵에도 베버리지는 이 문제에 대해 마음을 바꾸지 않았다. 그의 보고서 『사회보험과 관련 서비스들』은 1942년에 나왔으며, 1940년대의 대개혁을 위한 토대의 주요한 부분을 마련했다. 여성주의자들에게 이제는 유명한(악명 높은) 한 구절에서 베버리지는 이렇게 썼다. '기혼 여성의 대다수는 무급이지만 중차대한 일에 종사하는 것으로 간주되어야만 한다. 그것이 없다면 남편들은

65. Nelson, 'Woman's Poverty and Women's Citizenship', pp. 229-30.
66. 두 인용 모두 Land, 'The Family Wage', p. 72에서 가져왔다.

자신들의 유급 노동을 할 수 없을 것이며, 국가는 지속될 수 없을 것이다.'[67] 1946년 국가보험법에서 아내들은 보험 목적을 위해 남편으로부터 분리되었다. (베버리지의 진술과 더불어 이 분리 절차의 중요성은 T. H. 마셜이 시민권과 복지국가에 대한 논문을 쓰고 있을 때 마셜에게는 상실되어 있었다.) 이 법안하에, 기혼 여성들은 축소된 수당에 대해 더 적은 기여분을 지불했다. 하지만 그들은 또한 그 제도에서 나오는 것을, 따라서 질병, 실업, 모성 수당을 받지 못하는 것을 선택할 수도 있었다. 그들은 또한 독자적인 노인 연금 자격도 상실했으며, 남편의 피부양자로서만 자격이 있었다. 1975년에 입법이 수정될 때까지 기혼 여성의 약 4분의 3이 제도에서 나오는 쪽을 선택했다.

남자와 여자에 대한 상이한 기준은 또한 보험 제도의 운용에도 적용되어왔다. 1911년 일부 기혼 여성들은 독자적으로 보험에 가입했다. 보험 제도는 '노동 불능'의 경우에 보험금을 제공했다. 하지만 아내들이 이미 문제의 그 '노동'에 대해, 유급 고용에 대해 '불능한' 존재로 간주되어왔다는 사실이 주어졌을 때, 질병 수당의 자격 기준을 놓고 제시되는 문제들은 거의 불가피한 것이었다. 1918년에 기혼 여성이 예상보다 훨씬 더 큰 비율로 수당을 청구하고 있는 이유를 찾는 조사가 행해졌다. 한 가지 명백한 이유는 많은 노동계급 여성의 건강이 극도로 형편없다는 것이었다. 그들의 건강 악화가 어느 정도인지는 1915년에 밝혀졌다. 1913-14년에 노동하는 여성들이 여성협동조합길드에 보낸 편지들이 출간되었던 것이다.[68] 국가보험제도는 처음으로 여자들이 아플 때 일을 쉴 수 있다는 것을 의미했다. 하지만 어떤 '일'로부터인가? 그들은 집안일을 쉴 수 있었던가? 그들이 무료 복지를 제공하기를 그만두었다면, 이는 배아기의

67. Dale and Foster, *Feminists and the Welfare State*, p. 17에서 인용.
68. M. Davis, *Maternity: Letters from Working Women* (Norton, New York, 1978) (최초 출간은 1915년).

복지국가에 대해 어떤 함축을 가졌겠는가? 1913년부터 수당에 대한 이중 자격 기준이 확립되었다. 남자에게는 업무 적합성이 기준이었다. 하지만 조사위원회는 여자가 집안일을 할 수 있다면 아픈 게 아니라는 결정을 내렸다. 따라서 여자들의 자격 기준 역시 업무 적합성이었다——하지만 여자들의 보험 가입 조건인 기여제의 근거였던 공적 시장에서의 유급 업무가 아니라 사적인 가정에서의 무급 업무에 대한 적합성이었다! 여자들에 대한 이러한 기준은 1970년대에 보건사회보장성이 발행한 설명서에 여전히 규정되어 있었다.[69] 이중 기준은 1975년, 일을 할 수는 없으나 기여제 자격이 없는 사람들을 위해 비기여 취업불능연금이 도입되었을 때 한층 더 강화되었다. 남자와 독신 여성은 유급 고용에 종사할 수 없을 경우 연금 자격이 주어졌다. 기혼 여성에 대한 기준은 '일상적 가사 의무'를 수행할 수 있다는 것이었다.[70]

울스턴크래프트의 딜레마

지금까지 나는 복지국가의 가부장적 구조를 살펴보았다. 하지만 이는 다만 그림의 일부일 뿐이다. 복지국가의 발전은 또한 가부장적 권력에 대한 도전들을 초래했으며, 여자들의 자율적 시민권을 위한 토대를 제공하는 데 조력했다. 여자들은 복지국가를 자신들의 주된 지지 수단 중 하나로 보았다. 여자들이 형식적 시민권을 획득하기 오래전에 그들은 국가가 복지를 위한——특히 여자들과 그들의 아이들을 위한 복지를 위한——제공을 하라는 캠페인을 벌였다. 그리고 여성 조직과 여성 활동가들은 복지 쟁점을 놓고——특히 '피부양자'라는 자신들의 지위에 반대해서——정치적 활동을 지속해왔다. 1953년 영국의 여성주의자 베라 브리튼은 1940년대의 입법을 통해 확립된 복지국가에 대해서 '그 안에서

69. Land, 'Who Cares for the Family?', pp. 263-4에서 얻는 정보.
70. Land, 'Who Still Cares for the Family?', p. 73.

여자들은 한낱 남자들의 목적을 위한 수단이 아니라 그 자체로 목적이 되었다'라고 썼으며, 여자들의 '여자로서의 유일무이한 가치가 인정되었다'라고 썼다.[71] 돌이켜 볼 때 브리튼은 분명 이러한 평가에서 낙관론적이었다. 하지만 어쩌면 이제 복지국가의 가부장적 구조를 해체하기 시작할 기회가 있는 것일 수도 있다. 1980년대에 여자들의 사회적 위치에서의 큰 변화들, 자본주의 내에서의 기술적이고 구조적인 변형들, 그리고 대량 실업은 생계부양자/피부양자라는 이분법을 위한 그리고 고용 사회 그 자체를 위한 토대 가운데 상당 부분이 침식되고 있다는 것을 의미한다(비록 이 양자 모두가 여전히 사회적 이상으로서 널리 간주되고 있지만 말이다). 헤겔의 두 가지 딜레마의 사회적 맥락은 사라져 가고 있다. '가난의 여성화'에 대한 현재의 관심이 보여주듯, 오늘날 남자들의 피부양자로서 간접적으로가 아니라 오히려 청구인으로서 직접적으로 국가에 연계된 여자들의 매우 가시적인 최하층계급이 있다. 그들의 사회적 추방은 가난한 남성 노동자들의 추방이 헤겔에게 분명했던 만큼 분명하다. 사회적 변화는 이제 여자들의 시민으로서의 지위가 갖는 역설과 모순을 얼버무리는 것을 훨씬 더 어렵게 만들었다.

그렇지만 어떻게 여자들이 민주주의 복지국가의 온전한 시민이 될 수 있을 것인가라는 문제는 첫눈에 보이는 것보다는 더 복잡한데, 왜냐하면 사회적 삶의 사적 영역과 공적 영역은 다만 조직화된 여성주의 운동의 현재 흐름 속에서야 비로소 주요한 정치적 문제로서 간주되었기 때문이다. 1860년대부터 1960년대까지 여자들은 공적 영역에서 활동적이었다. 여자들은 복지 조치 및 여자들과 여자아이들의 사적이고 공적인 안전을 보장하는 조치를 위해 싸웠을 뿐 아니라 투표 및 시민적 평등을 위해서 싸웠다. 또한 중산층 여자들은 고등 교육을 받기 위해 싸웠으며, 전문직

71. Dale and Foster, *Feminists and the Welfare State*, p. 3에서 인용.

여성들과 여성 노동조합원들은 제대로 된 노동 조건과 임금과 출산 휴가를 위해 싸웠다. 하지만, 무엇보다도 요구되는 것은 '젠더-중립적' 법률과 정책이라고 하는——특히 미국에서 우세한——현대의 자유주의-여성주의적 견해는 널리 공유되지 않았다.[72] 일반적으로, 1960년대까지, 복지국가에서 관심의 초점은 여자들이 온당한 사회적 지원을 받도록 확실히 하는 조치들에——따라서 사적 영역에서 자신들의 책임을 다함에 있어서의 온당한 사회적 존중에——있었다. 문제는 그러한 조치들이 온전한 시민권을 위한 싸움에서 여자들에게 도움이 될 것인지, 그리고 된다면 어떻게 도움이 될 것인지 하는 것이었다. 가령 1942년 영국에서 많은 여성들은 내가 인용한 베버리지 보고서에 나오는 구절을 환영했는데 왜냐하면, 주장되기를, 그것이 여자들의 무급 노동의 가치를 공식적으로 인정했기 때문이었다. 그렇지만 '국가'에 '필수적인' 바로서의 여자들의 노동에 대해 공식적 인정으로 끄덕여 주는 것은 손쉬운 일이다. 실천에 있어, 여자들이 복지국가 내에서 완전한 자격을 갖도록 함에 있어 그 노동의 가치는 무시될 수 있는 것이었다. 시민권의 평등한 가치와 동료 시민들의 존중은 여전히 유급 고용인으로서의 참여에 달려 있었다.

완전한 시민권을 획득하려는 시도에서 여자들이 직면하는 극도로 어려운 문제를 나는 '울스턴크래프트의 딜레마'라고 부를 것이다. 딜레마는 이러하다. 즉 여자들이 추구해온 시민권을 향한 두 경로가 가부장적 복지국가의 한계 내에서 상호 양립 불가능하며, 그와 같은 맥락에서

72. 산업에서 여자들을 위한 보호 입법 문제를 둘러싼 전쟁들 사이에서 여성운동 내부에서는 상당한 논쟁이 있었다. 동등한 시민권은 여자들이 남자들과 동일한 조건에서 일하도록 그와 같은 보호의 제거를 요구했는가, 아니면 그러한 입법은 여자들에게 혜택을 주었으며 남자 노동자와 여자 노동자 양쪽 모두를 위한 적절한 건강 및 안전 보호가 진짜 쟁점이 되었는가?

그것들은 성취 불가능하다는 것. 보편적 시민권이 정치적 이상으로서 처음 나타난 이래로 3세기 동안 여자들은 이른바 사적 영역에서의 자연적 종속에 계속해서 도전해왔다. 적어도 1790년대부터 그들은 또한 그들의 배제를 통해 보편적 의미를 획득한 어떤 이상과 실천 안에서 시민이 되려고 하는 과제와 싸우고 있었다. 여자들의 대응은 복잡했다. 한편으로 그들은 시민권의 이상이 그들에게로 확대되어야 한다고 요구했다.[73] '젠더-중립적인' 사회적 세계에 대한 자유주의-여성주의적 의제는 이러한 요구의 한 형태의 논리적 결론이다. 다른 한편, 여자들은 또한──메리 울스턴크래프트가 그랬듯이 종종 동시에──그들이 여자로서 특별한 능력, 재능, 필요, 관심을 가지며 따라서 그들의 시민권의 표현은 남자들의 것과는 구별될 것이라고 주장했다. 복지를 제공하는 그들의 무급 노동은──울스턴크래프트가 여자들의 일을 어머니의 일로 간주했듯이──시민으로서의 여자들의 노동으로 간주될 수 있었다. 그들 남편들의 유급 노동이 남자들의 시민권에 핵심적인 것과 마찬가지로.[74]

시민권에 대한 가부장적 이해는 그 두 요구가 양립 불가능함을 의미하는데, 왜냐하면 그러한 이해는 두 가지 대안만을 허용하기 때문이다. 즉 여자들은 남자들(같)이 되거나, 아니면 시민권을 위해 아무런 가치도

73. 나는 초기 주장들을 'Women and Democratic Citizenship', The Jefferson Memoral Lectures, University of California, Berkeley, 1985, Lecture I에서 논의했다.

74. 예컨대, 울스턴크래프트는 '여자들에 대해 일반적으로 말해서, 그들의 첫째 의무는, 이성적 피조물로서의 그들 자신에게 있어 그리고 중요성에 있어 그 다음으로는 시민으로서의 그들 자신에게 있어, 그토록 많은 것을 내포하는 어머니의 의무다'라고 쓴다. 그녀는 '남자가 시민의 의무를 필수적으로 이행해야만 하고 그렇지 않을 경우 경멸을 당하고, 남자가 시민적 삶의 부분들 중 어느 한곳에 고용되는 동안 역시 능동적 시민인 그의 아내는 똑같이 가족을 관리하고, 아이들을 교육하고, 이웃을 돕는' 때가 오기를 희망한다. *A Vindication of the Rights of Woman*, (Norton, New York, 1975), pp. 145, 146.

없는바 여자들의 일을 계속하거나. 더구나, 가부장적 복지국가 안에서 어느 쪽 요구도 충족될 수 없다. 지금 있는 그대로의 시민권이 여자들에게로 온전히 확대되어야 한다고 요구하는 것은 '시민'의 가부장적 의미를 받아들이는 것인데, 이는 남자들의 속성, 능력, 활동으로부터 구성된다. 여자들은 그 용어의 현 의미에서는 완전한 시민일 수 없다. 기껏해야 시민권은 다만 덜 남자인 바로서의 여자들에게 확대될 수 있다. 동시에, 가부장적 복지국가 안에서 여자들의 책임에 대한 온당한 사회적 인정과 지지를 요구하는 것은 여자들을 완전한 시민권보다 못한 것으로 선고하는 것이며, 공적인 삶 속에서 '여자'로서, 즉 동료 (남자) 시민의 존중을 받을 수 없는 또 다른 영역의 구성원으로서 병합되기를 지속하는 것이다.

호주와 영국에서 가족 수당이나 아동 수당 사례는 울스턴크래프트의 딜레마를 보여주는 현실적 예증으로서 교훈적이다. 그것은 여자들의 일에서 여자들에게 도움을 주는 동시에 여자들의 시민권을 향상시키면서 가부장적 권력에 도전하는 정책을 시행하는 것이 얼마나 어려운지를 보여준다. 두 나라 모두에서 우파로부터 그리고 자유방임주의 경제학자들로부터 반대가 있었다. 가족 수당이 아이들을 부양할 아버지의 의무와 시장에서 노동력을 팔 '유인'을 침식할 것이라는 근거에서였다. 1920년대 가족 수당에 대한 여성주의 지지자들은, 가장 두드러지게는 영국의 엘리너 래스본은 생계부양자의 임금이 가족의 기본적 필요를 충족시키기에 부족한 가족에서 빈곤의 경감을 이러한 형태의 국가 제공을 지지하는 유일한 논변으로 보았다. 그들은 또한 아내의 경제적 의존이라는 문제와 남자 노동자와 여자 노동자의 동일 임금 문제에 큰 관심을 두었다. 아이들 양육(또는 그에 대한 실질적 기여)이 시장에서 협상되는 임금 외부의 국가에 의해 충족된다면, 같은 일을 하는 남자와 여자가 같은 임금을 받지 말아야 하는 이유가 전혀 없었다. 1924년 래스본은 '생산자의 한 집단──어머니──을 나머지에 종속시키고 그들에게서 공동체의 부에 대한 그들 자신의 몫을 박탈하는 것을 정당화할 수 있는 것은 전혀 없다'라고 썼다.[75] 그녀는 가족 수당이 '아이들 양육과 종족 재생산을 임금 문제로부터 단번에 잘라낼' 것이라고 주장했다.[76]

하지만 모든 아동 수당 지지자들이 여성주의자는 아니었다——그래서 그 정책은 임금과 피부양이라는 공적 쟁점으로부터 아주 쉽게 분리될 수 있었으며, 오로지 여자들의 사적 기여에 대한 보답과 인정으로서만 간주될 수 있었다. 지지자들은 우생론자와 출산 촉진론자를 포함했으며, 가족 수당은 임금을 낮출 수 있는 수단으로서 자본과 국가에 호소했다. 가족 수당은 영국 노동조합운동에 많은 반대자들이 있었다. 그 조치가 도입될 경우 결과적으로 임금 협상에서 노동조합의 힘을 침식할 것을 우려했던 것이다. 반대자에는 여성 노동조합원도 있었는데, 그들은 여자들로 하여금 유급 고용을 그만두도록 설득하는 데 사용될 수 있는 정책에 대해 의혹을 품었다. 어떤 노동조합원들은 또한 주택, 교육, 의료 같은 사회복지 사업이 우선적으로 개발되어야 한다고 주장했으며, TUC[77]는 1930년에 이 견해를 채택했다. 하지만 남자들은 또한 자신들의 사적이고 가부장적인 특권에 관심을 두었던 것일까? 래스본은 '남자 노동자 자신들은 성적 편견을 가지고 있다. … 그들은 아내와 아이들이 별도의 인격으로 인정된다고 보는 것에 대한 은밀한 저항에 의해 영향을 받지 않는가?'라고 주장했다.[78]

75. Land, 'The Family Wage', p. 63에서 인용.

76. Cass, 'Redistribution to Children and to Mothers', p. 57에서 인용. 나의 논의는 Land와 Cass에게 의존한다. 같은 기간 동안 미국에서 여성주의자들은 어머니 연금 운동을 지지했다. 가족 수당을 받을 수 없는 어머니와는 달리, 연금을 받을 수 있는 어머니는 남성 생계부양자가 없었다. 어머니 연금의 복잡성은 W. Sarvesy, 'The Contradictory Legacy of the Feminist Welfare State Founders' (미국정치학회 연례회 발표 논문, Washington, DC, 1986)에서 논의된다.

77. [Trades Union Congress. 노동조합회의.]

78. Cass, 'Redistribution', p. 59에서 인용.

1941년 무렵 노동조합운동의 가족 수당 지지자들은 승리를 거두었으며, 가족 수당은 1946년에 정부의 전후 재건을 위한 전시(戰時) 계획의 일부로서 도입되었다. 수당을 '보통의 가장'으로서의 아버지에게 지급하는 법안이 제안되었다. 하지만 여성 조직들의 로비 활동 이후에 이는 자유 투표에 의해 뒤집혔으며, 수당은 직접 어머니에게 지급되었다. 호주에서 노동조합운동은 1920년대에 아동 수당을 수용했다(아동 수당은 뉴사우스웨일스 주에서 1927년에 도입되었고, 1941년에 연방 차원에서 도입되었다). 하지만 거기서 노동조합의 지지는 더 넓은 재분배 정책에 기초하고 있었으며, 수당은 가족 임금을 허무는 수단이 아니라 가족 임금에 대한 보충물로 간주되었다.[79] 1970년대에 두 나라 모두에서 여성 조직들은 다시금 가족 수당을 방어해야 했으며, '남성 지갑에서 여성 지갑으로'[80]라는 재분배 원칙을 방어해야 했다.

가족 수당이 임금 체계의 민주주의적 재구조화의 일부를 형성할 것이라는 엘리너 래스본과 다른 여성주의자들의 희망은 실현되지 않았다. 하지만 그럼에도 불구하고 가족 수당은 여자들에게 마땅한 혜택으로서 지급되었다. 그리고 바로 그런 의미에서 그 수당은 복지국가의 독립적 구성원으로서 기혼 여성에 대한 인정의 (재정적으로 아주 작지만) 중요한 표지다. 하지만 수당은 어머니로서의 여자들에게 지급된다. 그리하여 핵심 물음은 어머니——사적인 개인——에게로의 지급이 복지국가의 독립적 시민으로서의 그녀의 지위를 부정하는가 하는 것이다. 더 일반적으로 물음은 일상적 삶에서 여자들에게 실질적 조력을 제공하면서도 동시에——여자들이 자율적 시민으로서 있는, 우리가 '남자'가 의미하는 모든 것에 대한 반대로서 구성되는 (보호받는/의존적인/종속적인) '여

79. 같은 책, pp. 60-1.

80. [from the wallet to the purse. 영어에는 남성용 지갑 wallet과 여성용 지갑 purse의 구분이 있다.]

자'로서가 아니라 여자들로서 행동할 수 있는——진정한 민주주의를 위한 조건을 창조하는 데 도움을 주는 복지정책이 있을 수 있는가 하는 것이다. 다시 말해서, 울스턴크래프트의 딜레마의 해결은 필요하며, 아마도 가능하다.

복지국가의 구조는 여자들이 남자의 피부양자라는 것을 전제한다. 하지만 혜택들은 여자들이 경제적으로 남자에게서 독립적이 되는 것을 가능하게 한다. 내가 관심을 두고 있는 나라들에서, 국가 혜택에 의존하는 여자들은 가난하게 산다. 하지만 남자와 결혼하거나 동거하는 것이 더 이상 예전에 그랬던 것보다 그렇게 필수불가결하지는 않다. 최근에 '복지 어머니들'을 둘러싸고 상당한 도덕적 패닉이 생겨났다. 그들의 위치의 중요한 특징들을 흐려놓는, 특히 생계부양자/피부양자라는 이상을 위한 사회적 토대가 어느 정도로 허물어졌는지를 흐려놓는 패닉. 상당수의 젊은 노동계급 여성들은 일자리를 찾을(혹은 고용된 젊은 남자를 찾을) 희망이 거의 없거나 전혀 없다. 하지만 그들에게는 남성 상대자의 범위 바깥에 있는 사회적 정체성의 원천이 있다. 여자들을 위한 사회적으로 안전하고 인정된 정체성은 여전히 어머니라는 정체성이며, 많은 젊은 여자들에게 국가 혜택에 의해 지지되는 모성은 '실업수당을 받는 목적 없는 청소년기에 대한 대안'을 제공하고 '자기결정의 외양을 제공한다'. 그렇지만 독립과 '여성성으로의 무비판적인 후퇴가 아닌 반항적 모성'[81]에 대한 대가는 크다. 복지국가는 최소 수입과 어쩌면(종종 수준 이하의) 주거를 제공한다. 하지만 아이 돌봄 서비스와 여타 지원은 없으며, 따라서 젊은 여성들은 종종 사회적 유배 상태에서 벗어날 길 없이 고립된다. 더구나, 영국, 호주, 미국에서의 복지국가 정책이 어머니들에게 넉넉한 수당, 적절한 주거, 의료, 아이 돌봄 및 여타 서비스

81. Campbell, *Wigan Pier Revisited*, pp. 66, 78, 71.

를 제공할 수 있도록 개혁되었지만, 국가에 대한 의존은 새로운 방식으로 여자들의 더 적은 시민권을 강화할 수도 있다.

어떤 여성주의자들은 복지국가를 '여자들의 주요 자원'으로서, 그리고 '이렇게 말하는 게 공정해 보이는바, 주로 여자들의 자원인 정치적 자원들'의 생성자로서 열정적으로 지지해왔다.[82] 그들은 가령 호주에서 '다른 곳에서는 전례가 없는 십 년[1975-85]에 걸친 일련의 여성 정체 조직과 (여자들이 여자들에게 제공하는) 정부 보조 여성 서비스의 창조'를 지적할 수 있다.[83] 그렇지만 그러한 열정은 여자들이 복지국가에 기대는 것은 단지 개별 남자에 대한 의존을 국가에 대한 의존과 교환하는 것이라는 다른 여성주의자들의 응수에 직면한다. 남편들의 권력과 변덕스러움은 국가의 임의성, 관료주의, 권력에 의해 대체되고 있다. 가부장적 권력을 지지해왔던 바로 그 국가. 이러한 반대는 설득력이 있다: 여자들을 직접적으로 국가에 의존적이게 만드는 것은 그 자체로 가부장적 권력 관계에 도전함에 있어 아무것도 하지 못할 것이다. 남성 노동자의 복지국가에 대한 직접적 의존, 그리고 그들의 생활수준이 자본주의에 대한 국가 규제 및 자본주의에 대한 보조금의 막대한 체계――그리고 호주의 경우, 국가 중재 재판소――로부터 비롯될 때의 간접적 의존은 계급 권력을 침식시키는 데 거의 한 일이 없다. 그렇지만 그 반대는 또한 중요한 요점을 놓치고 있다. 남자의 피부양자로서의 여자들의 구성과 복지국가에 대한 의존 사이에는 한 가지 결정적인 차이가 있다. 전자의 경우, 각각의 여자는 남편의 선의에 의존하면서 남편과 산다. 각각의

82. F. Fox Piven, 'Women and the State: Ideology, Power, and the Welfare State', *Socialist Review* 14(2) (1984), pp. 14, 17.

83. M. Sawer, 'The Long March through the Institutions: Women's Affairs under Fraser and Hawke', paper presented to the annual meeting of the Australasian Political Studies Association Brisbane, 1986, p. 1.

여자는 (J. S. 밀의 놀랍도록 적절한 표현으로) '뇌물과 위협이 결합된 만성적 상태'에 있다.[84] 복지국가에서 각각의 여자는 권리상 자신의 것인 어떤 것을 수령하며, 또한 자신의 권리 주장을 강요하기 위해 다른 시민들과 잠재적으로 결합할 수 있다. 국가는 엄청난 위협의 힘을 가지고 있다. 하지만 정치 활동은 가정의 닫힌 문 뒤에서가 아니라 공적 영역에서 집단적으로 일어난다. 가정 안에서는 각각의 여자는 자신만의 힘과 자원에 의존해야만 한다.

또 다른 새로운 요인은 여자들이 이제 대규모로 고용인으로서 복지국가에 포함이 되어 있으며, 따라서 여자들의 정치적 활동을 위한 새로운 가능성 또한 존재한다는 것이다. 최근에 여자들은 복지국가를 단지 학자로서, 운동가로서, 복지 서비스 수혜자와 이용자로서만이 아니라 복지국가의 일상적 작동이 대규모로 의존하고 있는 사람들로서 복지국가를 비판해왔다. 그 비판의 범위는 복지국가의 가부장적 구조(그리고 때로는, 특히 의료 부문에서, 여성 혐오 관행)에서 시작해서 그 관료적이고 비민주적인 정책수립 과정과 행정, 사회사업 관행과 교육 정책에까지 이르렀다. 작은 시작들은 복지국가를 내부로부터 바꾸는 데서 이루어졌다. 예를 들어, 여자들은 영국에서 NHS 안에 여성 건강 진료소를 설치하고 호주에서 공공병원에 강간 피해자를 위한 특별 부서를 설치하는 데 성공했다. 더 나아가 이제는 여성 고용인, 여성 청구인, 그리고 복지국가에서 이미 정치적으로 활동적이었던 여성 시민들에 의한 통합 행동을 위한 잠재력이 있다. 단지 정부의 삭감과 (최근에 많은 에너지를 흡수해버린) '민영화(privatization)' 시도에 대항하여 서비스를 보호하기 위해서만이 아니라, 복지국가를 변형시키기 위해서 말이다. 그럼에도 불구하고, 어떻게 여자들 혼자서 이러한 시도에서 성공할 수 있을지는 알기 힘들다.

84. J. S. Mill, 'The Subjection of Women', in *Essays on Sex Equality*, ed. A. Rossi (University of Chicago Press, Chicago, 1970), p. 137. [30쪽.]

모든 시민들의 복지가 제공되는 진정한 민주주의의 창조를 위한 한 가지 필요조건은 가부장적 권력의 문제를 인정하는 노동운동과 계급 권력의 문제를 인정하는 자율적 여성운동의 동맹이다. 그러한 동맹이 맺어질 것인지는 열린 물음이다.

대량 실업 및 레이건, 대처 정부의 노동조합운동과 복지국가에 대한 공격이 초래한 논쟁 및 재사고에도 불구하고, 극복해야 할 장벽이 많다. 더 강력한 복지국가를 가진 영국과 호주에서, 여성운동은 미국보다 노동계급 운동과 훨씬 더 밀접한 관계를 맺고 있었다. 미국에서는 지배적인 자유주의 여성주의의 개인주의가 억제요인이며 노동 인구의 약 17%만이 이제 노동조합에 가입하고 있다. 지난 20년 동안 권위주의적, 위계적, 비민주적 조직 형태에 대한 비판의 중심지는 여성운동이었다. 여성운동이 제공한 민주적이고 탈중심화된 조직의 실천적 사례는 민주주의에 대한 학계의 논의에서와 마찬가지로 노동운동에서도 대부분 무시되어왔다. 맑스가 제1인터내셔널에서 바쿠닌을 물리친 이후로, 노동운동, 영국의 국유화된 산업에서, 그리고 좌파 진영에서 우세한 조직 형태는 국가——복지국가와 전쟁국가 양자 모두——의 위계를 모방했다. 물론 산업 민주주의와 노동자의 통제를 위한 운동이 있지만, 그러한 운동은 '노동자'가 남성적 형상이라는 것을 대체로 받아들였으며, (공적인) 산업과 경제적 생산을 사적인 삶과 분리시키는 것에 의문을 제기하지 못했다. 여성운동은 사회 변화를 위한 운동과 사회 변화에서의 실험이 사회 조직의 미래 형태를 '예시'해야 한다는 오랫동안 수면 아래 있었던 관념을 구출하여 실천에 옮겼다.[85]

85. S. Rowbotham, L. Segal and H. Wainright, *Beyond the Fragments: Feminism and the Making of Socialism* (Merlin Press, London, 1979)을 볼 것. 이 책은 이 문제에 대해서 좌파 쪽에서 그리고 영국 노동운동에서 논쟁을 여는 데 큰 역할을 했다.

여성운동이 확립한 '대안적' 여성복지 서비스 같은 예시적 조직 형태들이 고립된 사례로 머물지 않으려면, 혹은 그것들을 더 넓은 규모로 세우려는 시도가 과거처럼 패배하지 않으려면, 이미 받아들여진 아주 많은 개념들과 실천들에 의문을 제기해야 한다. 영국에서 대처의 경제 정책에 대한 좌파 대안을 놓고 벌어진 최근 논쟁들이나 호주에서 노사정 협의를 놓고 벌어진 최근 논쟁들은 여성운동의 주장과 요구가 노동자의 정치적 대변인에게 여전히 빈번히 인지되지 않고 있음을 시사한다. 예를 들어, 실업에 대한 남성 노동자들로부터의 한 가지 반응은 더 짧은 주당 근무 시간과 더 많은 여가, 혹은 시간을 늘리되 동일한 돈을 주장하는 것이다. 그렇지만 여자들의 삶에서 시간과 돈은 이와 동일한 방식으로 교환 가능하지 않다.[86] 많은 여성들은 오히려 더 짧은 노동일을 주장하고 있다. 주장의 요점은 시간제 고용과 전일제 고용의 분리, 유급 노동과 무급 노동의 분리에 도전하는 것이다. 하지만 울스턴크래프트의 딜레마가 해결되려면, 시민권 개념 또한 철저한 의문에 부쳐야 한다. 노동운동도 여성운동도 (또한 민주주의 이론도) 여기에 큰 관심을 기울이지 않았다. 사적인 것과 공적인 것, 여자와 시민, 피부양자와 생계부양자라는 가부장적 대립은 한때 그랬던 것보다 이제는 기초가 덜 확고하다. 그리고 여성주의는 그것을 정치적 문제로 명명했다. 복지국가에 있어 그토록 핵심적인 완전 고용의 이상 또한 허물어지고 있으며, 그리하여 시민권의 주요 버팀목 중 일부가 침식되고 있다. 완전 고용의 이상은 1960년대에 성취된 것처럼 보였는데, 이는 다만 시민 전체의 절반(그리고 흑인?)에게 고용 사회에서의 적법한 성원 자격이 부정되었기 때문이다. 수백만의 남자들이 이 이상에서 배제된(그리고 그 배제가 항구적으로

86. 남자들의 삶과 여자들의 삶의 상이한 시간틀의 정치적 함축에 대한 논의로는 H. Hernes, *Welfare State and Woman Power: Essays in State Feminism* (Norwegian University Press, Oslo, 1987), 5장을 볼 것.

보이는) 지금 한 가지 가능성은 보편적 시민권의 이상 또한 포기되고 완전한 시민권이 자본주의적으로 고용되고 무장한 남자들의 특권이 될 수도 있다는 것이다. 혹은 진정한 민주주의가 창조될 수 있을까?

민주주의를 계급 문제로서 지각하는 것과 자유주의 여성주의의 영향이 결합하여 '여자 문제'에 대한 엥겔스의 오래된 해결책을 살아 있게 해주었다—'전 여성을 공적 산업으로 돌려보내는 것'.[87] 하지만 경제는 가부장적 구조를 갖는다. 자본주의가 귀속적 성격들이 무관한 노동력을 창조할 것이라는 맑스주의의 희망, 그리고 차별금지 입법이 '젠더 중립적' 노동력을 창조할 것이라는 자유주의 여성주의의 희망은 심지어 완전 고용 이상의 붕괴가 없더라도 유토피아적으로 보인다. 엥겔스의 해결책은 도달 불가능하다—그리고 남성적 시민권을 여자들에게로 일반화하는 것 역시 그렇다. 이번에는, 시민권의 동등한 가치와 시민들의 자기존중 및 상호 존중이 시장에서 노동력의 판매 및 가부장적 복지국가의 제공들에 달려 있다는 논변 또한 약화된다. 민주적 시민권에 적합한 존중 개념과 동등한 가치 개념을 정식화하는 길이 열리고 있다. 여자들은 남자들이 노동자로서 획득하는 존중을 '벌'거나 자기존중을 얻을 수 없었다. 하지만 남자들은 자신들의 노동력을 팔고 임금노예가 됨으로써 어떤 종류의 존중을 '성취'하는가? 여기서 직장 민주주의를 위한 운동과 여성운동이 손을 합칠 수 있었다. 하지만 '노동'에 대한 관례적 이해가 재사고되어야만 그렇다. 남자들처럼 여자들도 완전한 시민이라면, 복지국가와 고용을 여자들이 기여하는 무료 복지 노동과 분리하는 방식은 허물어져야 하며, '독립', '노동(work)', '복지'의 새로운 의미와 실천이 창조되어야 한다.

예를 들어, 그 함축은 복지정책으로 하여금 생계와 더불어 사회적

87. F. Engels, *The Origin of the Family, Privatae Property and the State* (International Publishers, New York, 1942), p. 66.

삶에의 참여를 위해 충분한 제공을 해줄 모든 성인에게 주어지는 보장된 사회적 소득을 포함하도록 압력을 가할 광범위하고 대중적인 정치 운동이었다는 점을 생각해보자.[88] 그러한 요구가 가능하려면, 낡은 이분법들이 이미 붕괴되기 시작했어야 했다. 즉 유급 노동과 무급 노동(처음으로 모든 개인은 유급 노동에 참여할 것인지를 놓고 진정한 선택을 할 수 있었다), 전일제 노동과 시간제 노동, 공적 노동과 사적 노동, 독립과 의존, 노동과 복지——다시 말해서, 남자와 여자——의 대립들. 시행이 된다면 이러한 정책은 여자들을 복지국가의 동등한 구성원으로 마침내 인정하게 될 것이다. 그것이 그 자체로 여자들의 완전한 시민권을 보장해주지는 않겠지만 말이다. 진정한 민주주의가 창조되려면, 시민으로서 여자들의 기여의 내용과 가치라는 문제와 시민권의 의미라는 문제를 대면해야만 한다.

헤겔의 딜레마를 통해 복지국가를 분석하는 것은 그와 같은 문제들을 배제하는 것이다. 하지만 지난 150년의 역사와 동시대의 기록은 사회의 모든 구성원들의 복지가 노동자건 자본가건 남자들에 의해 대표될 수 없다는 것을 보여준다. 복지는 결국 모든 살아 있는 시민 세대들과 그들의 아이들의 복지다. 복지국가를 헤겔의 딜레마에 대한 응답으로 본다면, 여자들의 시민권에 대한 적절한 물음은 이렇다: 어떻게 여자들은 남자들처럼 노동자와 시민이 될 수 있으며, 따라서 남자들처럼 복지국가의 구성원이 될 수 있는가? 그 대신 출발점이 울스턴크래프트의 딜레마라면, 물음은 다음과 같은 것이다: 모든 시민의 일차적 과제가 매 살아 있는 시민 세대의 복지를 안전하게 확보하는 것이라고 할 때, 민주적 시민권은 어떤 형태를 취해야만 하는가?

노동운동과 여성운동이 복지국가를 위해 싸우고 복지국가를 지지한

88. 또한 Keane and Owens, *After Full Employment*, pp. 175-7에 나오는 논의를 볼 것.

것은 오로지 공적 내지는 집합적인 제공만이 민주주의 안에서 모든 시민을 위해 적절한 생활수준과 유의미한 사회 참여 수단을 유지할 수 있기 때문이다. 이 주장의 함축은 민주적 시민이 자율적인 동시에 상호의존적이라는 것이다. 그들은 각자가 능동적 시민이 될 수단을 향유한다는 점에서 자율적이다. 하지만 그들은 각자의 복지가 모든 시민의 집합적 책임이라는 점에서 상호의존적이다. 복지국가의 계급구조에 대한 비판가들은 종종 복지국가에 의해 의미되는 형제애적 상호의존(연대)을 시장에서의 고립된 개인들의 음울한 독립과 대치시켰다. 하지만 그들은 둘 모두가 여자들의 의존(종속)에 입각해 있다는 것을 좀처럼 주목하지 않았다. 가부장적 복지국가에서 독립은 남성적 특권으로서 구축되어왔다. 노동자와 시민으로서 남자들의 '독립'은 (그들이 복지국가에 '기여'하는 한에서라는 점만 제외하면) 복지에 대한 책임으로부터의 자유다. 여자들은 (사적인) 복지 노동에 대해, 의존과 상호의존의 관계들에 대해 책임이 있는 것으로 간주되어왔다. 복지가 여자들에게, 자신들의 '기여'가 복지국가 안에서의 시민권과는 정치적으로 무관한 피부양자들과 사회적 유배자들에게 그토록 의존하고 있다고 하는 역설은, 여자들의 유급 고용 또한 복지국가 그 자체의 작동에 있어 필수적인 지금, 더욱 고조되고 있다.

여자들이 20세기 동안 주장해왔듯이, 복지에 있어 여자들의 앎과 전문성이 여자들의 시민으로서의 기여의 일부가 되어야 한다면, 남자들의 독립과 여자들의 의존이라는 대립은 깨져야만 하며, 시민권에 대한 새로운 이해와 실천이 발전되어야만 한다. 여자와 독립-노동-시민권의 가부장적 이분법은 정치적 도전을 받고 있으며, 완전(남성) 고용의 이상을 위한 사회적 토대는 무너지고 있다. 진정한 민주주의를 창조할, 복지국가에서 비자발적 사회적 유배 없는 복지사회로 이동할 기회가 가시화되었다. 그런 사회에서 남자만이 아니라 여자도 완전한 사회적 구성원의 지위를 향유한다. 그 기회가 실현될 수 있는가 하는 것은 전쟁국가가 복지국가를 그늘지우고 있는 지금 말하기 쉽지 않다.

9
여성주의와 민주주의

여성주의자라면 이 장의 주제를 기세 좋게 처분할지 모른다. 여성주의자들이 보기에 민주주의는 결코 존재한 적이 없다. 여자들은 '민주주의'라고 알려진 그 어떤 나라에서도 완전하고 동등한 구성원과 시민으로 결코 인정된 적이 없으며 지금도 여전히 그렇다. 여성주의 역사에서 시종일관 되풀이되는 현저한 이미지는――버지니아 울프가 『3기니』에서 지적하듯, 자기들만의 의복과 유니폼으로 구별되는――일련의 남성 클럽들로서의 자유주의 사회 이미지다. 이는 의회, 법원, 정당, 군대와 경찰, 대학교, 직장, 노동조합, 공립(사립) 학교, 전용 클럽과 대중 레저 클럽 등을 포함한다. 여자들은 이 모든 곳에서 배제되거나 한낱 보조물일 뿐이다. 여성주의나 양성관계 구조는 무관한 문제라는 걸 으레 당연시하는 학계의 민주주의 논의들에서 여성주의자들은 자신들의 견해에 대한 확인을 발견할 것이다. 소논문 범위로는 '민주주의'와 여성의 종속 내지는 정치적 삶에 완전하고 동등하게 참여하는 것으로부터의 배제 사이에 아무런 양립 불가능성도 없다고 하는 2천년 된 가정을 파괴하는 것은 거의 불가능하다. 대신에 나는 왜 여성주의가 가장 중요한 도전과 가장 포괄적인 비판을 (기존의 자유주의적 모습을 한 민주주의건, 가능한 미래의 참여민주주의나 자주관리 민주주의 형태건) 민주주의에 제공하는지를 보여줄 것이다.

여성주의자들에게 제기되는 반대는 이렇다. 법적 개혁과 보통선거권 도입의 한 세기 또는 그 이상이 지난 지금, 여자는 남자의 시민적, 정치적 동등자며, 따라서 오늘날 여성주의는 민주주의 이론과 실천에 공헌할 것이 거의 없거나 전혀 없다. 이러한 반대는 자유민주주의 사회들의 실제 성격을 이해하는 데 핵심적인 많은 것을 무시한다. 그것은 (다소간) 형식적으로 평등한 여자들의 시민적 지위와는 모순되는 널리 퍼진 뿌리 깊은 확신들의 실존을 무시하며, 그러한 확신들에 표현을 제공하는 사회적 관행들의 실존을 무시한다. 그러한 반대는 사회적 불평등은 정치적 평등과 무관하다는 자유주의적 논변에 기초하고 있다. 그리하여 그것은 자유주의적 원리들을 여자들에게 확장함으로써——하지만 동시에 자유민주주의에 핵심적이면서 또한 여자와 남자의 구분이기도 한 사적인 삶과 공적인 삶의 구분을 유지하면서——그 원리들을 보편화하려는 시도로부터 생겨난 문제를 무시해야만 한다. 민주주의에 대한 자유주의적 이론가들이 이 문제를 회피하는 데 만족한다면, 그들에 대한 급진적 비판가들은 참여민주주의 지지자들과 더불어 그 문제를 열렬하게 마주할 것으로 기대되었을 수 있다. 그렇지만 그들이 자유민주주의 국가의 계급 구조에, 그리고 계급 불평등이 형식적인 정치적 평등을 약화시키는 방식에 큰 관심을 기울였음에도 불구하고, 그들은 자유주의의 민주주의적 변형에 있어 성적 불평등과 자유주의 국가의 가부장적 질서가 갖는 중요성을 거의 검토하지 않았다. 민주주의를 다루는 저자들은, 현 상태의 옹호자건 비판자건, 가령 자유나 동의에 대한 그들의 논의가 여성에 대해 여하한 유관성을 가지고 있는지를 고려하는 데 변함없이 실패한다. 그들은 암묵적으로 '개인'과 '시민'이 남자인 양 논변을 전개한다.

얼마나 최근에야 민주주의적 내지는 보편적 선거권이 확립되었는지가 빈번히 간과된다. 정치학자들은 여성 선거권 투쟁에 대해(영국에서 1866년에서 1914년까지 48년 동안 지속적인 조직적 운동이 있었다), 그리고 선거권 부여의 정치적 의미와 결과에 대해 두드러지게 침묵해왔다. 유권자로서 여성의 지위 또한 민주주의를 다루는 저자들에게 어떤 어려움을 야기하는 것처럼 보인다. 예컨대 슘페터의 극히 영향력 있는 수정주의 텍스트에 나오는 여자들의 선거권 배제가 정치체의 '민주주의' 주장을 무효화하지 않는다는 진술에 자극된 논평은 거의 없다. 스위스 한 주의 직접 민주주의에 대한 바버의 매혹적인 설명에서, (1971년에서야 획득된) 여성 선거권은 아주 모호하게 취급된다. 바버는 여성 선거권 부여가 '정당하고 공평한' 것이었음을 강조한다——하지만 그 대가로 잃은 것은 '참여와 공동체'였다. 마을회의는 답답해졌으며, 참여는 감소했으며, 원자론적 개인주의가 공식적 인정을 획득했으며, 시민-병사라는 이상은 더 이상 정당화될 수 없었다.[1] 독자는 여자들이 남자들의 시민권을 위해 자신들의 정당한 요구를 희생하지 말았어야 했던 것인지 궁금한 상태가 된다. 다시금, 버바, 니, 김이 정치참여를 다룬 최근의 교차국가적 연구에서, 폴란드에서 있었던 의무투표에서 자발투표로의 변화가 논의되는 가운데 '투표권은 보편적이었다'는 것이 언급되고 있다. 같은 쪽 각주는 두 선거 제도 모두 '일인 일표제(one man one vote system)'

1. B. B. Barber, *The Death of Communal Liberty* (Princeton University Press, Princeton, NJ, 1973), p. 273. 시민-병사에 대한 논평은 계시적이다. 왜 여자들은 (게릴라 전사와 부대가 보여주었듯) 무장 시민이 되어 조국을 수호하는 데 도움을 주어서는 안 되는지 아무런 이유도 없다. 그렇지만 영국과 미국에서 반여성참정권론자들의 주요 논변 중 하나는 여자들이 본성상 무기를 들 역량이 없기 때문에 여성 선거권 부여가 국가를 치명적으로 약화시킬 것이라는 논변이었다. 나는 C. Pateman, 'Women, Nature and the Suffrage', *Ethics*, 90(4) (1980), pp. 564-75에서 이 쟁점을 논평했다. 가부장적 본성으로부터의 논변이 갖는 몇 가지 다른 측면이 아래에서 논의된다.

였다고 말한다.[2] 여자들은 투표했는가? 민주주의에 대한 논의에는 인정되지 않은 역사적 아이러니가 넘쳐 난다. 오늘날 여성주의자들은 'man'이 실제로는 '인간'을 의미하므로 남성적 언어에 불쾌해 하지 말아야 한다는 이야기를 자주 듣는다. 하지만 1867년 영국에서 최초의 여성 선거권 법안을 지지하여 (세대주를 지칭하는) 'man'이 여자를 포함하는 총칭이라고 주장되었을 때, 그 주장은 단호히 거부되었다. 여자들이 민주주의적인 정치적 삶의 각본에서 탈락될 수 있는 방식을 보여주는 최근의 또 다른 사례는 마골리스의 『실행 가능한 민주주의』에서 찾을 수 있다. 그는 '시민 브라운'[3]의 역사를 제시하는 것으로 시작한다. 그는 남자이고, 우리가 배우기로는 1920년에 '그의 가장 최근의 주요한 승리, 즉 여성참정권 부여'를 획득했다.[4] 따라서 여자들의 민주주의 투쟁 역사는 사라지며, 민주주의적 투표는 남자들의 단독 창조물——또는 선물——로 등장한다.

이러한 사례들은 과거와 현재의 여자들의 사회적 지위를 보여주는 증상이 아니라면 우스울지도 모르겠다. 여성주의, 자유주의, 그리고 민주주의(즉 시민권이 보편적이며 공동체의 매 성인 구성원의 권리인 정치적 질서)는 공통의 기원을 갖는다. 성적 지배와 종속의 사회적 관계들에 대한 일반적 비판이자 성적으로 평등주의적인 미래에 대한 전망으로서의 여성주의는, 자유주의와 민주주의처럼, 개인주의가 혹은 개인들은 본성상 자유로우며 서로에게 평등하다는 관념이 사회적 조직화의 보편

2. S. Verba, N. Nie and J.-O. Kim, *Participation and Political Equality* (Cambridge University Press, Cambridge, 1978), p. 8. [이어지는 논의에서 분명하듯 여기서 물론 페이트먼은 'man'이 '인간'만이 아니라 '남자'를 뜻한다는 사실을 환기하고 있다.]

3. [마골리스는 『실행 가능한 민주주의』를 '서론: 훌륭한 시민 브라운'(Introduction: Good Citizen Brown)으로 시작하고 있다. 거기에 등장하는 시민 브라운이란 자유민주주의 전통을 의인화한 것이다.]

4. M. Margolis, *Viable Democracy* (Penguin Books, Harmondsworth, Middlesex, 1979), p. 9.

적 이론으로서 발전했을 때에서야 출현한다. 그렇지만,

> 국가에서 여자는 남자와 동일한 권리를 갖는가? 이 물음은 많은 이들에게 우스꽝스러워 보일 수도 있을 것이다. 왜냐하면, 모든 법적 권리의 유일한 근거가 이성과 자유라고 한다면, 어떻게 동일한 이성과 동일한 자유 양자 모두를 소유하는 두 성 사이에 구별이 있을 수 있다는 말인가?

그는 이 물음에 다음과 같이 대답한다.

> 그럼에도 불구하고, 인간이 살아온 동안, 이는 달리 생각되어온 것 같으며, 여성은 권리 행사에 있어 남성과 동등한 위치에 놓여 있지 않았던 것으로 보인다. 이러한 보편적인 정서는 근거를 가지고 있음에 틀림이 없다. 그런데 그 근거를 발견하는 것이 우리 시대보다 더 긴급한 문제였던 적은 없었다.[5]

반여성주의자들과 반민주주의자들은 이 '긴급한 문제'가 해결하기 어렵다는 것을 결코 발견하지 못했다. 구별적인 권리와 지위는 양성의 '자연적' 차이에 대한 호소를 통해 옹호되어왔으며 옹호되고 있는데, 이로부터 여자들은 아버지나 남편에게 종속되어 있으며 여자들의 온당한 자리는 가정생활에 있다고 하는 게 따라 나온다고 여겨진다. 자연으로부터의 논변은 신화와 고대 시기로까지 거슬러 올라간다(그리고 오늘날 종종 사회생물학이라는 과학적 의복을 입고 등장한다). 그리고 그것의 장수(長壽)는 그것이 우리에게 인간 조건의 영원하고 본질적인 부분에

5. J. G. Fichte, *The Science of Rights*, tr. A. E. Kroeger (Trubner, London 1889), 'Appendix', §3.1, p. 439(강조는 나의 것).

대해 알려주고 있음을 확인하는 것처럼 보인다. 하지만 그 논변은 무시간적이기는커녕 상이한 역사적 시기에 특정한 정식화를 가지고 있다. 그리고 그것은 자유주의-자본주의 사회의 발달이라는 맥락 속에서, 개인의 자유와 평등이라는 이데올로기하에 자유주의의 가부장적 구조를 흐려놓는다.

사회계약 이론가들은, 그리고 특히 로크는, 부성적 권력과 정치적 권력이 아버지에 대한 아들의 자연적 종속에 근거하고 있는바 하나의 동일한 것이라는 가부장적 테제를 결정적으로 반박했다고 통상 가정된다. 로크는 분명 자연적 내지는 가족적 유대와 정치적 삶의 관례적 관계를 예리하게 구분했다. 하지만 그가 주장하기를 아들은 어른이 될 때 아버지처럼 자유롭고 아버지와 평등하며, 따라서 자신의 동의에 의해서만 정당하게 통치될 수 있지만, 그가 이 논변에서 여자(아내)를 배제했다는 것은 통상 '망각된다'. 부권주의자들에 대한 그의 비판은 자연적인 개인적 자유와 평등이라는 가정에 의존하고 있지만 단지 남자들만 '개인'으로 셈해진다. 여자들은 태어나면서부터 종속적인 것으로 여겨진다. 로크는 여자가 결혼 계약을 통해 자신을 남편에게 종속된 자리에 놓는 데 언제나 동의할 것임을 주어진 것으로 간주한다. 그는 아내의 종속이 '자연에 근거'를 갖는다는 것에 대해 부권주의자들과 동의하며, 가족 안에서 남편의 의지는 '더 유능하고 힘이 센' 자의 의지로서 '그들의 공통 관심사가 되는 모든 일들에서 아내의 의지'를 언제나 이겨야만 한다고 주장한다.[6] 개인의 자유와 평등이라는 전제 및 권위의 관례적 기반이라는 그것의 귀결과 여자들(아내들)은 자연적으로 종속되어 있다는 가정 사이의 모순은 그 이후로 주목되지 않은 채로 있었다. 이와 유사하게, 여자들이 자연적으로 부차적이거나 종속 상태로 태어난

6. J. Locke, *Two Treatise of Government*, ed. P. Laslett 2nd edn (Cambridge University Press, Cambridge, 1967), I, §47, 48; II, §82.

다면 이러한 지위에 대한 여자들의 동의나 합의는 잉여적이라는 문제에 대한 아무런 인정도 없었다. 하지만 이 모순과 역설은 민주주의 이론과 실천의 심장부에 놓여 있다. 아내의 지위에 대한 계속되는 침묵은 변형된 부권주의와 자유주의의 통합의 힘을 증언한다. 역사상 처음으로 자유주의적 개인주의는 여자들에게 자연적으로 자유로운 개인으로서 남자와 동등한 사회적 지위를 약속했다. 하지만 동시에 사회경제적 발달은 남편에 대한 아내의 종속이 계속해서 자연적인 것으로 보이고 따라서 민주주의 이론가들의 영역이나 자유주의를 민주화하려는 정치적 투쟁 바깥에 있는 것으로 보이도록 보증해주었다.

결혼한 여자들의 고유한 자리는 남편에 대한 봉사자로서 그리고 아이들에 대한 어머니로서 부부의 가정에 있다는 확신은 이제 너무나도 널리 퍼져 있고 잘 확립되어 있어서 이러한 배치는 역사적·문화적으로 특별하다기보다는 인간 실존의 자연스러운 특징으로 나타난다. 생산의 자본주의적 조직화의 발전 역사는 또한 성적 분업의 특수한 형태의 발전 역사다(비록 이것은 대부분의 책들에서 발견되는 역사가 아니지만). 사회계약 이론가들이 불평등과 종속의 자연적 위계라는 가부장적 논제를 공격했던 당시에, 아내들은 남편의 동등자가 아니었지만, 그들의 경제적 의존자도 아니었다. 아내들은, 경제적 생산에서 연합자이자 동반자로서, 독립적 지위를 가지고 있었다. 생산이 가정 바깥으로 옮겨가면서, 여자들은 자신들이 장악했던 업무에서 강제로 퇴출되었으며, 아내들은 생계를 남편에게 의존하게 되었으며, 혹은 일정한 생산 영역에서 개별 임금을 위해 경쟁했다[7]. 수많은 노동계급 아내들과 어머니들은 가족의

7. 불가피하게 간단한 이러한 언급에 대한 확충을 위해서는 다음을 볼 것. T. Brennan and C. Pateman, '"Mere Auxiliaries to the Commonwealth": Women and the Origins of Liberalism', *Political Studies*, 27 (1979), pp. 183-200: R. Hamilton, *The Liberation of Women: A Study of Patriarchy and Capitalism*

생존을 확보하기 위해 유급 고용을 찾으려고 노력해야만 했다. 하지만 19세기 중엽이 되면 이상적인 삶의 양식, 자연적이고 존중할 만한 삶의 양식은 중간계급의 양식인 것으로 간주되게 되었다. 즉 생계를 부양하는 가장과 그에게 전적으로 의존하는 아내. 그 무렵이면 아내들의 종속은 완벽했다. 아무런 법적이거나 시민적인 독립적 지위도 없었던바 아내들은 소유물의 지위로 환원되어 있었다. 19세기 여성주의자들이 아내들을 서인도 제도와 남아메리카의 노예들에 비교하면서 강조했듯이 말이다. 오늘날 여자들은 독립적인 시민적 지위와 투표권을 쟁취했다. 그들은 겉보기에 분명 시민일 뿐만 아니라 '개인들'이다——따라서 민주주의에 대한 논의에서 아무런 특별한 관심도 요구하지 않는다. 그렇지만, 자유주의적 개인주의의 제도화와 보통선거권의 확립의 가장 중요한 결과 중 하나는 자유민주주의의 형식적인 정치적 평등과 (결혼 제도의 가부장적 구조 안에서 아내로서의 여자들의 종속을 포함해서) 여자들의 사회적 종속 사이의 실천적 모순을 조명하는 것이었다.

여성주의에 대한 민주주의 이론가들(과 정치 활동가들)의 태도를 보여주는 것은 (여자들의) 자연본성에 근거하는 논변에 대한 존 스튜어트 밀의 비판 및 그 비판에서 배워야 할 가르침들이 거의 알려져 있지 않다는 점이다. 밀의 주석가들은 『여자들의 종속』이 학술적으로 받아들일 수 있는 『자유론』에 담긴 논변들의 논리적 확장을 제공함에도 불구하고 『여자들의 종속』을 잊힘의 상태로 밀어 넣었는데, 오늘날 조직화된 여성주의 운동의 부활은 그 책을 그 잊힘의 상태에서 구출해내기 시작했다. 『종속』은 그 실질적 논변 때문에 중요하다. 하지만 또한 그 책에서 밀이 취하는 궁극적으로 모순적인 입장은 여성주의 비판이 바로 얼마나

(Allen & Unwin, London, 1978); H. Hartmann, 'Capitalism, Patriarchy and Job Segregation by Sex', *Signs*, 1(3), pt 2 (1976), pp. 137-70; A. Oakley, *Housewife* (Penguin Books, Harmondsworth, Middlesex, 1976), chaps. 2, 3.

근본적인지를, 그리고 자유주의 원리들을 양성 모두로 보편화하려는 시도가 어떻게 자유민주주의 이론과 실천의 한계 너머로까지 밀고 나아가는지를 예증하기 때문에도 중요하다.

『여자들의 종속』에서 밀은 여자와 남자, 혹은 보다 구체적으로 아내와 남편의 관계가——그가 믿기로는 이제 다른 사회적·정치적 제도들을 지배하는——개인의 권리, 자유, 선택에 관한 자유주의적 원리들, 기회 평등의 원리 및 능력에 따른 직업적 위치의 할당 원리들에 대해서 정당화되지 않은 예외를 형성한다고 주장한다. 근대 세계에서는 동의가 힘을 대체했으며, 성과의 원리가 귀속의 원리를 대체했다——여자들이 관련된 곳을 제외하면 말이다. 밀이 말하기를, 부부관계는 '원시적 상태의 노예제가 계속 지속되고 있는 것'이며 '그것은 그 야만적 기원의 얼룩을 잃지 않았다'(p. 130).[8] 더 일반적으로, 여자들의 사회적 종속은 '다른 모든 것에 있어서는 타파된⋯ 사고와 실천의 구세계의 단 하나 남은 유물'이다(p. 146).[9] 밀은 여성주의자들이 지적으로 설득력 있는 논거를 제시함에 있어 직면하는 어려움에 대한 얼마간 적실한 논평과 더불어서 『종속』을 시작한다. 남자들의 지배는 오랜 관습에 뿌리를 두고 있으며 남성 우월성이 사물들의 온당한 질서라는 관념은 이성적으로 검증된 믿음보다는 느낌이나 감정에서 유래한다(그리고 덧붙일 수 있겠는바, 남자들은 설득을 당함으로써 잃을 것이 많다). 그리하여 여성주의자들은 그들의 반대자들이 '자신들이 태어나서 길러질 때의 실천 원리들, 세계의 기존 질서의 상당 부분의 기초인 실천 원리들을, 그들이 논리적으로 저항할 수 없는 최초의 논변적 공격을 받고서 포기할'(p. 128) 것이라고 기대하지 말아야 한다. 밀은 자연본성에 대한 호소의 중요성을 매우 의식하고 있었다. 그가 지적하기를, 그것은 여자들의 종속을 다른 형태의

8. [존 스튜어트 밀, 『여성의 종속』, 서병훈 옮김, 책세상, 2006, 21쪽.]

9. [45-46쪽.]

종속과 구별할 아무런 기준도 제공하지 않는데, 왜냐하면 모든 지배자들은 자신들의 위치에 대해 자연본성에서의 근거를 주장하려고 시도해왔기 때문이다. 그가 또한 주장하기를, 여자들과 남자들 각각의 자연본성에 대해 그 무엇도 이야기할 수 없는데, 왜냐하면 우리는 불평등한 관계에서만 양성을 보아왔기 때문이다. 남자와 여자의 도덕적 역량과 여타 역량에서의 여하한 차이라도 그들이 독립적이고 평등한 이성적 존재로서 상호작용할 수 있을 때 알려질 것이다.

그렇지만, 관습과 자연본성에 대한 호소를 격렬하게 공격하고는 있지만 궁극적으로 밀은 자신이 신중하게 비판했던 바로 그 논변에 다시 의지한다. 그가 자신의 원리들을 일관되게 가정생활에 적용하지 못하고 있다는 사실이 최근 여성주의 비판가에 의해 지적되었다. 하지만 그의 비일관성이 여성참정권과 평등한 민주적 시민권에 대한 그의 옹호를 침식한다는 것은 덜 지적된다. 『종속』의 중심 논변은 남편에게서 아내에 대한 법적으로 인정된 전제적 권력을 없애야 한다는 것이다. 밀이 지지했던 혼인법의 법적 개혁 대부분은 이제 실현되었다(중요한 예외는 부부강간인데, 나는 이 문제로 돌아올 것이다). 밀이 자신의 비판을 가정 안에서의 성적 분업으로 확장하기를 꺼려한 것의 함축들이 이제 완전히 드러난다. 밀이 주장하기를, 여자들은 양육이나 교육 결핍이나 법적 · 사회적 압력 때문에 결혼할지 말지에 대한 자유로운 선택을 갖지 못한다: '아내'는 여자들에게 열려 있는 유일한 직업이다. 하지만 비록 그가 또한 남자들처럼 여자들도 스스로를 부양할 수 있게 해줄 적절한 교육을 받을 동등한 기회를 가져야만 한다고 주장하고 있지만, 그는 결혼이 개혁되더라도 대부분의 여자들은 독립을 선택하지 않을 것이라고 가정한다.

밀이 진술하기를, 남자가 직업을 선택할 때처럼 여자는 결혼을 할 때 자신의 직장생활(career)로 선택한 것이라는 점이 일반적으로 이해되고 있다. 여자가 아내가 될 때, '그녀는 가정의 관리와 가족의 양육을 (…) 그녀가 애써야 할 첫째 소명으로서 선택한다'(p. 179).[10] 밀은 여기서 귀속 논변으로 되돌아가고 있으며, 여자들의 자연스러운 자리와 업무(occupation)에 대한 믿음으로 되돌아가고 있다. 그는 가부장적 정치 이론의 고대 전통에 의지한다. 수전 오킨이 『서양 정치사상에서의 여자들』에서 보여주었듯이,[11] 이 전통은 남자들이 많은 것들이거나 것들일 수 있는 반면에 여자들은 오로지 하나의 기능, 즉 아이를 낳고 기르는 기능을 이행하기 위해 이 세상에 자리가 있는 것이라고 단언한다. 여자들의 직무가 그들의 성에 의해 정해진다면 어떻게 여자들이 진정한 직업 선택을 한다고 말할 수 있는가의 문제를 혹은 결혼 그 자체가 '직장생활'이라면 어째서 평등한 기회가 여자들에게 유관성을 갖는지의 문제를 말끔하게 피해간다. 밀은 평등주의적 결혼을 동반자들이 그들 자신의 연합 조항을 자유롭게 타협하는 사업동반자 관계에 비유한다. 하지만 평등이 관례적인 가내 분업[가사 분담]을 교란하지 않을 것이라는 자신의 견해를 지지하기 위해 그는 자유주의 원리들에 어긋나는 어떤 아주 약한 논변에 의존한다. 그는 '자연적인 방식'은 아내와 남편 각자에게서 '자기 부문을 집행함에 있어 절대적'일 것이고 '체계와 원리의 여하한 변화라도 양쪽 모두의 동의를 필요로 한다'(p. 169)[12]라고 말한다. 그는 또한 배우자들 사이에서의 분업은 결혼 계약에서 동의될 수 있을 것이라고 말한다——하지만 그는 아내들이 기꺼이 '자연적인' 방식을 받아들이려 할 것이라고 가정한다. 밀은 의무들이 이미 '동의에 의해' 그리고 개별 경우에서 조정되는 '일반적 관습에 의해' 분할된다는 점에 주목한다

10. [98쪽.]

11. S. Okin, *Women in Western Political Thought* (Princeton University Press, Princeton, NJ, 1979).

12. [83쪽.]

(p. 170).[13] 하지만 그가 책 전체에서 반대하고 있는 것이 바로 남성 지배의 보루로서의 '일반적 관습'이다. 그는 남편이 통상 더 나이가 많기 때문에 결정에서 일반적으로 더 큰 목소리를 낸다고 제안할 때 이를 망각한다. 밀은 이것이 나이가 무관해지는 삶의 시기까지만 그렇다는 점을 덧붙인다. 하지만 남편들은 그때가 도달했다는 것을 언제 인정할까?[14] 그는 또한 생계를 책임지는 쪽의 견해에 더 많은 무게가 실린다고 제안할 때 그 자신의 논변을 망각한다. 이때 그는——아내들은 결혼에 합의함으로써 의존적이기를 '선택'할 것이라고 그가 이미 가정했음에도 불구하고——부정직하게도 '그게 어느 쪽이든'이라고 덧붙인다.

1980년대 반여성주의 운동들과 선전가들도 밀이 지지한 가내 분업이 유일하게 자연스러운 것이라고 주장한다. 그들은 여자들의 시민권에 있어 이러한 방식이 지닌 함축으로 인해 혼란스럽지 않을 것이다. 하지만 민주주의 옹호자들은 혼란스러워야 한다. 밀은 남자들을 위해 투표를 지지했던 동일한 이유에서 여성 선거권을 옹호했다. 그것이 자기보호나 개인 이익의 보호를 위해 필요하기 때문에, 그리고 정치 참여가 여성 개인의 능력을 확대할 것이기 때문에. 밀의 논변에서 명백한 문제는 아내로서의 여자들이 주로 가족이라는 작은 울타리와 그곳의 틀에 박힌 일상에 갇혀 있고 따라서 자신들의 투표권을 보호 수단으로서 유효하게 사용하기가 힘들 것이라는 점이다. 여자들은 집안의 삶 바깥의 경험

13. [84쪽.]

14. 밀이 암묵적으로 개별 남편들의 행위와 신념을 결혼 제도 안에서 '남편들'에게 주어진 '아내들'에 대한 힘과 구별한다는 것은 언급할 만한 가치가 있다. 그는 결혼 노예제의 옹호자들이 가리키고 있는 소수의 선한 자들이 아닌 모든——심지어는 자신의 힘을 아내들을 물리적으로 학대하는 데 사용하는 이들을 포함해서——남자를 위해 결혼이 고안되었다는 점에 주목한다. 이 중요한 구별은 여성주의의 비판자들이 자신들이 개인적으로 알고 있는 개별 '선한' 남편들의 사례들을 제공하곤 하는 오늘날에도 여전히 종종 간과되고 있다.

없이는 자신의 이익이 무엇인지 배울 수 없을 것이다. 이러한 논점은 참여를 통한 정치적 발달과 교육에 관한 밀의 논변에서 한층 더 중차대하다. 그는 자유 정부하에 발생하는 개인의 '도덕적, 정신적, 사회적 존재'로서의 고양에 대해 일반적 용어로 쓰고 있다(p. 237).[15] 하지만 이것은 주기적 투표를 놓고 하기에는 큰 주장이다(선거권 부여를 통한 정치적 삶의 도덕적 변화가 여성 선거권 운동의 중심 주제이기는 했지만 말이다). 또한 밀 그 자신도 이러한 '고양'이 단지 선거권으로만 결과될 것이라고 전적으로 믿지는 않았다. 그는 '시민권'이——여기서 나는 그가 보통선거권을 말한다고 본다——'현대적 삶에서 다만 작은 자리를 차지할 뿐이며, 일상적 습관이나 내밀한 정서에 근접하지 못한다'라고 쓴다(p. 174).[16] 더 나아가 그는 '제대로 된' 가족이라면 '자유의 덕목을 키우는 참된 학교'가 될 것이라고 주장한다.[17] 그렇지만 이것은 자유민주주의적 투표의 결과에 관한 주장만큼이나 신빙성이 떨어진다. 전제적 남편을 수장으로 하는 가부장적 가족은 민주주의 시민권을 위한 기초가 결코 아니다. 하지만 평등주의적 가족도 그 자체로는 마찬가지다. 밀은 사회적이고 정치적인 저작들에서 광범위한 다양한 제도들, 특히 직장에 참여하는 것만이 능동적이고 민주주의적인 시민권을 위해 필요한 정치 교육을 제공할 수 있다고 주장한다. 하지만 가정생활을 '선택한' 아내들과 어머니들이 어떻게 자신들의 역량을 발전시킬 기회나 민주주의 시민이 되는 것이 무엇을 의미하는지를 배울 기회를 갖겠는가? 그러므로 여자들은, 개인이 일상적 가족생활의 협소한 영역에 갇혀 있을 때 결과하는, 정의감이나 공적 정신이 결여된 이기적이고 사적인 존재를 예시한다.[18] 밀이

15. [186쪽.]
16. [91-92쪽.]
17. [92쪽.]
18. 밀과 다른 많은 여성주의자들은 정의감 결여(가정생활에 갇혀 있는 것의

겉보기에 자연스러운 가정 내 분업에 의문을 제기하는 데 실패한 것은 민주주의 시민권을 위한 그의 주장들이 남자들에게만 적용된다는 것을 의미한다.

1860년대에 글을 쓴 밀에게, 19세기의 아주 예외적인 여성주의자들만이 남녀 영역 분리 원칙에 적극적으로 의문을 제기하고 있던 때에 그가 남편과 아내 간의 수용된 분업을 비판해야 한다고 요구하는 것은 비합리적이고 시대착오적인 일이라는 반대가 있을 수 있다. 하지만 그 반대가 인정되더라도,[19] 이는 동시대의 민주주의 이론가들과 경험적 연구자들의 동일한 결정적 실패에 대한 변명이 되어주지 않는다. 여성주의 운동이 아주 최근에서야 학계의 연구에 영향력을 갖게 되기 시작하기 전까지, 결혼 제도의 구조와 시민권의 형식적 평등 사이의 관계가 무시되었을 뿐만 아니라, 여자 시민들은 종종 정치적 행동과 태도에 대한 경험적 탐구에서 다만 배제되거나 과학적인 용어가 아닌 가부장적 용어로 간략하게 언급되었다.[20] 『종속』을 읽었다면 이런 문제들은 오래전에 민주주

결과)를 여자들 성격의 주요 결점으로 본다. 그 결점이 여자들에게 자연적이라고 하는 단언은 여자들이 본래 정치적 질서에 대해 전복적이며 국가의 위협이라고 하는——민주주의를 다루는 저자들에 의해 무시되는——믿음에서 중심적이다. 이 문제에 대해서는 1장을 볼 것.

19. 이는 인정될 필요가 없다. 『여자들의 종속』은 상당 부분 윌리엄 톰슨의 (이제껏 등한시된) 『인류 절반인 여성이 그들을 정치적 노예상태, 따라서 시민적, 가정적 노예상태로 유지하기 위한 나머지 절반인 남성의 가식에 맞서 제기하는 호소』(*Appeal of One Half the Human Race, Women, Against the Pretensions of the Other Half, Men, to Retain them in Political, and Hence in Civil and Domestic, Slavery*, Source Book Press, New York, 1970)에 빚지고 있다. 이 책은 원래 1825년에 출간되었다. 톰슨은 협동조합적-사회주의적이고 성평등적인 미래에 대한 전망 속에서 이 문제에 아주 적극적으로 의문을 제기하고 있었다.

20. 초기 비판으로는 가령 M. Goot and R. Reid, 'Women and Voting Studies: Mindless Matrons or Sexist Scientism', *Sage Professional Papers in Contemporary Sociology*, 1 (1975)을 볼 것. 좀 더 최근의 것으로는 가령 J. Evans, 'Attitudes

의에 대한 논의의 맨 앞에 놓였어야 한다. 가령 지역 정치에서 능동적인 여자들조차도 아이 돌봄에 대한 책임 때문에, 그리고 공직을 갖는 것이 여자들을 위한 고유한 활동은 아니라는 믿음 때문에 공직에 출마하지 못하게 된다는 것을 보여주는 경험적 발견[21]의 출현이 심지어 저명한 철학자의 여성주의적 저술보다 아마 더 진지하게 취해질 것이다.

자유민주주의 국가들에서 여성의 시민권을 둘러싼 문제들은 애석하게도 도외시되었을 수도 있다. 하지만 민주주의 이론가들이 여자와 아내 문제를 대면하지 못한 것은 한층 더 심각하다. 민주주의 시민권은, 자유주의 시민권의 맥락에서 보통선거권이라는 최소 의미로 해석된다고 하더라도, 정치체의 모든 구성원들이 사회적 동등자들이며 독립된 '개인'이며 이 지위가 함축하는 모든 역량을 가지고 있다는 것에 대한 실천적이고 보편적인 인정이라는 견고한 토대를 전제한다. 동시대 민주주의 이론 및 자유, 평등, 동의와 개인이라는 그것의 언어가 보여주는 가장 심각한 실패는 여자들이 그토록 손쉽고도 눈에 띄지 않게 '개인'에 대한 지칭들에서 배제된다는 것이다. 그리하여 그 배제가 사회적이고 정치적인 현실을 반영하는가 하는 물음은 결코 생겨나지 않는다. 이러한 물음을 제기할 필요에 대한 아무런 의식도 없는 한 가지 이유는 민주주의 이론가들이 관례적으로 자신들의 주제를 정치적 내지는 공적 영역을 포괄하는 것으로서 본다는 것인데, 급진 이론가들의 경우 거기에 경제와 직장을 포함시킨다. 개인적이고 가정적인 삶의 영역──여자들의 '자연적' 왕국인 영역──은 조사에서 배제된다. 동의가 민주주의 이론가들의 논변에서 맡고 있는 중심 역할에도 불구하고, 그들은 남자와 여자 사이의

to Women in American Political Science', *Government and Opposition*, 15(1) (1980), pp. 101-14.

21. M. M. Lee, 'Why Few Women Hold Public Office: Democracy and Sexual Roles', *Political Science Quarterly*, 91 (1976), pp. 297-314.

성적 관계의 구조에, 더 특정하게는, 강간의 관행 및 강간을 범죄로 정의하는 동의와 비동의의 해석에 아무런 관심도 기울이지 않는다. 강간에 관한 사실은 우리의 '개인'이라는 용어의 사용에 반영되고 부분적으로는 그러한 사용에 의해 구성되는 사회적 현실들에서 중심적이다.

19세기 남편들의 전제적 권력에 대한 밀의 비판 가운데는 남편이 아내를 강간할 법적 권리를 가졌다는 가혹한 상기물이 있다. 한 세기가 더 지났으나 남편은 여전히 대부분의 법적 관할권에서 그 권리를 갖는다. 아내들은 본성상 남편에게 종속된다는 가부장적 주장에 동의함으로써 로크는 여자들을 '자유롭고 평등한 개인들'의 지위에서 배제한다; 결혼 계약의 내용은 이러한 가정이 오늘날 여전히 결혼 제도의 심장부에 놓여 있다는 것을 확인해준다. 자유로운 결혼 계약에서 자신의 종속적 지위에 대한 여자의 가정된 동의는 본질적으로 귀속적인 '아내'라는 지위에 주의주의적인 광택을 부여한다. 자연적 종속에 대한 가정이 여전히 유효한 게 아니라면, 자유민주주의 이론가들은 어째서 겉보기에 분명 자유롭고 평등한 개인이 언제나 자신을 또 다른 그와 같은 개인에게 종속시키는 계약을 맺는 데 동의하는지를 오래전에 묻기 시작했을 것이다. 그들은 아내의 최초 합의가 남편에게 성적인 봉사를 제공한다는 동의를 철회할 권리를 아내에게서 박탈하고 남편에게 아내를 강제로 복종시킬 수 있는 법적 권리를 주는 제도의 성격에 대해 오래전에 의문을 제기하기 시작했을 것이다. 동시대 민주주의 이론가들이 전임자들의 가부장적 가정들로부터 거리를 두고자 한다면, 그들은 한 인간이 자유로운 민주적 시민인 동시에 자신의 자유와 개별성의 치명적 측면——즉 동의를 거부하고 자신의 인격의 통합성 침해에 대해 '아니'라고 말할 수 있는 자유——을 포기하는 아내일 수 있는 것인지 질문하기 시작해야만 한다.

여자의 동의 거부권은 또한 더 일반적인 중요성을 갖는다. 결혼 외부에서 강간은 심각한 범죄다. 하지만 증거가 보여주듯이, 범죄자 다수는 기소되지 않는다. 여자들은 정치 이론가들이 개인과 시민의 지위를 획득하거나 동의의 실천에 참여할 역량이 결핍되어 있다고 간주한 존재들의 본보기였다. 하지만 동시에 여자들은 개인적 삶에서 언제나 동의하는 존재, 명시적 동의 거절이 무시되고 동의로 재해석될 수 있는 존재로 지각되어왔다. 여자들에 대한 이 모순적 지각은 강간당한 여자들이 공격자(들)에 대한 유죄 판결을 확보하는 것이 왜 그토록 어려운 것인지의 주된 이유다. 여론, 경찰, 법원은 강요된 복종을 기꺼이 동의와 동일시한다. 그리고 이 동일시가 가능한 이유는 여자가 '아니'라고 말할 때 실제로 '응'을 의미하는 것이기에 그 말은 아무런 의미도 갖지 않는다고 널리 믿어진다는 데 있다. 남자가 자신의 제안에 대한 명시적 거절을 동의로 재해석하는 것은 전적으로 합리적인 것으로 널리 간주된다.[22] 그리하여 여자들은 자신들의 말이 집요하고도 체계적으로 무효화되는 것을 발견한다. 그러한 무효화는 두 성이 실제로 '개인'으로서 동일한 지위를 공유한다면 이해 불가능한 것일 터이다. '개인'으로서 확실하고 인정된 지위를 가진 그 누구도 일관되게 자신이 의미했던 것의 반대를 말하고 그렇기에 그 말이 타인에 의해 정당하게 재해석될 수 있는 어떤 사람으로 간주될 수는 없을 것이다. 다른 한편, 한 사람이 자연적인 종속자로 간주되고, 그리하여 관례에 근거한, 자유로운 합의와 동의에 근거한 (것으로 간주되는) 사회적 실천에서 극도로 애매한 자리를 가질 경우, 무효화와 재해석은 기꺼이 이해 가능하다.

22. 정치 이론가들이 여자들의 동의를 취급해온 역설적 방식에 대한 상세한 논의와 이러한 설명이 기초하고 있는 경험적 증거는 4장에서 볼 수 있다. 몇몇 사법관할권에서, 예컨대 호주의 뉴사우스웨일스, 사우스오스트레일리아, 빅토리아에서 부부 강간은 이제 범죄다. 법률 개혁은 아주 반가운 일이다. 하지만 더 넓은 사회적 문제가 남아 있다.

민주주의의 개념적 토대와 사회적 조건의 문제를 진지하게 취급하는 정치 이론가들은 결혼과 개인적 삶에 대한 여성주의적 비판을 더 이상 피해갈 수 없다. 그 비판은 곤란하고 당혹스러운 물음을 제기한다. 하지만 '민주주의'가 확대된 남성 클럽 이상의 것이라면, 그리고 자유민주주의 국가의 가부장적 구조가 도전을 받기 위해서는 대면해야만 하는 물음. 성생활을 포함해서 여자와 남자의 일상적, 개인적 삶을 지배하는 가정들과 관행들은 더 이상 정치적 삶과 민주주의 이론가들의 관심사로부터 멀리 떨어진 문제로 취급될 수 없다. 여자들의 '개인'으로서의 지위는 개인적이고 정치적인 그들의 사회적인 삶 전체에 스며들어 있다. 결혼을 포함해 일상적 삶의 구조는 여자들이 자연적으로 남자들에게 종속된다는 믿음과 관행에 의해 구성된다. 하지만 민주주의를 다루는 저자들은 여자와 남자가 선거권이 있는 시민으로서의 역량 속에서 동등자로서 자유롭게 상호작용할 수 있으며 상호작용할 것이라고 계속해서 단언한다.

앞선 논변과 비판은 자유민주주의와 참여민주주의 양자 모두의 논의에 유관하다. 하지만 특히 후자에 유관하다. 자유주의 이론가들은 계속해서 사회적 관계와 사회적 불평등의 구조가 정치적 평등과 민주주의 시민권과는 무관하다고 주장한다. 그렇기에 그들은 여타의 근본적 비판가들에게 영향을 받는 것보다 여성주의자들에 의해 결코 더 큰 영향을 받을 것 같지는 않다. 참여민주주의 옹호자들은 여성주의 논변들을 고려하기를 주저해왔다. 이 논변들이, 한 가지 측면에서 보았을 때, '민주주의'는 국가를 넘어 사회의 조직화로 확장된다는 참여민주주의적 주장의 확장임에도 불구하고 말이다. 동시대 여성주의 운동이 다양한 이름하에 참여민주주의적 조직화를 실천에 옮기려는 시도를 해왔기에, 여성주의에 대한 저항은 특히 아이러니하다.[23] 그 운동은 탈중화되어 있고, 반위계적이고, 구성원들이 의식고양, 참여적 의사결정, 과제와 직위의 순환 등을 통해서 스스로를 교육하고 독립을 성취하는 것을 보장하려고 노력한다.

여성주의자들은 사적인 삶과 공적인 삶이 서로 고립되어 이해될 수 있다는 자유주의적 주장을 부인한다. J. S. 밀의 여성주의적 글이 경시되었던 한 가지 이유는 그가 자유주의 원리를 결혼 제도로 확장함으로써 로크에 의해 확립된 부성적 지배와 정치적 지배 사이의——혹은 비개인적이고 관례적인 공적 영역과 자연적 애정과 자연적 관계의 영역인 가족 사이의——핵심적인 자유주의적 분리를 침해한다는 것이다. 참여민주주의 지지자들은 물론 직장에 대한 논의에서 공과 사의 통념적 개념에 적극적으로 도전하고 있다. 하지만 이 도전은 여성주의의 통찰을 무시한다. 여성주의자들과 참여민주주의자들이 공과 사의 구분을 아주 다르게 본다는 것은 좀처럼 음미되지 않는다. 여성주의 관점에서 볼 때, 참여민주주의적 논변들은 시민사회와 국가의 가부장적-자유주의적 분리 안에 머물고 있다. 가정의 삶은 공적인 삶 그 자체 안의 구분인 이 분리와 극도로 애매한 관계를 갖는다. 반면에 여성주의자들은 여자들의 '자연적' 영역인 가정의 삶을 사적인 것으로 보며, 따라서 경제적 삶과 정치적 삶 모두를 포괄하는 공적 영역, 즉 남자들의 '자연적' 경연장으로부터 구분된 것으로 본다.[24]

'사적인' 삶의 여성주의적 개념을 고려하지 못함으로써, 가족을 무시

---

23. 다른 한편으로, '참여민주주의' 신좌파에서 여자들의 경험은 여성주의 운동의 부활에서 주요한 추동력이었다. 신좌파는 정치적 행동, 기술(skills)의 발달을 위한 경연장을 제공했으며, 이데올로기적으로 평등주의적이었다. 하지만 그것은 그 조직에 있어서, 그리고 특히 그 개인적 관계들에 있어서, 여전히 남성 지상주의적이었다. S. Evans, *Personal Politics* (Knopf, New York, 1979)를 볼 것.

24. 가족의 애매한 자리에 대한 얼마간의 설명으로는 1장을 볼 것. 공과 사의 더 넓은 문제에 대해서는 6장을 볼 것.

함으로써, 경제적 삶의 민주화에 대한 참여민주주의 논변들은 민주주의적 사회 변혁의 핵심 차원을 도외시했다(그리고 나는 『참여와 민주주의 이론』을 여기 포함시킨다[25]). 가사 분업과 경제적 삶 사이의 긴밀한 관계나 직장 내 성별 분업의 중요성에 대한 인식을 찾기가 힘들다. 이 글에서, 그리고 산업 민주화에 대한 저술에서 다루어지는 더 심층적인 문제들의 함축에 대한 언급은 말할 것도 없고 말이다. 남성 고용인들의 위치와는 아주 다른 여성 노동자, 특히 기혼 노동자의 위치를 연구한 것은 직장 민주화 지지자들이 아니라 여성주의자들이다. 민주주의를 다룬 저자들은 여성들과 유급 고용에 대한 대규모로 집적된 여성주의 연구를 이제는 소화해야만 하며, 혹은 그것을 반성과 논쟁과 정치적 행동의 중심으로 가져오지 않을 경우 여자들은 현재 자유민주주의 국가들에서 그렇듯이 미래의 참여'민주주의'에서도 주변적으로 남아 있게 될 것임을 인정해야만 할 것이다.

나는 정치적 참여의 교육적이고 발달적인 결과들에 대한 논변을 위해서, 여자들의 자연적인 자리는 집안에서의 아내와 어머니로서의 사적인 자리라고 하는 가정에 의해 제기되는 문제로 관심을 끌고 갔다. 오늘날 이 문제는 밀의 시대보다 훨씬 덜 절박하다고 주장될 수 있을 것이다. 많은 기혼 여성이 이제 유급 고용의 공적 세계에 진입했으며, 따라서 가정주부가 아니라면 이미 자신들의 지평이 넓어졌으며, 기업이 민주화되어 있다면 정치적 교육을 얻게 될 것이다. 호주에서 예를 들어 1977년에 여자들은 노동 인구의 35%를 형성했으며, 이 여자들의 63%는 기혼 여성이었다.[26] 그렇지만 통계 배후에 놓인 현실은 노동자로서의

25. C. Pateman, *Participation and Democratic Theory* (Cambridge University Press, Cambridge, 1970).

26. 기혼 여성 고용의 꾸준한 증가는 자본주의 전후 발전의 가장 놀라운 특징 중 하나였다. 그렇지만 (노동계급) 아내들이 언제나 유급 노동 인구에 속해

여자들의 지위가 시민으로서의 우리의 지위만큼 불확실하고 애매하며, '개인'으로서의 우리의 지위라는 보다 근본적인 문제를 반영한다는 것이다. 관례적이지만 암묵적인 가정은 '노동'이 '사적인' 가정이 아니라 직장에서 행해지며 '노동자'는 남성——아내가 제공하는 깨끗한 휴식처, 깨끗한 옷, 음식, 아이 돌봄 등에 대한 욕구를 갖는 어떤 사람——이라는 것이다. 아내가 유급 고용 상태가 될 때, 아무도 누가 그녀를 위해 이러한 봉사를 하는지 묻지 않는다는 것이 그녀의 '노동자'로서의 위치에 있어 의미심장하다. 사실상 기혼 여성 노동자는 두 번의 변신을 한다. 한 번은 사무실이나 공장에서, 그리고 다른 한 번은 가정에서. 여기서 한 가지 큰 물음이 생겨난다. 즉 이미 두 가지 일을 부담하고 있는 회사 구성원들이 왜 민주화가 가져올——기회를 발휘하는 것만이 아니라——새로운 책임을 떠맡으려고 열심인 것일까?

아내의 이중적 나날의 두 구성요소의 상대적 중요성은, 따라서 노동자로서의 여자의 지위에 대한 평가는, 아이젠스타인이 지적하듯이, '모성에 대한 여자들의 첫째가는 책임을 단언하는 동시에 노동자로서의 이차적 지위를 단언하는 "일하는 어머니(working mother)"라는 용어'의 대중적 사용에 반영된다.[27] 다시금, 어떻게 이차적 지위의 노동자들이 민주화된

있었다는 것을 재강조하는 것이 필요하다. 영국에서 1851년에 기혼 여성의 약 4분의 1은 고용되어 있었다(Oakley, *Housewife*, p. 44). 더구나 1930년대까지 가정부는 (보통은 독신인) 여자들의 주된 직업이었다. 밀이 아내들의 (사적인) 양육 의무가 그들의 공적 지위에서 갖는 근본적인 중요성을 간과할 수 있는 한 가지 이유는 중간계급 어머니들에게 아이를 돌볼 다른 여자가 있었다는 것이다. 이와 유사하게, 상층계급과 중간계급 여성참정권론자들은 가정부가 가정과 아이를 돌보고 있다는 인식에서 안전하게 감옥에 갈 수 있었다(이 점에 대해서는 J. Liddington and J. Norris, *One Hand Tired Behind Us: The Rise of the Women's Suffrage Movement Movement*, Virago, London, 1978을 볼 것).

27. Z. R. Eisenstein, *The Radical Future of Liberal Feminism* (Longman, New York, 1980), pp. 207-8.

직장에서 아주 큰 어떤 변화 없이 동등한 참여자로서의 자리를 차지할 수 있는지에 대한 물음이 제기되어야 한다. 요구되는 변화의 크기는 여자들의 (유급) 직장생활의 세 가지 특징을 간단히 참조함으로써 지시될 수 있다. 여자 노동자들의 성적 괴롭힘은 여전히 대체로 인정되지 않은 관행이지만, 그것은 성적 관계, 동의, '개인'으로서의 여자들의 지위라는 문제가 어느 정도로 또한 경제적 영역의 문제인지를 드러낸다.[28] 둘째, 여자들은 동등자로서 참여할 수 있기 전에 여전히 고용자와 조합에 의한 차별에 대항한 투쟁에서 이겨야만 한다. 끝으로, 직장이 평등과 참여에 한층 더 복잡한 문제를 제기하는 성적 분업에 의해 구조화되어 있다는 것이 인지되어야만 한다. 여자들은 일정한 직업적 범주('여자들의 일')로 분리되어 있으며, 비관리직, 저숙련, 낮은 지위의 일자리에 집중되어 있다. 경험 연구는 바로 그러한 일자리에 있는 노동자들의 참여의 가능성이 가장 낮다는 것을 보여주었다.

직장 사례는, 이 논문에서 논의된 여타 사례들과 함께, 개인적 삶과 정치적 삶이 필수적으로 연결되어 있다는 동시대 여성주의 주장이 민주주의 이론과 실천에 대해 갖는 근본적 중요성을 보여주기에 충분할 것이다. 자유주의의 평등한 기회도 전 국민의 능동적, 참여적 민주주의 시민권도 개인적이고 가정적인 삶의 근본적 변화 없이는 성취될 수 없다. 지난 150년의 조직화된 여성주의 운동의 투쟁들은 대단한 것을 성취했다. 예외적인 여자는 이제 수상이 될 수 있다——그러나 그러한 특수한 성취는 예외적이지 않은 여자들, 사회적 범주로서의 여자들의 사회적 삶의 구조를 건드리지 않은 채 놓아둔다. 그들은 여전히 개인, 노동자, 시민으로서 불확실한 위치에 있다. 그리고 여론은 '자연 그 자신인 여자들은 (…) 남자의 판단에 맡겨져야 한다고 명했다'[29]라는

28. 성적인 괴롭힘에 대해서는 예를 들어 C. A. Mackinnon, *Sexual Harassment of Working Women* (Yale University Press, New Haven, CT, 1979)을 볼 것.

루소의 공언을 반향한다. 자유롭고 평등주의적인 성적이고 개인적인 삶의 창조는 진정으로 민주주의적인 사회를 건설하는 데 필요한 모든 변화 가운데 가장 이루기 힘든 것인데, 왜냐하면 그것은 삶과 여성의 종속이 여느 때처럼 계속되는 가운데 추상적 슬로건 속에서 갈채를 보낼 수 있는, 일상적 삶으로부터 멀리 떨어진 어떤 것이 아니기 때문이다. 민주주의적 이상들과 정치는 부엌과 아기 방과 침실에서 실행에 옮겨져야 한다. 그것들은, J. S. 밀(Mill)이 썼듯이(p. 136)[30] '가족의 모든 남성 가장의, 그리고 그렇게 되기를 기대하는 모든 사람의 인신과 부뚜막으로' 돌아가는 것이다. 여자들만 아이를 낳을 수 있다는 것은 인간 실존의 생물학적 사실이다. 하지만 그 사실은 사회적 삶을 사적 (여성적) 실존과 (남성적) 공적 활동이라는 성적으로 정의된 두 영역으로 분리하는 것에 대해 그 어떤 근거도 제공하지 않는다. 궁극적으로 이러한 분리는 자연적 필연성으로부터의 논변을 아이 양육으로 잘못 확장하는 것에 근거하고 있다. 자연에는 아버지로 하여금 아이 기르는 일을 동등하게 나누어 갖는 것을 가로막는 그 무엇도 없다. 사회적이고 경제적인 삶의 조직화 속에는 그것에 역행하는 많은 것이 있지만 말이다. 여자들은 하나의 귀속적 책무로 운명 지어진 것으로 여겨질 경우 민주주의적인 생산적 삶과 시민권에서 동등한 자리를 얻을 수 없다. 하지만 아버지 역시 '노동'과 경제적 삶의 구조에 대한 우리의 개념에서 변형이 일어나지 않고서는 재생산적 활동에서 동등한 몫을 가질 수 없다.

사회계약 이론가들이 부권주의자들의 자연에 대한 호소에 대항하여 관례주의 논변을 내세웠던 300년 전에 시작된 전투는 전혀 결론이 내려지지 않았다. 자연과 관례의 관계에 대한 고유하고 민주적인 이해는 여전히 결여되어 있다. 이 긴 전투의 성공적 결론은 고유하게 민주적인 실천에

29. J.-J. Rousseau, *Emile*, tr. B. Foxley (Dent, London, 1911), p. 328.
30. [29쪽.]

대한 포괄적 이론을 제공하기 위해 어떤 근본적 재개념화를 요구한다. 최근의 여성주의적 이론 작업은——개인주의와 참여민주주의 문제, 그리고 '정치적' 삶의 적합한 개념을 포함해서——민주주의 이론과 실천의 문제에 새로운 관점과 통찰을 제공한다.[31] 지난 세기의 상당 부분에 있어 민주적 형태의 사회적 삶이 무엇과 같을까를 상상하기는 어려웠다. 남성지배적 정당들, 분파들, 그리고 그것들의 이론가들은 민주주의와 여성해방을 위한 투쟁 역사의 일부이면서 정치적 조직화와 활동의 예시(豫示)적 형태를 옹호했던 오래된 '유토피아적' 정치운동들을 매장하려고 시도했다. 과거로부터 배울 교훈은 이렇다. 동시에 여성주의적이지 않은 '민주주의' 이론과 실천은 근본적 지배 형태를 유지하는 데 복무하며, 따라서 민주주의가 구현한다고 여겨지는 이상들과 가치들을 조롱한다.

31. 예컨대 R. P. Petchesky, 'Reproductive Freedom: Beyond "A Woman's Right to Choose"', *Sings*, 5(4) (1980), pp. 661-85의 논의를 보라.

옮긴이 후기

최근 몇 년 사이 '여자들의 문제'에 대한 사회적 관심이 부쩍 늘어난 것처럼 보인다. 지지의 형태로든, (안타깝지만 더욱 빈번하게는) '혐오'라 불리는 형태로든 말이다. 그러니까, 우리가 여자들의 문제를 더는 무시할 수 없는 지점에 다다랐음을 후자마저도 반증하고 있는 것이다.

캐롤 페이트먼은 그 지점이 이미 오래전부터 도래해 있었음을 말한다. 페이트먼은 4세기를 거슬러 올라가 최소 17세기 근대 정치 이론의 발전 시기부터 여자들이 매우 불편한 존재였음을 밝히고, 바로 그 불편함 때문에 여자들이 민주주의 이론에 더욱 핵심적인 존재임을 이 책에서 설파하고 있다. 가령 루소는 여자들이 무질서한—"여자들의 무질서"라는 이 책의 제목은 루소의 글에서 따온 것이다—자연본성을 갖고 있으며 그에 따른 무질서를 낳기 때문에 정치적 삶에 적합하지 못하다고, 여자들은 동의할 수 있는 능력을 결여한다고 공공연하게 말한 바 있다. 여타의 사회계약 이론가들도 크게 다르지 않다. 그들이 한편으로는 평등의 가치를 주장하면서도, 자신들의 이론을 위해 다른 한편으로는 여자들이 남편에 대한 종속 관계에 자발적으로 동의하는 계약에 들어서는 것이라 전제해야만 했다는 사실은 민주주의의 기반으로서의 '동의' 개념의 기원에 자리한 불편함——그것의 허구성——을 여실히 보여주는 것이다. 따라서 페이트먼은 민주주의가 제기하는 문제들의 중심에 다름 아닌 여자들이 있다는 역설적인 주장을 하고, 오늘날의 정치와 이론 모두에서 부차적인 것으로 취급되곤 하는 여자들의 문제를 중심적인 어떤 것으로, 보편의 문제로, 사유할 것을 제안한다. 다시 말해, 이 책은 여자들의 문제를 단순한 '여성쟁점'으로서가 아니라, 민주주의 이론의 근본적 재사유를 요청하는 급진적이면서도 시급한 문제로서 사유할 것을 제안하고 있는 것이다——특히 이 점에 독자들이 주시할 필요가 있다.

이 책이 처음 출간되고 학계에 큰 영향력을 파급한 것은 근 30여 년 전의 일이며, 페이트먼의 이론이 한국 사회에 어느 정도 소개가 되지 않았던 것도 아니다. 그러나 민주주의의 문제를 재사유할 것이 그 어느 때보다 더 요청되고 있는 한국의 오늘 현실을 생각할 때 바로 지금 『여자들의 무질서』가 새삼 한국어로 소개되는 일이 갖는 적절성은 '두말하면 잔소리'가 아니지 않을까 생각한다.

이 기획은 이성민의 제안으로 시작되었다. 여느 책과 마찬가지로 이 책의 길었던 번역과 출간 과정에서 많은 이들의 도움이 있었다. 그중에서도 직접 원고를 읽고 조언함으로써 번역 과정에 참여해 준 정지은 선생님과 신욱재 선생님에게 감사를 전하고자 한다. 또한, 조기조 사장님을 위시한 도서출판 b 식구들의 아낌없는 지지와 인내에 감사를 전한다.

2018년 1월

이평화 · 이성민

바리에테 신서 22

여자들의 무질서

초판 1쇄 발행 | 2018년 3월 2일

지은이 캐롤 페이트먼 | 옮긴이 이평화 · 이성민 | 펴낸이 조기조
펴낸곳 도서출판 b | 등록 2006년 7월 3일 제2006-000054호
주소 08772 서울특별시 관악구 난곡로 288 남진빌딩 302호 | 전화 02-6293-7070(대)
팩시밀리 02-6293-8080 | 홈페이지 b-book.co.kr / 이메일 bbooks@naver.com

ISBN 979-11-87036-35-7 93160
값 22,000원